CW00409508

„Menschen mit einer neuen Idee gelten solange als Spinner, bis sich die Sache durchgesetzt hat."

- Mark Twain

Richard Mann

Die Drucker

Eine Dystopie über Digitalisierung und 3D-Druck aus dem Jahr 2040

Umschlag: Artkrieg

Verlag & Druck: tredition GmbH, Halenreie 40-44,
22359 Hamburg

ISBN
978-3-347-10648-2 (Paperback)
978-3-347-10649-9 (Hardcover)
978-3-347-10650-5 (e-Book)

Vorwort

Die Digitalisierung, so sagt man, wird viele Menschen arbeitslos machen. Es existiert eine Rangliste von Berufen, die besonders gefährdet sind: Tätigkeiten in der Logistik und der Fertigung beispielsweise stehen ganz oben.[1] Das Interessante dabei ist, wie sich die Diskussionen historisch gleichen: Immer, wenn eine technische Revolution die Produktions- und Einkommensverhältnisse verändert, kommt es zu Protesten, Verteufelungen und sozialen Unruhen. Die erste industrielle Revolution war zum Beispiel durch die Einführung von Dampfmaschinen gekennzeichnet und begann Ende des achtzehnten Jahrhunderts in Großbritannien. Weil diese technische Revolution viele Menschen um ihre Arbeit brachte, demolierten Aufständische diese Maschinen. Das wiederum führte dazu, dass das britische Parlament 1812 die Zerstörung von Maschinenwebstühlen sogar unter Todesstrafe stellte[2]. Die Geschichte kann mit unzähligen weiteren Beispielen dieser Art aufwarten: So wurde die Dampflokomotive von manchen als ein Werk des Teufels verdammt[3] und auch dem Automobil begegnete man Anfang des zwanzigs-

---

1 Studie des IAB. http://doku.iab.de/kurzber/2018/kb0418.pdf (Aufruf: 07.03.20).

2 https://www.g-geschichte.de/plus/weber-aufstand/ (Aufruf: 07.03.20).

ten Jahrhunderts mit Verboten oder Hass - Jugendliche auf dem Land beispielsweise, bewarfen die Automobile damals mit Steinen[4]. Man denke auch an weniger auffällige Disruptionen wie die Einführung des Seecontainers, der in den 1950ern die aufwendige Stückgutbe- und -entladung zugunsten des industrialisierten Massenumschlags mittels Container nahezu ablöste[5]. Auch dies führte zu einer erheblichen Veränderung der Beschäftigung an Seehäfen. Mit der zweiten (Elektrifizierung) und dritten (Automatisierung) industriellen Revolution gingen vergleichbare soziale Disruptionen einher. Sehen wir uns noch einmal an, welche industrielle Revolutionen es bisher gab[6]:

---

3 https://www.nrz.de/wochenende/die-angst-vor-neuer-technik-ist-so-alt-wie-die-menschheit-id209190935.html (Aufruf: 07.03.20).

4 Siehe hierzu: Fraunholz, U., 2002, Motorphobia: Anti-automobiler Protest in Kaiserreich und Weimarer Republik, Göttingen, Vandenhoeck & Ruprecht.

5 https://finanzkun.de/artikel/die-container-revolution/ (Aufruf: 07.03.20).

6 Nach https://www.tci.de/blog/2016/industrie-40-in-der-industrieautomation/ (Aufruf: 07.03.20) und https://www.xn--martina-rter-llb.-de/allgemein/von-der-industrie-1-0-bis-zur-industrie-4-0/ (Aufruf: 25.08.20).

Nr.	Merkmal	Zeitpunkt
1(.0)	Mechanisierung von Produktionsprozessen[7] mittels Dampf- und Wasserkraft (z.B. mechanischer Webstuhl)	Ende des 18. Jhdt.
2(.0)	Elektrifizierung von Produktionsprozessen (z.B. Elektromotor und Fließband)	Ende des 19. Jhdt.
3(.0)	Automatisierung von Produktionsprozessen (z.B. programmierte, roboterisierte Fertigung)	Mitte des 20. Jhdt.
4.(0)	Digitalisierung von Produktionsprozessen (z.B. cyberphysische, vernetzte und selbstlernende Fertigung)	heute

Die Digitalisierung, also die vierte industrielle Revolution, wird zweifellos bestimmte Berufe beziehungsweise Berufsbilder zerstören, aber auch neue erschaffen - warum sollte das bei dieser Revolution anders sein als bei den bisherigen? Das Automobil hat beispielsweise Berufe wie Wagner oder Stellmacher nahezu ausgelöscht, im Gegen-

7 Der Begriff „Produktionsprozess“ schließt alle Arten von Geschäftsprozessen ein.

zug sind aber unzählige neue Berufe und Branchen rund um das Auto entstanden.

Damit soll aber keineswegs ein rosarotes Bild vom industriellen Wandel gezeichnet werden, denn die vierte industrielle Revolution wird eine spezielle sein. Verantwortlich dafür ist der 3D-Druck, die eigentliche Revolution innerhalb der Digitalisierung; er wird das Ende der Industrie einläuten, wie wir sie kennen[8]. Dies deshalb, weil der Industrialisierung seit dem Ende des achtzehnten Jahrhunderts, egal ob es die erste, zweite oder dritte Revolution war, immer die Logik der Kapitalakkumulation zugrunde lag. Das heißt, um produzieren zu können, ist beziehungsweise war ein erheblicher Kapitaleinsatz in Form von Maschinen und Flächen notwendig. Industrie 1.0 bis 3.0 bedeuteten deswegen immer die große Fabrik, denn damit sich die Produktion unter massivem Kapitaleinsatz lohnt, mussten diese örtlich zusammengelegt[9] und ausgelastet sein, sich also über Masse refinanzieren. Aus diesem Grund sind Skalen- und Verbundeffekte (auch *economies of scale/scope*) die dominanten Logiken, die diese industriellen Revolutionen begleiteten. Um diese Effekte zu erzielen,

---

8 https://3druck.com/gastbeitraege/warum-industrie-4-0-keine-revolution-ist-3d-druck-schon-4267190/ (Aufruf: 07.03.20).

9 Örtliche Zusammenlegung zur Vermeidung unnötiger und kostspieliger Transportwege zwischen den Fabriken.

trat ein weiteres typisches Merkmal früherer Industrialisierungen auf: die Standardisierung. Um Massenfertigung zu realisieren, bildeten die Fabrikanten Normungs- und Standardisierungsausschüsse, um möglichst viel Gleichartigkeit und damit höhere Skaleneffekte zu erzielen. Auch der Taylorismus ist ein Merkmal dieser Logiken und schon fast eine Art industrielle Ideologie geworden, die in der Grenzkostenrechnung ihre formelhafte Zusammenfassung gefunden hat. Mit dem 3D-Druck ist aber Schluss damit: die Logiken von Skalen- und Verbundeffekten und die Tendenz zur Kapitalakkumulation werden durchbrochen mit einer neuen Fähigkeit, die unter dem Stichwort *Batch Size One* geläufig ist. Das ist Englisch und bedeutet: *Losgröße Eins*. Dieses Schlagwort der Industrie 4.0 bedeutet, dass heute mit dem 3D-Druck und neuen Produktionsverfahren, wie der flexiblen Zellenfertigung, auch Einzelanfertigungen wirtschaftlich sinnvoll und erschwinglich sind. Und das ist absolut revolutionär, denn vor der Industrie 4.0 war das nicht möglich. Der 3D-Druck erlaubt das Fertigen eines Bauteils, ohne dass Maschinen aufwendig umgerüstet werden müssen. Umrüstung war bisher nach dem klassischen industriellen Dogma eine Sünde: sie kostete Zeit und damit Geld. Aber nun gilt das nicht mehr, denn am Computer wird das Bauteil konstruiert und kann mit verschiedenen Materialien in verschiedenen Formen im Drucker unmittelbar realisiert werden.

Natürlich braucht es noch andere Elemente der Digitalisierung, um die Revolution komplett zu machen und dazu gehören insbesondere das schnelle Internet und die digitalen Plattformen (wie Uber, Ebay, Airbnb und viele andere). Schnelles Internet sorgt dafür, dass die 3D-Druckmaschinen weltweit verbunden sind und trotz ihrer Dezentralität gemeinsam etwas leisten können. Vermarktet und koordiniert wird dieses Netzwerk aus 3D-Druckmaschinen aber erst durch eine oder mehrere digitale Plattformen. Über diese virtuellen Marktplätze findet sich Angebot und Nachfrage.

Die Kombination aus 3D-Druck, schnellem Internet und Plattformen führt letztendlich dazu, dass die Arbeiten, die früher eine Fabrik vollführte, nun tausende im Netzwerk verbundene 3D-Druckmaschinen leisten können. Ein Kunde, der 3D-Druck-Erzeugnisse benötigt, verschickt über die Plattform 3D-Druck-Dateien an das Netzwerk, die anschließend viele kleine 3D-Druck-Unternehmer verarbeiten und ihr Produkt über Paketdienst und Spedition an den Empfänger senden. Orchestriert eine Plattform tausende in Kellern, Wohnzimmern oder Garagen stehende 3D-Druckmaschinen, dann ergibt das eine virtuelle Fabrik. Dieser Moment wird kommen, dass sich jeder eine solche 3D-Druckmaschine leisten und in die Wohnung stellen kann und wenn sie dort einmal steht, dann werden sich viele denken: „Warum damit nicht Geld verdienen?" Um genau diesen Moment geht es im Roman *Die Drucker*: eine Zukunft, in der

Deutschlands Wirtschaft auf Millionen über das Land verteilten 3D-Druckmaschinen ruht. Eine Wirtschaft, die den Strukturwandel zur (postindustriellen) Plattformökonomie vollzogen hat.

Plattformen bringen dezentrale Akteure zusammen, Anbieter und Nachfrager, und sorgen für den Abbau von Transaktionskosten: sie stellen Produkt- und Händlerinformationen bereit, standardisieren die Transaktion durch einheitliche Geschäftsbedingungen, sorgen für den elektronischen Vertragsschluss, besorgen Ausschreibungen und bieten ergänzende Dienstleistungen. Das Potential, tausende Heim-Drucker mittels Internet-Plattform zu orchestrieren, um damit den klassischen Fertigungsbetrieben mit ihren erheblichen Fixkosten Konkurrenz zu machen, ist fraglos jetzt schon erkennbar. Solche plattformbasierte Fertigungsnetzwerke aus dezentralen Druckern machen Fabriken alten Stils nicht nur Konkurrenz, sondern über kurz oder lang weitestgehend obsolet. Auf einer Plattform können die Hersteller von Flugzeugen oder Automobilen Druckaufträge einstellen, ausschreiben und dem besten Gebot einen Auftrag erteilen. Dieses Modell der dezentralen Fertigung ist noch nicht realisiert, könnte es aber bald werden. Denn momentan stellen sich die Industrieunternehmen die 3D-Druckmaschinen noch in ihre Fabrikhallen und erblicken in diesen Geräten eine Ergänzung ihres Anlagenparks, verkennen und verpassen damit aber das Potential dieser Technologie: jetzt braucht es nämlich keine teuren Fabrikhallen mehr; einige tausend Wohnzimmer, Garagen, Dachböden oder Keller tun es auch.

Und weil dezentrale 3D-Druck-Fertigung kostengünstiger und flexibler ist als die klassische, zentralisierte Fabrikfertigung, wird die vierte industrielle Revolution zu einer Renaissance einer Produktionsweise führen, die man aus vor- oder protoindustriellen Zeiten kennt: die großflächige Heimarbeit. Vor der ersten industriellen Revolution gab es keine riesigen Fabriken, maximal Manufakturen, die Kleinserien herstellten, aber das meiste wurde in dezentraler Heimfertigung hergestellt. Dieses System ist bekannt unter dem Begriff *Verlagssystem*. Das hat nichts mit dem Buchverlag zu tun. Der Begriff Verlag kommt von einem Mittler, der Verleger genannt wurde. Das Wort Verlag leitet sich von Vorlage ab, denn der Verleger trat mit Geld (Finanzierung) und/oder Rohstoffen in Vorlage. Von den Heimarbeitern erhielt er dafür Fertigprodukte zurück.

Eine Berufsgruppe, die sinnbildlich für das Verlagssystem steht, waren die Weber. Deren Verleger verteilte Rohstoffe wie Wolle an die Weber, die diese Vorlage als selbständige Heimarbeiter zu Tuch weiterverarbeiteten. In der Abbildung unten ist dieses System dargestellt, wobei in diesem Schaubild noch der Feudalherr hinzukommt, denn im neunzehnten Jahrhundert gab es noch den Adel, der Tribute einfordern konnte – heute macht das der Staat in Form von Steuern und Abgaben:

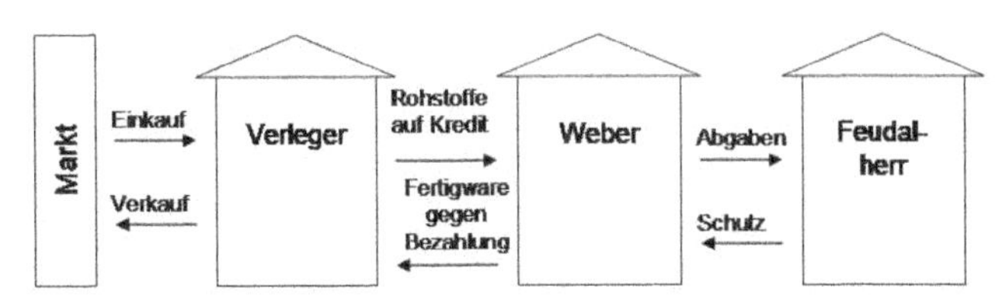

Abbildung: Das Verlagssystem nach Osburg, F., 1973, Tafelbilder im Geschichtsunterricht, Berlin (DDR), Volk und Wissen Verlag, Seite 33.

Bis die großen Textilfabriken mit ihren mechanischen Webstühlen kamen, was die so genannte erste industrielle Revolution markierte, war die Fertigung von Textilien also dezentral auf Heimbetriebe verteilt. Wenn von Heimarbeit gesprochen wird, dann waren ganze Familien in die Textilproduktion eingebunden: Großeltern, Eltern und Kinder. Die Situation der Weber, die in diesem Verlagssystem operierten, wurde durch die Einführung der Textilfabriken, die mit der Webmaschine arbeiteten, zunehmend prekär, denn die Webmaschine produzierte schneller, oft besser und war produktiver. Also konnten die Verleger nur dadurch mithalten, dass sie die Preise reduzierten, was aber das Ende dieser Produktionsweise nur hinauszögerte. In Deutschland wurde das erst in den 1840ern akut, weil man später industrialisierte als das in Frankreich und Großbritannien der Fall war – Deutschland hatte die Industrialisierung der ersten Stunde nämlich verschlafen. Diese Verelendung der Heimarbeiter im Zuge der Industrie 1.0 wurde nicht nur durch die Arbeiterbewegung, sondern auch in Kunst und Kultur rezipiert; ein Beispiel hierfür sind die Werke des Malers Carl Wilhelm Hübner.

Die soziale Not der Weber kulminierte im Jahr 1844 im sogenannten Weberaufstand im schlesischen Eulengebirge. Die Weber protestierten gegen die feudale Unterdrückung – es herrschte die preußische Monarchie – und die Lohnkürzungen durch die Verleger, die diese aber aufgrund der billigeren und teilweise auch besseren maschinellen Produktion durchführen mussten. Er war nicht der erste seiner Art und fand auch anderswo in Deutschland statt, aber dieser Aufstand bekam eine beachtliche mediale Aufmerksamkeit und die öffentliche Meinung war auf Seiten der Weber[10] und kritisierte das harsche Vorgehen des preußischen Militärs gegen die Aufständischen.

Dem Weberaufstand wird zwar eine politische Wirkung auf die Märzrevolution von 1848 zugeschrieben, er konnte aber die Substitution der Heimarbeit durch die maschinelle Fabrikproduktion nicht verhindern. Im politischen Gedächtnis der Deutschen blieb dieser Aufstand aber sehr lange und Gerhart Hauptmann verarbeitete ihn in seinem Sozialdrama *Die Weber*. Dieses Theaterstück wurde 1892 veröffentlicht und 1894 nach der Auf-

---

10 In Hauptmanns *Die Weber* beklagt Dreißiger diese fabrikanten- und regierungskritische Presse gleich im 1. Akt, verarbeitet also historische Fakten aus der Zeit der Weberaufstände.

hebung des Aufführungsverbots in Berlin uraufgeführt. Hauptmann kam selbst aus Schlesien und recherchierte sein Werk vor Ort, sodass von einer hohen Authentizität ausgegangen werden darf.

Der nun folgende Roman *Die Drucker* arbeitet daher bewusst mit Figuren, die an Hauptmanns Werk angelehnt oder sogar entnommen sind, denn es geht um ein Zukunftsszenario, in dem die Heimarbeit wieder die Norm ist, so wie es bei den Webern der Fall war. Die mittleren und großen Fertigungsbetriebe sind verschwunden und die Menschen haben sich in neuen Formen der Beschäftigung eingerichtet. Digitale Ausbildungsberufe sind entstanden, wie der 3D-Druck-Fachmann, und die Macht der Plattformen ist ins Unermessliche gestiegen – sie orchestrieren eine Armee von Heimarbeitern. Der soziale Konflikt, der in dieser Digitalisierungsdystopie thematisiert wird, besteht zwischen einer dieser übermächtigen Plattformen, die 3D-Druck-Netzwerke steuert, und den Druckern, die von dieser Plattform Aufträge erhalten. Auch der Titel dieses Buches *Die Drucker* ist daher nicht unbedacht gewählt und soll an das Werk *Die Weber* anschließen. Die Macht der Plattformen – analog zur Macht der Verleger vor fast zweihundert Jahren – und typische Gewinner- und Verlierergeschichten des Strukturwandels sind also die zentralen Themen des Romans.

Auch wenn die Geschichte fiktiv ist, basiert sie auf aktuellen Forschungsergebnissen zur Digitalisierung und beruht auf drei wesentlichen Annahmen:

I Die Industrie 4.0 führt direkt zurück zur vor- und protoindustriellen Landschaft, die durch Kleinstfabriken und Heimarbeit geprägt war. Somit ist die vorindustrielle auch die postindustrielle Landschaft und die Industrie 5.0 wird die digitale Version des vorindustriellen Verlagssystems sein.

II Der 3D-Druck führt zu einer Arbeitsteilung zwischen plattformkoordinierten Kleinstherstellern und Heimarbeitern auf der einen, und den klassischen Großindustriebetrieben auf der anderen Seite. Diese alten Großbetriebe werden sich in Zukunft auf die Endmontage fokussieren, während die Teileherstellung durch die Kleinsthersteller und Heimarbeiter erfolgt.

III Die unterentwickelten oder randlagigen Regionen können von der Renaissance der Heimarbeit profitieren. Konnten sie bisher keine Industrieansiedlung anlocken, sind niedrige Infrastruktur- und Lebenshaltungskosten nun ein Vorteil. Es reichen ein Internetanschluss und ein Logistikdienstleister und man ist an das digitale 3D-Druck-Netzwerk, also die Plattform, angeschlossen. Ganze periphere Regionen, Dörfer, Gemeinden oder Landkreise, können – je nach Auftrag – zu einer gigantischen Fabrik virtuell zusammengeschlossen werden.

Prolog

Wir schreiben das Jahr 2040. Um das heutige Wirtschaftssystem zu verstehen, muss man die drei Megaereignisse der letzten zwanzig Jahre kennen, die alles veränderten:

1 Das Platzen der deutschen Exportblase im Jahr 2029 (pünktlich zum hundertjährigen Jubiläum des *Black Thursday* im Oktober 1929).

2 Die Etablierung der Heimarbeit (*Homeoffice*), bedingt durch regelmäßige Epidemien wie beispielsweise das Coronavirus aus dem Jahr 2020.

3 Die fortschreitende Digitalisierung.

Ad 1) Als Beschäftigungsturbo setzte die deutsche Bundesregierung lange auf Exportweltmeisterschaft und Außenhandelsüberschuss. Und das obwohl das weise Stabilitätsgesetz aus dem Jahr 1967, welches der berühmte deutsche Wirtschaftspolitiker Karl Schiller initiierte, das außenwirtschaftliche Gleichgewicht vorschrieb. Politik und Wirtschaft erzeugten die Exportblase durch eine für die deutsche Volkswirtschaft unterbewertete Währung, also der Euro, der die Exporte billiger machte als hätte man noch eine nationale Währung wie die Deutsche Mark. Außerdem sicherte ein gewaltiger Niedriglohnsektor wettbewerbsfähige Kosten. Allerdings hatte diese Politik auch ihren

Preis: ein ausgeprägter Sozialstaat musste die Folgen der Niedriglöhnerei ausgleichen und den gesellschaftlichen Frieden bewahren, trieb dafür aber die Steuerbelastung für den Mittelstand in ungeahnte Höhen. Die durch den deutschen Außenhandelsüberschuss aus dem Gleichgewicht gebrachten anderen Volkswirtschaften – also unsere Handelspartner - mussten zudem über verschiedene wirtschaftspolitische Maßnahmen auf europäischer Ebene gestützt werden. Hierzu gehörte zum Beispiel der Europäische Stabilitätsmechanismus (ESM), Wertpapierkaufprogramme des Eurosystems (z.B. Public Sector Purchase Programme, PSPP), die in den 2020ern eingeführte Schuldenunion oder andere Hilfen, für die alle im Wesentlichen Deutschland bürgte und letztendlich auch zahlte. Auch diese Maßnahmen kosteten Geld und bescherten den Menschen niedrige Zinsen, Kaufkraftverluste einer immer schwächer werdenden Währung und hohe Abgaben und Steuern. Im Jahr 2029 war dieses System aber am Ende seiner Möglichkeiten angelangt, weil Deutschland zunehmend seine finanziellen Möglichkeiten überstrapazierte und anfing, seine eigenen Exporte zu bezahlen – der Bumerang war endgültig zurückgekehrt.

Ad 2) Coronavirus und andere Epidemien (Pandemien) in den 2020er Jahren trieben die Menschen zurück ins Häusliche, was dazu führte, dass Heim- und Telearbeit (*Homeoffice*) sich gegenüber der Präsenzarbeit bei den Arbeitgebern langsam durchsetzten. Auch die freiberufliche und selbständige Beschäftigung von zuhause nahm enorm zu, weil die krisengebeutelten Unternehmen nicht mehr langfristig einstellten. Zweitens zeigten die Epidemien die Schwächen der Globalisierung auf, denn die nationalen Spezialisierungen machten gegenseitig abhängig. Somit wurden im Zuge der Pandemiebekämpfung viele Produkte wieder lokal oder regional produziert und bezogen.

Ad 3) An einem bestimmten Punkt waren 3D-Druckmaschinen so erschwinglich, dass sich viele Menschen diese kaufen konnten. Auch das schnelle Internet erreichte nach langer Zeit endlich auch die ländlichen Räume. Zunächst holten sich die Menschen die 3D-Druckmaschinen ins Haus, um Ersatzteile oder Spielzeuge für private Zwecke drucken zu können. Aber zunehmend stellten sie ihre freien 3D-Druck-Kapazitäten auch für andere zur Verfügung. Plattform-Geschäftsmodelle dominierten die Gründerszene und bald fanden sich viele Menschen mit 3D-Druckmaschinen auf Plattformen zusammen.

Fügte man nun diese drei Megaereignisse zusammen, ergab sich folgender Effekt: wegen des Export- und Währungscrashs regionalisierten sich die Volkswirtschaften (auch die deutsche) und versuchten, sich weitestgehend auf den Binnenhandel zu stützen; der Handel mit anderen Staaten wurde auf ein Minimum reduziert und Währungen reformiert; das bedeutete auch, Fertigung aus Asien zurück nach Deutschland zu holen, weil man sie nicht mehr bezahlen konnte. Da aber auch kein

Geld da war, um die einst demontierten Industrieanlagen wieder aufzubauen, kam die Stunde eines Herrn Wilhelm Dreißigers und seiner Internetplattform CIPE[11], über die 3D-Druck-Aufträge und vieles mehr an Mitglieder mit 3D-Druckmaschinen verteilt wurden. Denn in Zeiten von flächendeckendem schnellem Internet, feinmaschigen Logistiknetzwerken für das *Home Delivery* und für alle erschwinglichen 3D-Druckmaschinen, konnte man mittels einer orchestrierenden Internetplattform und angeschlossenen, über das ganze Land verteilten Druckern blitzschnell ein fabrikartiges Produktionsnetzwerk aufbauen. Dieses war auch noch wesentlich flexibler und günstiger als eine große, klassische Fabrik mit ihren hohen Fixkosten. Das war das Geschäftskonzept von CIPE, nämlich die 3D-Druck-Heimarbeit großflächig zu etablieren, an der jeder teilnehmen konnte, der eine 3D-Druckmaschine besaß.

CIPE wuchs seit Mitte der 2020er bereits rasant, musste sich aber immer noch der fernöstlichen Billigkonkurrenz stellen. Diesen Kampf gewann CIPE immer öfter für sich, da Kunden gleichartige Massengüter immer weniger nachfragten – der Trend zu *Mass Customization* und letztlich *Batch Size One* zerstörte den Kostenvorteil der Fertigung in Niedriglohnländern. Auch verteuerten strenger werdende Umweltauflagen die Fertigung in der zwei-

---

11 CIPE war eine Abkürzung für *Cooperative of Independent 3D Printing Enterprises*, zu Deutsch: *Kooperative Unabhängiger 3D-Druck-Unternehmen*.

ten und dritten Welt, denn die Umweltzerstörung in vielen asiatischen Ländern war unerträglich geworden. Ein weiterer Faktor, den man nicht vergessen durfte, war die Klimaausgleichssteuer, die bei Importen aus Ländern mit schlechter Treibhausgasbilanz zu zahlen war. Dem CIPEschen Heimarbeitskonzept kam als auch noch das Klima entgegen.

Somit waren die Voraussetzungen für CIPE bereits sehr gut, aber sie wurden hervorragend als 2029 nach dem Exportcrash nichts mehr ging. Dreißiger besorgte sich einen Termin beim Wirtschaftsminister und danach auch gleich im Kanzleramt und schlug ein Arbeitsbeschaffungsprogramm vor: Millionen von Menschen, die ihre Anstellung verloren hatten, sollten selbständige 3D-Drucker (kurz: Drucker) werden. Er würde dieses Heimarbeitsheer zu einer schlagkräftigen Produktionsarmee dank seiner Plattform machen, die wie eine Fabrik in der Lage war zu arbeiten. Die bereits beeindruckenden Wachstumsraten von CIPE machten den Politikern die Entscheidung einfach – sie akzeptierten sein Programm. Um den Massen-3D-Druck noch attraktiver zu machen, schrieb Dreißiger für das Wirtschaftsministerium auch gleich ein Gesetzespaket, das der Bundestag in einer spärlich besetzten nächtlichen Sitzung geräuschlos absegnete: das Heimarbeitsgesetz war damit abgeschafft, damit die Preisbildung ausschließlich über die CIPE-Plattform zustande kommen konnte. Zudem enthielt das Paket Gesetzesänderungen, wie

Unternehmensgründung auf Knopfdruck, Flat Tax, niedrige Pauschalabgaben, einfachste Jahresabschlüsse und Steuererklärungen oder Vereinfachungen des Vertragsrechts im Bürgerlichen Gesetzbuch. Das war nötig, denn Millionen von Menschen wurden bald selbständig und die bisherige Gründungsbürokratie und hohen Unternehmerkosten standen diesem Konzept der Breitenselbständigkeit im Weg.

Dreißigers Konzept schlug ein, denn etwa zehn Jahre später gab es fast keine großen Fabriken mehr. Die großen Produktionsbetriebe, wie die Autokonzerne, Flugzeughersteller und Elektronikgiganten, montierten nur noch das, was sie von den Druckern dezentral herstellen ließen. Zwischen ihnen und den 3D-Druckern standen Plattformen wie CIPE. Nahezu die gesamte Produktion war an 3D-Druck-Plattformen vergeben worden und an diese waren wiederum Millionen über das ganze Land verteilte Drucker angeschlossen. Die Endmonteure konzentrieren sich auf Entwicklung, Design, Montage und Vertrieb. Was von den alten Fertigungsbetrieben übrig blieb, waren kleine und mittelständische Handwerksbetriebe – sie besetzten eine Nische und produzierten das, was 3D-Druckmaschinen nicht herstellen konnten, also meistens sperrige Teile oder solche mit sehr speziellen Anforderungen.

CIPE wurde von Dreißiger Anfang der 2020er gegründet, denn er erkannte das Potential des 3D-Drucks sofort. Auslastung und Skaleneffekte, früher die Maximen der Industrialisierung, waren nun kein Thema mehr. Das CIPE-Geschäftsmodell funktionierte so: CIPE warb um neue Drucker und half Interessenten beim Aufbau ihres 3D-Druck-Heimarbeitsbetriebes. Dieser Gang in die 3D-Druck-basierte Selbständigkeit war für viele eine interessante Möglichkeit, den Lebensunterhalt zu verdienen. Anfangs waren es ehemalige Facharbeiter aus den geschlossenen Fabriken oder Hausleute, die sich etwas dazu verdienen wollten. Später aber wurde daraus der Beschäftigungsstandard – es wurde normal, eine Arbeit als selbständiger Drucker anzustreben, so wie man früher Tätigkeiten auf dem Bau oder im Büro anstrebte. CIPE half auch bei der Finanzierung der 3D-Druck-Ausstattung und stand in Kontakt mit den Herstellern dieser Geräte, erhielt also Großabnehmerrabatte und gab diese an seine Mitglieder weiter. Darüber hinaus bot CIPE 3D-Druck-Lehrgänge an, rüstete also nicht nur aus, sondern bildete auch aus. Dreißiger gewann dadurch nicht nur die Unterstützung der Politik, sondern auch der Menschen, weil er eine Antwort auf die Arbeitsplatzverluste nach dem Exportcrash gab. Im Rahmen des Arbeitsbeschaffungsprogramms von 2030 finanzierte der Staat auch Umschulungen und gewährte Investitionshilfen, wodurch viele Drucker ihren Einstieg bei CIPE samt Erstausstattung und Ausbildung zum 3D-Druck-Fachmann mittels Staatshilfe schafften.

Wer bei CIPE selbständiger Drucker werden wollte, registrierte sich online mit Ausweisdokumenten, Lebenslauf und Bewerbungsvideo und wies die Qualifikation als 3D-Druck-Fachmann nach (eine Facharbeiterprüfung). Viele hatten diese Qualifikation auf der *CIPE Academy* erworben. Die zweite Stufe war die Gründung des 3D-Druck-Betriebes. Alles, was die Gründung des Unternehmens betraf, lief automatisch über CIPE, die dafür eine Rahmenvereinbarung mit der Bundesregierung abschloss: Steuernummer, Gewerberegister, Berufsgenossenschaft und so weiter - alles papierlos und vollautomatisch, dank dem Gesetzespaket, das Dreißiger diktierte. Notwendige Gebühren und Versicherungen waren bis zu einer bestimmten Umsatzhöhe pauschalisiert und äußerst günstig. Dadurch standen der Selbständigkeit als Drucker kaum Hürden im Weg. Die dritte und letzte Stufe der Zulassung war die Einrichtung einer 3D-Druckmaschine, damit man eben auch etwas drucken konnte. Die Einrichtung erfolgte online mit Zuweisung einer IP-Adresse, wobei für die Maschine auch ein Sachkundenachweis gefordert wurde, den man beim Hersteller erwarb. Das war in der Regel eine einwöchige Gratis-Schulung, da die 3D-Druckmaschinen-Hersteller ihre Geräte absetzen wollten und eine Gratis-Schulung Interessenten anzog. Manche Drucker mieteten oder leasten sich eine 3D-Druckmaschine, andere kauften sie.

Waren alle drei Stufen genommen, konnte man an Ausschreibungen teilnehmen und 3D-Druck-Aufträge annehmen. Das funktionierte so: ein großer Endmontagebetrieb, wie zum Beispiel ein Automobilhersteller, schrieb seinen 3D-Druck-Auftrag auf CIPE aus und die Drucker konnten Gebote abgeben (welche Menge, welcher Preis). Die Plattform vergab die Aufträge dann automatisch nach Zuschlagskriterien, die der Auftraggeber festlegte: Preis/Leistung, Zuverlässigkeit, Bewertung, Erfahrung. Meistens wurde ein umfangreiches Drucklos nicht von einem einzigen Drucker gemacht, sondern es teilten sich manchmal sogar tausende Drucker als eine Art Arbeitsgemeinschaft einen Auftrag. An einem Milliarden-Auftrag einer Werft waren mehr als hunderttausend Drucker beteiligt und mehr als ein Jahr voll beschäftigt.

War ein Auftrag erteilt, ging CIPE in Vorlage, finanzierte das Druckrohmaterial vor, was dann später mit dem Umsatz verrechnet wurde, den der Drucker erwirtschaftete. Bei Auftragserteilung teilte CIPE mit, wann das Rohmaterial per Spedition oder Paketdienst geliefert wurde; bei Auftragsannahme durch den Drucker ging der Druckauftrag online an die Maschine und das beauftragte Teil wurde gedruckt. Der Drucker führte dann am fertigen Produkt erste Qualitätskontrollen durch und reinigte und verpackte die guten Teile nach Anweisung des Auftraggebers. Je nach Druckplan gab es Zwischen- oder nur eine Gesamtlieferung, für die man von CIPE organisierte Paketdienstleister und Speditionen nutzte. Wer zu spät oder mit schlechter Qualität lieferte, bekam schlechte Bewertungen und sogar Vertragsstrafen - mehrfache Probleme führten zur Sperrung auf der Plattform.

Drucker war nicht gleich Drucker: es gab die Erfahrenen und Unerfahrenen, die Gut- und die Schlechtbewerteten. Und darüber hinaus noch unterschiedliche offizielle Level:

- Level A: erfolgreiche Abwicklung von mindestens fünfzig Druckaufträgen auf unterschiedlichen Geräten mit unterschiedlichen additiven Verfahren; mindestens fünf Jahre Mitglied bei CIPE und 90 % positive Bewertungen;
- Level B: erfolgreiche Abwicklung von mindestens 20 Druckaufträgen; mindestens drei Jahre Mitglied bei CIPE und 90 % positive Bewertungen;
- Level C: Anfänger.

Es gab Ausschreibungen auf CIPE, die nur für ein bestimmtes Level zugänglich waren, zum Beispiel nur A oder A und B. Dazu gab es noch unterschiedliche Rollen:

- *Drucker*: der 3D-Druck-Heimarbeitsbetrieb;
- Betriebsprüfer: ein Angestellter von CIPE, der Außenprüfungen durchführte und auf die Einhaltung der *Community-Regeln*, Allgemeinen Geschäftsbedingungen (AGB) und technischen Regeln achtete;

- Qualitätsprüfer: ein Angestellter von CIPE oder eines Auftraggebers, der Qualitätsprüfungen des Auftraggebers an bestimmten Druckprodukten, 3D-Druckmaschinen und/oder Druckrohmaterialien durchführte;
- Regionalleiter: er oder sie führte die Betriebs- und Qualitätsprüfer in einer bestimmten Region und betreute auch die in der Region ansässigen Hubs und Drucker;
- Hub: manche Drucker verfügten über ausreichende Räumlichkeiten für Zwischenlagerungen und größere Qualitätsprüfungen und stellten diese Auftraggebern und anderen Druckern zur Verfügung;
- Netzwerksprecher: je nach Anforderung schlossen sich Drucker zu festen Netzwerken zusammen, die gemeinschaftlich für Aufträge Gebote abgaben und diese Aufträge auch gemeinschaftlich abarbeiteten – sie mussten hierzu einen Sprecher ernennen, also den Netzwerksprecher (Netzwerke wurden von CIPE streng geprüft und nur unter bestimmten Voraussetzungen zugelassen).

Die Drucker standen zueinander in Konkurrenz. Natürlich gab es auch Dumpinganbieter, die laufend andere unterboten, wobei viele dieser Dumping-Drucker rasch wieder vom Markt verschwanden, weil sie insolvent gingen oder schlechte Qualität lieferten. Jegliche Versuche, Preise abzusprechen, verfolgte CIPE mittels Algorithmen, persönlicher und Online-Überwachung und bestrafte hart: Vertragsstrafe, Strafanzeige und Sperrung waren die Folge. Da auch der Jahresabschluss des 3D-Druck-Heimbetriebs über CIPE erfolgte, kannte CIPE Gewinne und Verluste seiner Mitglieder genau. CIPE war stets bemüht, immer neue Drucker zu gewinnen und damit die Konkurrenz zu erhöhen. CIPE verlangte von seinen Mitgliedern, 3D-Druckaufträge, die über Konkurrenzplattformen liefen, transparent zu machen. Die CIPE-Plattform selbst war sehr anwenderfreundlich: es zeigte bei jedem Gebot für einen Auftrag an, wie hoch der Umsatz, der Bruttogewinn und der Nettogewinn waren, sofern die Selbstkosten des 3D-Druck-Heimbetriebs ordentlich in den Stammdaten gepflegt waren und bevor man einen Auftrag bekam, wurde das einem noch einmal vorgerechnet und das System fragte erneut: „Wollen Sie diesen Auftrag zu diesen Bedingungen annehmen?“ Die Drucker wussten also, auf was sie sich einließen, wenn sie einen Auftrag annahmen, zumindest in finanzieller Hinsicht.

CIPE finanzierte sich im Kerngeschäft (3D-Druck-Plattform) über eine Vermittlungsgebühr (Prozentsatz vom Umsatz) sowie durch Zinseinnahmen, denn CIPE verlangte nach einer bestimmten Frist Zinsen für die Vorlage und andere Kredite und Vorleistungen. CIPE generierte 2039 einen Jahresumsatz von 220 Milliarden Mark und verbuchte einen operativen Gewinn von 20 Milliarden Mark. Neben dem Kerngeschäft, der *CIPE Platform*, gab es noch zahlreiche andere Geschäftsgebiete:

- CIPE Financial (bot Umsatzausfallkredite und andere Finanzierungen);
- CIPE Materials (Marktplatz für gebrauchte 3D-Druckmaschinen, 3D-Druckmaterial und nicht abgenommene Druckerzeugnisse);
- CIPE Capital (3D-Druckmaschinen-Vermietung und -Wartung);
- CIPE Sharing (Tauschplattform für mobiles, tauschfähiges Anlagevermögen);
- CIPE Labs (Forschung und Entwicklung zum Thema 3D-Druck);
- CIPE Academy (3D-Druck-Aus- und -Weiterbildung);
- CIPE Ventures (investierte in interessante Start-ups mit 3D-Druck-Bezug);
- CIPE Designs (unterstützte 3D-Druck-Auftraggeber beim Erstellen von 3D-Druck-Ausschreibungen und -Aufträgen, um diese optimal auf der CIPE-Plattform platzieren zu können);
- CIPE Advisors (Beratung zum Thema 3D-Druck, speziell Produktionsoutsourcing).

Der CIPE-Marktanteil in Europa betrug 59%, das hieß, dass fast zwei Drittel aller 3D-Druck-Aufträge über CIPE liefen – in Deutschland lag der CIPE-Marktanteil noch wesentlich höher.

Die Drucker versuchten manchmal die harten Bedingungen, die bei CIPE herrschten, durch Regelverstöße zu umgehen. Typische Regelverstöße, die die Drucker begannen:

- „schwarze“[12] Unteraufträge (man konnte im System auch Unteraufträge an andere Drucker vergeben);
- unerlaubter Handel mit vorgelegtem Druckrohmaterial (meistens wurde teures Material verkauft und durch billiges ersetzt);
- Hacken und Weiterverkauf der 3D-Druck-Vorlagen, die über das System direkt an die Druckmaschinen übermittelt wurden;
- Preisabsprachen;
- Phantomdruckmaschinen anmelden, um Kapazität vorzutäuschen;
- Verkauf von gemieteten Druckmaschinen;
- Schwarzverkauf von Lagerware;

---

12 „Schwarz“ bedeutet hier und im weiteren Text so viel wie am System vorbei, unregistriert und unerlaubt.

- Schwarzbeschäftigung oder andere strafbare Handlungen.

Regelverstöße wurden hart geahndet und auf einem Arbeitsmarkt, der eigentlich nur noch die Arbeit als selbständiger Drucker hergab, war das ein Spiel mit dem Feuer.

Die Drucker versuchten, ihre Interessen gegenüber CIPE besser durchzusetzen, was zur Gründung einer 3D-Drucker-Interessengemeinschaft (kurz: Interessengemeinschaft oder IG3D) führte. Wer sich jedoch in ihr organisierte, wurde von CIPE unter Druck gesetzt: Mobbing durch wiederholte Betriebs- und Qualitätsprüfungen waren hierbei das Mittel der Wahl, um aufmüpfige Drucker aus der Plattform zu drängen. Die IG3D forderte dabei, den stetigen Zustrom neuer Drucker und damit den Wettbewerbsdruck zu drosseln. Außerdem setzte sich die IG3D dafür ein, die hohen Registrierungs-, Vermittlungs- und Weiterbildungsgebühren gesenkt werden, sowie die Monopole bei den 3D-Druckmaschinen-Herstellern aufgehoben werden, denn CIPE ließ nur bestimmte Hersteller zu, deren Preise für Anschaffung und Wartung erheblich gestiegen waren. Zudem verlangt CIPE für die Vorlage bei den Druckmaterialien/Druckrohstoffen Zinsen, die über dem Marktniveau lagen. Die IG3D hatte wegen des Drucks von CIPE aber zu wenige Mitglieder, um etwas ausrichten zu können.

Die Politik wusste um die Macht von CIPE und die harten Wettbewerbsbedingungen für die Drucker, mochte sich aber mit CIPE nicht anlegen. Denn CIPE sorgte für Beschäftigung, gerade in strukturschwachen Regionen. Den starken Rückgang von klassischen, sozialversicherungspflichtigen Arbeitsplätzen in der Industrie konnte CIPE jedenfalls mehr als ausgleichen, wenn auch *nur* durch die weniger sichere Selbständigkeit als Drucker. Und das Versprechen, erhebliches Produktionsvolumen aus Asien wieder zurück nach Deutschland zu holen, hielt CIPE. Dreißiger weigerte sich deswegen, an seinem Konzept irgendetwas zu ändern: CIPE sollte bleiben, wie es war, allen Klagen zum Trotz.

Einleitung

Dreißiger saß Ende Dezember 2040 in seinem Büro in München und genoss den Ausblick auf die schneebedeckten Alpen. Der mittlerweile Sechzigjährige hatte es geschafft – er leitete das wertvollste Unternehmen der Welt und ging bei den mächtigsten Menschen ein und aus. Sein vollverglastes Büro im zehnten Stock – dem höchsten im Gebäude – hatte einen eigentümlichen Stil: moderne Stahl- und Glaskonstruktion verband sich mit Landschaftsmalereien aus seiner schwäbischen Heimat. Bei CIPE hatte er den Vorstandvorsitz mittlerweile an seinen Sohn abgegeben und nun fungierte er als Aufsichtsratschef. Es war sein Lieblingstag in der Woche: der Freitag, der den Gang ins Wochenende bedeutete, das ihm auch als Unternehmer stets heilig geblieben war.

Für den Vormittag hatten sich zwei Journalisten einer großen süddeutschen Zeitung für ein Interview angekündigt. Und danach würde er direkt in sein Stammhotel in den Bergen fahren, wo er das Wochenende häufig verbrachte und ein festes Zimmer hatte, in dem nur er wohnte. Ansonsten stand es leer.

Mitten in seine Tagträumerei meldete die Assistentin die Journalisten an. Eine Frau Pellham und ein Herr Jürgens. Dreißiger empfing sie am Besprechungstisch, der aus grobem Holz gemacht war und an einen Wirtshaustisch erinnerte – er mochte es deftig und gemütlich. Der Catering-Service der CIPE-Zentrale brachte Erfrischungen, die Gesprächspartner setzten sich, die Journalisten bereiteten ihre Aufnahmegeräte und Notizblöcke vor und das Interview konnte beginnen: „Herr Dreißiger, wir danken Ihnen, dass Sie sich für ein Interview bereit erklärt haben...so kurz vor Weihnachten. Ich denke, dass Ihr Wechsel in den Aufsichtsrat ein exzellenter Zeitpunkt für dieses Gespräch ist", meinte Frau Pellham.

„Da gebe ich Ihnen recht. Ansonsten wäre es auch schwierig gewesen, denn ein CEO-Posten lässt einem kaum Zeit zum Atmen. Ich hoffe, mein Sohn macht es besser als ich, denn ich tat mich immer schwer, mich aus dem operativen Geschäft herauszuhalten."

„Das hört man von vielen Unternehmensleitern, vor allem wenn sie zugleich Gründer sind. Aber dann können wir auch gleich einsteigen. Vielleicht beginnen wir mit der Frage, wie Sie sich jetzt fühlen, vor allem mit der Zeit, die Sie jetzt haben?", fragte Herr Jürgens.

Dreißiger dachte kurz nach und sagte dann: „Einsam wäre zu negativ, aber manchmal stellt sich mir die Sinnfrage. Oder anders: Zeit zu haben ist ein Luxusproblem, denn ich hatte noch nie Zeit in meinem Leben. In meinen Zwanzigern und Dreißigern war ich ein besessener Angestellter, der sich in einem unbefriedigenden Job verbrannte. Als ich mit vierzig Jahren meine Anstellung verlor, bin ich ein Jahr lang kaum aus dem Haus gegangen. Das war auch kein Leben. Dann entwickelte ich am Küchentisch das Konzept für CIPE und setzte es um. Die nächsten zwanzig Jahre lebte ich nur für dieses Unternehmen und meine Idee – und jetzt muss ich mir erstmal ein neues Projekt suchen."

„Muss es denn immer ein Projekt sein?", fragte Frau Pellham.

„Wissen Sie, ich kann mit mir selbst wenig anfangen. Wenn ich zu viel Zeit habe, fange ich an zu grübeln, und das ist nicht gut, da ich auch ein wenig zu Depressionen neige. Arbeit war und ist auch Therapie für mich", antwortete Dreißiger.

„Es gibt Leute, die sagen, dass die Depressionen auch ein Ergebnis des Raubbaus sind. Verzeihen Sie mir die provokante Fragestellung, aber Ihr Leben klingt nach Raubbau an sich selbst. Und kritische Stimmen sagen, dass CIPE Raubbau an den Druckern ist. Schlechtes Gewissen?", fragte Frau Pellham.

Dreißiger lachte – noch vor zehn Jahren hätte er jeden für diese Frage zum Abschuss freigegeben, aber heute konnte er darüber lachen: „Schlechtes Gewissen. Warum?"

„Die Interessengemeinschaft der Drucker, die IG3D, wirft Ihnen vor, mit CIPE einen Quasimonopolisten aufgebaut zu haben, der einen ruinösen Wettbewerb unter den Druckern entfachte, also den Auftragnehmern der Plattform. Außerdem schmälern die zahlreichen Gebühren angeblich den Gewinn der Drucker und würden viele ruinieren", ergänzte Jürgens.

„Dem kann ich nicht zustimmen: der durchschnittliche Drucker macht etwa 130.000 Mark Umsatz. Nach Abzug der Herstellkosten und der Gebühren bleibt ein durchschnittlicher Bruttogewinn von etwa 45.000 Mark. Davon muss er Gemeinkosten, Gehalt, Steuern und Finanzierung begleichen. Das wirkt auf mich nicht wie Abzocke. Und viele verdienen außerhalb von CIPE noch dazu."

„Kann man von 45.000 Mark gut leben, wenn man davon noch Betriebskosten, ein kalkulatorisches Gehalt und Finanzierung begleichen muss? Sie setzen in Ihrem Nachhaltigkeitsbericht einen kalkulatorischen Unternehmerlohn an, der an der amtlichen Armutsgrenze liegt. Ich fasse das anders zusammen: Sie gehen also selbst davon aus, dass der durchschnittliche Drucker bei CIPE an der Armutsgrenze kratzt?", fragte Jürgens nach.

„Wer Vollzeit-Drucker ist, kann davon gut leben. Man muss entsprechend viel arbeiten und Aufträge annehmen. Der Durchschnitt wird von solchen Druckern gesenkt, die nur Teilzeit aktiv sind und noch anderweitige Einkommensquellen haben. Und bitte nicht vergessen: wir sind kein Arbeitgeber, sondern Vermittler von Aufträgen. Die auftragnehmenden Drucker handeln eigenverantwortlich und steuern ihre Finanzen damit auch selbst", antwortete Dreißiger und nippte immer wieder an seinem grünen Tee, der gut für sein Herz sein sollte, aber er mochte ihn nicht wirklich.

„Manche meinen aber, dass Sie aufgrund Ihres hohen Marktanteils Arbeitgeberfunktionen übernehmen und daher den Mindestlohn sicherstellen müssten?“ Es war wieder Frau Pellham, die nachbohrte. Sie war in dem Gespräch scheinbar der *Bad Cop*.

„Hierzu gab es bereits Gerichtsverfahren und diese gingen immer zugunsten von CIPE aus. Wir haben viele Drucker, die noch in der Angestelltenmentalität verhaftet sind. Manche verstehen nicht, dass man als Unternehmer nicht nur arbeiten, sondern sich auch seine Arbeit besorgen muss. Genau diese Leute - die Negativbeispiele - halten dann ihr Gesicht in die Kamera und klagen und jammern, wie unfair die Welt angeblich sei. Niemand ist gezwungen, bei CIPE mitzumachen. Es gibt auch andere Plattformen“, antwortete Dreißiger.

Die Journalisten blieben kritisch und Pellham entgegnete: „Da liegt für viele das Problem: fast zwei Drittel der europaweiten 3D-Druckaufträge laufen über CIPE. Viele Endmonteure wie Elektronik- und Automobilhersteller arbeiten nur noch mit CIPE.“

„Die niedrigste Form der Kritik ist, wenn man anderen ihren Erfolg zum Vorwurf macht. CIPE hat einfach ein Konzept, das viele 3D-Druck-Auftraggeber restlos überzeugt. Ansonsten gilt bei CIPE das Prinzip von Angebot und Nachfrage. Ich weiß, dass die IG3D gerne möchte, dass wir CIPE für einige Jahre für neue Drucker sperren. Was soll das denn? Sie macht mir den Monopolvorwurf, will aber letztendlich selbst das gleiche. Wir hatten schon mehrere Fälle von nachweislichen Preiskartellen unter den Druckern, was eindeutig gegen das Gesetz ist. Das Konzept von CIPE ist gesetzeskonform und steht allen offen. Ich kann also die Kritik nicht nachvollziehen und die Interessengemeinschaft verfolgt unlautere Ziele: sie will ein Preiskartell etablieren und andere Menschen von der Teilnahme am Erfolgsmarkt 3D-Druck abhalten. Wäre das fair? Glauben Sie mir: die IG3D ist kein selbstloser Robin Hood." Man sah Dreißiger einen steigenden Blutdruck an, denn sein Kopf wurde röter.

„Die Wahrheit liegt wohl irgendwo in der Mitte", antwortete Jürgens.

Aber Dreißiger ergriff sofort wieder das Wort: „Nein. CIPE ist den Regeln des Marktes verpflichtet. Mehr können wir nicht tun. Wir vermitteln nur Aufträge. Außerdem bieten wir den Druckern umfangreiche Finanzdienstleistungen und Absicherungen, wie zum Beispiel den Umsatzausfallkredit - wenn ein Auftraggeber nicht wie geplant die Druckerzeugnisse abruft und dadurch der Umsatz sich verzögert, dann springen wir ein. Wo gibt es das denn sonst noch?"

„Was Sie sich aber auch gut verzinsen lassen, genauso wie die Vorlage", entgegnete Pellham.

„Die Zinsen von CIPE Financial bewegen sich im marktüblichen Bereich zwischen sechs und zwölf Prozent. Wir vergeben auch Kredite an Drucker, die bei keiner anderen Bank einen Kredit bekommen würden", antwortete Dreißiger trocken. „Schauen Sie sich an, wie die Unternehmensfinanzierung früher war: wenn ein Mittelständler einen Großauftrag bekam, dann rannte der erstmal zu seiner Hausbank und beantragte einen Kredit, denn selbst in Vorleistung zu gehen, war für 90 % der Betriebe Normalität. Bei CIPE gehen wir für die selbständigen Drucker automatisch in Vorlage und kaufen ihnen das Produktionsmaterial ein. Von so einem System träumten die Unternehmer früher."

„Die Interessengemeinschaft…", begann Jürgens, wurde aber von Dreißiger unterbrochen.

„Die IG3D verlangt von uns, einen sozialen Schiedsrichter zu spielen, wie ein Staat im Staat, aber was passiert dann? Ich sage es Ihnen: es gibt eine neue Plattform mit geringeren Standards, und dann wandert die Nachfrage eben zu dieser. Und dann sind wir wieder da, wo wir heute sind. Wir haben heute über eine Million registrierte Drucker. Wir bieten diesen Menschen einen geregelten Markt, einen einfachen Einstieg in die Selbstständigkeit. Eine Reichtumsgarantie können wir nicht geben. Keine Plattform kann das. Und was den Mindestlohn betrifft: wie sollen wir das praktisch machen? Dazu müsste ich die Drucker laufend überwachen und die Stunden genau registrieren.

Aber während die Druckmaschine läuft, können die Drucker auch andere Sachen machen. Das heißt, die Laufzeit der Druckmaschine kann ich nicht nehmen, denn die laufen selbständig. Außerdem würde ich das unternehmerische Prinzip untergraben: soll ich einem Drucker, der viel Umsatz und viel Gewinn macht, seinen Gewinn wegnehmen und anderen geben, also umverteilen? Die würden CIPE dafür verlassen, das heißt ich verliere dadurch die Guten und Tüchtigen und am Ende bleiben mir die *Schlechtleister*. Dann kann ich CIPE zusperren. Hören Sie: diese Versuche, den Markt abzuschaffen, gab es in der Geschichte oft und alle sind gescheitert. Ich werde es bei CIPE bestimmt nicht versuchen."

„Wie gehen Sie mit dem Vorwurf um, dass wegen CIPE nicht nur die Heimarbeit, sondern auch die Kinderarbeit zurückgekehrt ist?", fragte Pellham.

„Was meinen Sie mit Kinderarbeit?", wollte Dreißiger wissen.

Die Frage erregte ihn sichtlich, denn er fasste sich mehrmals nervös ans Kinn, was Frau Pellham gleich auffiel und sie erklärte den Hintergrund ihrer Frage: „Viele 3D-Druck-Heimarbeiter lassen auch ihre Familienangehörigen mitarbeiten, darunter auch Kinder, um das notwendige Volumen zu schaffen. Nur dann erzielen sie einen ausreichenden Umsatz."

„Bei CIPE können nur volljährige Personen ein 3D-Druck-Unternehmen registrieren“, antwortete Dreißiger jetzt abgeklärt. „Alle Drucker haben einen Ethikcode unterschrieben, der illegale Beschäftigung untersagt. Wo die Beschäftigung gegen gesetzliche Vorschriften verstößt und wir davon Kenntnis erlangen, führt dies zu einem Ausschluss von CIPE. Wir können nur Betriebsprüfungen durchführen und haben keine polizeilichen Vollmachten. Sollten Sie oder Ihre Leser Kenntnis über illegale Beschäftigung in Verbindung mit CIPE haben, müssen Sie das der Polizei oder der Gewerbeaufsicht melden.“

„Wohin soll die Reise von CIPE gehen?“, fragte Pellham.

Dreißiger registrierte wohlwollend, dass seine Interviewpartner einen Themawechsel einleiteten, um das Gespräch zu entschärfen. Ihm ging dieses Gejammere und die Hetze der Interessengemeinschaft auf die Nerven: „CIPE wächst in Deutschland jedes Jahr um etwa 5 bis 10 %. Wir haben auf jeden Fall vor, dass Geschäft mit den Dienstleistungen auszubauen und hierzu ging erst vor kurzem unsere Beratungseinheit CIPE Advisors an den Markt. Außerdem wollen wir noch mehr für die Bildung tun und streben für die CIPE Academy die staatliche Anerkennung als Hochschule und vielleicht sogar als private Universität an. Damit können wir Studiengänge im 3D-Druck- und Plattformgeschäft anbieten und auch die Forschung und Entwicklung auf eine ganz neue Stufe heben.“

„Sie haben kürzlich in den Aufsichtsrat gewechselt und die Firmenleitung Ihrem Sohn übertragen, der erst fünfundzwanzig ist. Sehr viel Verantwortung für eine sehr junge Person. Wie macht er sich?", fragte Jürgens und verdeutlichte, dass dies die letzte Frage des Tages war.

„Ich hätte mit Sicherheit nicht jeden Fünfundzwanzigjährigen in diese Position gehoben, aber meinen Sohn schon. Wir sind ja außerdem ein Familienunternehmen - die Dreißiger-Holding hält 51 % der Aktien. Und die Gründer dürfen nie den Fehler machen, den richtigen Zeitpunkt für die Stabübergabe zu verpassen. Das passiert leider oft. Meinem Sohn stehen außerdem ich und natürlich eine Reihe fähiger Manager zur Seite. Wir sind gut aufgestellt, wie das im Managementsprech so schön heißt. Ich bin zufrieden."

„Herr Dreißiger - wir danken Ihnen für das Gespräch und Ihre wertvolle Zeit."

„Ich danke *Ihnen*", antwortete Dreißiger freundlich. „Zahlen und Fakten über CIPE können Sie im Anschluss mit unserem Pressesprecher abklären."

Kapitel 1 – Der Großauftrag

I

Robert Baumert, ein gemütlicher, bodenständiger Mittvierziger, war Bürgermeister von Kleinaffing, einer Gemeinde mit etwa tausend Einwohnern im Landkreis Cham in der Oberpfalz. Der Ort verfügte über einen kleinen aber feinen Fremdenverkehr, da er noch in den Nordausläufern des Bayerischen Waldes lag. Im Dorf wohnten noch einige seiner Verwandten, davon der engste sein Bruder Sepp (offiziell Joseph). Robert lebte mit seiner Frau Maria und seinen beiden Töchtern auf dem Bauernhof seiner Eltern, die vor einigen Jahren verstorben waren. Nach der Aufgabe der großen Landwirtschaft vor etwa sieben Jahren, stieg auch er in das 3D-Druck-Geschäft ein und besaß mittlerweile zehn Druckmaschinen, die alle im ehemaligen Stall untergebracht waren. Robert war mittlerweile A-Level-Drucker und auch ein Hub, hatte es also in der CIPE-Hierarchie zu etwas gebracht. Dreißigers Interview, das er in der Wohnküche las, ließ ihn aber laut fluchen.

„Gut, dass die Kinder in der Schule sind", meinte Maria, die gerade die Weihnachtsplätzchen backte und nebenbei noch das Mittagessen machte.

„Ach, der Dreißiger. Gut, ein bisschen recht hat er schon, aber zu behaupten, dass CIPE seine

Marktmacht nicht ausnutzt, ist einfach gelogen. Übrigens: Wenn die Kinder zurück sind, müssen sie mithelfen. Ich habe heute noch einen Auftrag abzuschließen. Da brauche ich sie zum Verpacken."

„Ja, aber lass sie nicht zu lange arbeiten", sagte Maria.

Robert sah erzürnt auf und antwortete: „Meinst du, das macht mir Spaß? Mir wäre es auch lieber, die könnten den ganzen Tag spielen. Aber Bürgermeister bin ich ja auch noch – sonst würde ich es selbst machen. Und du weißt, wie hart die Strafen bei Verzug sind."

„Ja, weiß ich."

Robert stand auf, ging zu seiner Frau, umfasste ihre Hüften und sprach leise: „Wir müssen den Umsatz machen. Sonst lohnt sich die Investition in die neuen Druckmaschinen nicht. Irgendwann wird das besser. Versprochen."

„Passt schon. Ich weiß es doch auch. Aber ich wünsche mir einfach mal wieder ein normales Leben und Freizeit."

„Frag mich mal. Haben wir aber früher auch nicht gehabt, als wir noch eine Landwirtschaft hatten."

Robert ging wieder zurück in den Stall, wo die 3D-Druckmaschinen brav vor sich hin ratterten. Der Auftrag eines großen Automobilendmonteurs musste fertig werden. Das ganze Dorf arbeitete daran. Die tausend Kleinaffinger lebten auf etwa dreihundert Haushalte verteilt, wovon zweihundert 3D-Druck-Heimarbeit betrieben und für die meisten war dies die einzige Einkommensquelle. Das ganze Dorf hatte sich vor einem halben Jahr zu einem Bieternetzwerk zusammengeschlossen, auf CIPE für den Automobilauftrag geboten und den Zuschlag erhalten. Weil Robert das einzige Hub im Ort war, brachten alle Einwohner zu ihm ihre verpackten Druckerzeugnisse, wo sie von einer Spedition einmal die Woche abgeholt wurden.

Eine Großmutter aus dem Dorf kam gerade vorbei, brachte eine Schachtel mit gedruckten Teilen und meinte: „Da hast du uns was aufgehalst mit dem Auftrag, Robert. Mir schlafen fast nicht mehr! Das ganze Haus scheppert Tag und Nacht von der Druckerei. Abends und nachts passe ich auf die Druckmaschinen auf, morgens und mittags meine Tochter und nachmittags die Enkel, wenn sie von der Schule kommen.“

„Ja, ja“, winkte Robert ab. „Ihr macht hier alle guten Umsatz, also bitte keine Klagen mehr.“ Er quittierte den Empfang der Ware und die Großmutter zog knurrend davon. Robert merkte, dass er sich schon wie Dreißiger anhörte. Auf dem Hof herrschte wegen des großen Auftrags ein ständiges Kommen und Gehen und immer wieder kamen Drucker aus dem Dorf und brachten die Teile für die Wochenlieferung. Und dazu kam noch sein eigener 3D-Druck.

Robert war aber insgesamt zufrieden mit seiner Arbeit bei CIPE. Er generierte einen guten Umsatz von etwa 300.000 Mark – aber das musste er auch, denn er beschaffte vor einem Jahr sehr teure spezielle Druckmaschinen, um bei den margenträchtigen Spezialaufträgen mitmischen zu können, wie zum Beispiel neueste Verfahren im Metall-3D-Druck. Die mussten zum Teil noch abbezahlt werden.

Neben dem 3D-Druck war ein kleiner Zuverdienst Marias Heimatladen mit bayerischen Strickwaren. Als ehrenamtlicher Bürgermeister einer kleinen Gemeinde erhielt Robert zudem noch eine Entschädigung und war damit finanziell privilegiert, wenn das auch ein Leben ohne Freizeit bedeutete. Das sah bei vielen im Dorf anders aus.

II

Kurz nach eins kamen die beiden Kinder der Baumerts von der Schule. Drei Tage die Woche hatten sie Präsenzunterricht, zwei Tage Online-Unterricht. Das neue Modell des Unterrichts wurde vor vielen Jahren eingeführt, um die Medienkompetenz zu erhöhen, inoffiziell aber eher wegen der Epidemien: die Schüler bekamen für die zwei Tage Online-Unterricht Hausaufgaben und mussten sich in Chats konstruktiv beteiligen, Lernprogramme absolvieren, Videos ansehen und analysieren. Die Kamera des Laptops musste an bleiben, damit die

Anwesenheit der Schüler kontrollierbar war. Außerdem gab es Einzel- und Gruppenarbeiten und in der Folgewoche wurden die Ergebnisse vor der Klasse vorgestellt, damit die Kinder das Präsentieren lernten. Jedes Kind bekam ein Notebook von der Schule, dessen Nutzung aber durch ein Spionageprogramm überwacht wurde, damit es nicht für Blödsinn benutzt wurde.

Emma war dreizehn und Bertha elf - der interaktive und multimediale Online-Unterricht gefiel ihnen gut und sie konnten dabei auch viel zusammenarbeiten: die ältere half der jüngeren Schwester. Da die beiden Online-Unterrichtstage am Donnerstag und Freitag jeweils von 08:15 bis 16:30 Uhr gingen, mussten die Kinder noch den heutigen Tag beim 3D-Drucken helfen. Das war noch human, denn in anderen Familien halfen die Kinder auch noch abends und kamen völlig übermüdet in die Schule, wenn sie nicht von den Eltern ohnehin entschuldigt waren. Dass die Kinder oft dann fehlten, wenn gerade mal ein Auftrag fertig werden musste, war kein Zufall. Nicht nur die Heim- sondern auch die Kinderarbeit waren im großen Stil zurückgekehrt.

„Hallo ihr beiden“, sprach Robert, als die Mädchen von der Bushaltestelle angetrottet kamen.

„Hallo Papa“, sagte die Älteste. „Lass mich raten: Du hast schon auf uns gewartet?“ Emma war klug. Der konnte man nichts vormachen.

Robert musste also gestehen: „Ich freue mich einfach, euch zu sehen. Entschuldigung dafür. Und ja, ich brauche euch heute. Wir müssen eine Lieferung fertigmachen. Aber jetzt geht erst mal rein – es gibt gleich Essen. Mama hat Pizza gemacht."

Die Mienen der beiden Kinder erhellten sich wieder etwas, als sie hörten, was es zu essen gab. Robert sah den beiden hinterher, wie sie über den knirschenden Kies der Hofeinfahrt ins Haus gingen. Natürlich wünschte sich Robert für die beiden mehr Freizeit, aber in seiner Kindheit lief es auch nicht anders: als der Hof seiner Eltern noch die Haupterwerbsquelle war, gab es keine Pausen, keinen Urlaub. Seine Eltern waren *nie* in den Urlaub gefahren. Wenn er von der Schule kam, dann hieß es: essen, Hausaufgaben machen und dann im Stall helfen oder später, als er den Traktorführerschein hatte, pflügen und transportieren und was sonst noch alles zu tun war.

Sein um zwei Jahre jüngerer Bruder Sepp hatte es einfacher: während Robert Landmaschinenmechaniker und Landwirt lernte, ging sein Bruder in das zwanzig Kilometer entfernte Werk eines Automobilzulieferers, der Autoelektronikteile herstellte, bis dieser Betrieb wegen des 3D-Drucks und der daraus entstandenen Heimarbeitskonkurrenz vor einigen Jahren dicht machte. Jetzt arbeitete er bei CIPE als Qualitätsprüfer für Automotive-Teile – einer der besten Jobs, denn wo bekam man heute noch eine Festanstellung, ein festes Gehalt und

Dienstwagen sowie gute betriebliche Sozialleistungen. Die meisten im Dorf arbeiteten entweder in der 3D-Druck-Heimarbeit, in der Landwirtschaft, in Handwerksbetrieben, im Fremdenverkehr, in der Kinder- und Altenbetreuung oder beim Staat. Nicht dass das früher viel besser war: Kleinaffing lag im Landkreis Cham und damit in der bayerisch-tschechischen Grenzregion, die schon des Kalten Kriegs wegen stets von großen Investoren gemieden wurde. Beschäftigung war immer da, aber in einer klein- bis mittelständisch geprägten Wirtschaft. Wenn man ehrlich war, dann hob CIPE das Wirtschaftsniveau in der Region – die Gewerbesteuereinnahmen und die Kaufkraft im Landkreis waren noch nie so hoch wie heute. Kein Wunder, dass Landrat Joseph Kittelhaus CIPE stets in höchsten Tönen lobte und Regionalleiter Pfeifer sowie der Oberbetriebsprüfer Neumann – beides CIPE-Angestellte – in dessen Büro ein und aus gingen. Die meisten Leute klagten auch eher über den Mangel an Berechenbarkeit, nicht über akute Armut – jeder träumte noch von einer auskömmlichen und planbaren Festanstellung, aber die gab es im ganzen Land kaum noch. Bei CIPE war man eben selbständig und da gab es kein den *Hammerfallen-Lassen*, wenn die Siebzehn-Uhr-Glocke klingelte, so wie das bei den Fertigungsbetrieben in der Gegend früher mal der Fall war. Selbständig hieß nun einmal: selbst und ständig. Und auch dieser Mangel an Freizeit war ein allgemeines Klagethema. Man fühlte sich wie im neunzehnten Jahrhundert: für die Vollzeit-Drucker, die nur davon lebten, war eine Sechzig-Stunden-Woche normal, wobei aber meistens noch Ehepartner und Kinder mitarbeiteten. Damit man ordentlich über den Runden kam, ein Haus abzahlen und ein oder zwei Autos haben konnte, musste man also in Summe etwa hundert Stunden die Woche investieren, sofern die Mitarbeit der Familienmitglieder kostenlos war. Krank werden durfte man auf keinen Fall, da die Termine auf CIPE gnadenlos waren, genauso wie die Qualitätsanforderungen. Da gab es kein Pardon. Da das gesamte Dorf mehr oder weniger von CIPE lebte, war Nachbarschaftshilfe gang und gäbe und auch Robert half vielen schon aus. Der Lichtblick war, dass man eigentlich nur die Druckmaschinen überwachte: man konnte sich neben sie setzen und ein Buch lesen oder ein E-Learning von CIPE oder einem Auftraggeber durchlaufen. Theoretisch war es möglich, nebenher noch einer anderen Tätigkeit nachzugehen, sofern diese genauso flexibel war und von zuhause gemacht werden konnte.

Hart hatte es die paar Leute im Dorf erwischt, die bei CIPE rausgeflogen waren, wegen Regelverstoß, wiederholtem Verzug oder Schlechtleistung. Dann musste man auf andere, teilweise noch brutalere Plattformen ausweichen oder sich etwas ganz anderes suchen und das war in der Gegend nicht einfach, zumal ein Rauswurf bei CIPE bei Bewerbungen auf andere Stellen kein gutes Zeugnis war. Über systematische Verstöße hörte und las man regelmäßig in den Nachrichten. Auch hin und wieder über Fälle, in denen sich einer, der von CIPE ausgeschlossen wurde, das Leben nahm.

III

Robert wollte gerade ins Haus gehen, um mit Frau und Kindern zu essen, da kam sein Bruder mit einem Bollerwagen die Straße entlang. Robert grüßte ihn mit einem Handzeichen und fragte: „Sepp, Servus. Willst du zu mir?"

„Grüß dich. Genau. Ich hab Ware von meiner Frau dabei. Für den Automobilauftrag."

„Sehr gut. Stell's ab. Ich schaue es mir nach dem Essen an. Kommst mit rein?"

„Warum nicht", sagte Sepp und ging mit Robert ins Haus.

Maria freute sich über den Besuch: „Servus, Sepp. Wie geht's dir?"

„Hallo Maria. Kann nicht genug klagen. Und selbst?"

„Ebenfalls. Komm, setz dich. Es gibt Pizza."

„Da kann ich nicht Nein sagen. Ist es die berühmte Bürgermeisterpizza?"

„Ist es!"

„Super. Aber sag der Theresa nix. Die reagiert empfindlich, wenn ich anderswo esse." Theresa war Sepps Ehefrau.

„Bleibt unter uns", antwortete Maria mit einem Augenzwinkern.

„Heute wäre es eigentlich auch egal", erklärte Sepp. „Es gibt nichts zu essen. Der Automobilauftrag muss fertig werden, also habe ich den Kindern und mir Ravioli gemacht. Theresa ist mittlerweile mit der Druckmaschine verheiratet."

„Hast du heute frei?", fragte Maria.

„Ja. Ich habe ab morgen für einige Wochen Großabnahmen durchzuführen. Und da dachte ich mir, ich nehme davor mal frei."

„Recht hast", antwortete Maria, während sie die Pizzastücke verteilte.

Robert fragte seinen Bruder: „Sag mal. Was gibt's denn Neues bei CIPE? Du warst doch letzte Woche auf einer Schulung in der Zentrale, oder?"

„Workshop! Ging um die Verbesserung der Qualitätsprüfung."

„Soll die noch krasser werden? Gnade uns Gott!", schlug Robert verzweifelt die Hände über dem Kopf zusammen.

„Nein. Schneller soll sie vor allem werden – neue Prüfverfahren. Aber ich hab noch was anderes läuten hören."

Robert, der gerade in ein Stück Pizza beißen wollte, blickte ihn neugierig an und fragte stattdessen: „Und was?“

„Ein Konsortium von Auftraggebern will einen riesigen Auftrag über CIPE ausschreiben – dahinter hängen ein paar Endmonteure aus unterschiedlichen Branchen.“

„Größer als der, an dem wir gerade arbeiten?“, fragte Maria.

Sepp schmunzelte: „Viel, viel, viel größer.“

„Ach du meine Güte“, reagierte Robert, „und wann soll das kommen?“

„Die Ausschreibung heißt KALIBER. Ist irgendeine Abkürzung für *Konsortium* irgendwas. Ich meine, dass das in einigen Wochen auf CIPE erscheinen wird. Aber eines ist klar: Wer das an Land zieht, der ist für die nächsten Jahre ausgelastet“, sagte Sepp.

IV

Als Sepp nach dem Essen wieder gegangen war und Robert wieder an den Druckmaschinen stand, rief ihn Landrat Kittelhaus auf seinem Handy an – es war wegen des Großauftrags, den Sepp eben erwähnte.

„Robert, das Projekt heißt KALIBER I. Pfeifer war bei mir und machte einige Vorschläge. CIPE sucht wohl eine Partnerregion, um den Auftrag geschlossen vergeben zu können. Die wollen das nicht überregional aufteilen."

„Aha. Wofür steht das KALIBER eigentlich? Klingt gefährlich."

„Warte mal. Ich habe es mir aufgeschrieben: *Konsortium der Automobil-, Maschinenbau- und Luftfahrt-Industrie für die Beschaffung einheitlicher Teile auf Basis eines Rahmenvertrags.*"

„Und was hat es damit auf sich?"

„Da haben mehrere Branchen einen einheitlichen Bedarf identifiziert und standardisiert. CIPE fasst diesen auf der Plattform zusammen und vergibt einen gebündelten Auftrag. Robert, dass ist unsere Chance! Wir können den ganzen Landkreis einbinden. Ich habe schon mit einigen anderen Bürgermeistern gesprochen und die sind natürlich Feuer und Flamme. Der Pfeifer meinte, dass die Heimbetriebe in unserem Landkreis sowie die zwei oder drei Mittelständler mit ihren Großkapazitäten den idealen Mix ergeben würden. Kapazität und Drucktechniken wären ideal. Und da zwei Logistikdienstleister hier gerade neue Verteilzentren im Landkreis bauen, würde sich CIPE freuen, wenn sich der Landkreis als Bieternetzwerk geschlossen für den Auftrag bewerben würde", schwärmte Kittelhaus.

„Warum bist du so hinter dem Auftrag her? Kriegst du eine Kommission?“, fragte Robert.

„Ach. Unsinn. Darf ich doch gar nicht. Der Pfeifer hat gemeint, dass sie für diesen riesigen Auftrag erstens politische Unterstützung wollen und zweitens könnte der Landkreis Cham eine CIPE-Modellregion werden. Du weißt, dass es dann Vergünstigungen und Förderungen vom Staat gibt. Und als Kommunalpolitiker müssen wir Wirtschaftsförderung betreiben. Was meinst du, wenn wir hier nichts machen und die suchen sich eine andere Region? Am Ende kriegen's noch die Schwandorfer. Dann dürfen wir beide uns die Vorwürfe der Leute anhören. Du kennst unsere Bürger: kriegen sie einen Auftrag klagen sie, kriegen sie keinen, jammern sie.“

„Du Joseph, grundsätzlich habe ich nichts gegen einen Auftrag, der uns langfristig auslastet und ein planbares Volumen hat. Aber wir arbeiten hier in Kleinaffing gerade an einem größeren Auftrag und sind ganz schön am Schwitzen. Die Bürger beschweren sich schon bei mir. Aber sei's drum. Wir sind mit dem Auftrag bald fertig und wenn dieses KALIBER eine gute Sache ist, dann sind die Leute hier bestimmt dabei.“

„Sehr gut. Ich schick dir mal die Informationen, die ich von Pfeifer erhalten habe. Und dann machen wir irgendwann mal in Cham eine Sitzung dazu.“

Ganz so uneigennützig war des Landrats Engagement nicht: natürlich dachte er auch an seine Wiederwahl und er wollte mindestens noch eine Amtszeit. Außerdem war sein Ehrgeiz die niedrigste Arbeitslosenquote aller Zeiten von 2017 von 1,7 % zu schlagen. Momentan lag die Arbeitslosigkeit bei 5 %. Das war im Vergleich zum Bundesdurchschnitt sensationell niedrig, aber dennoch wollte Kittelhaus das Wunder vollbringen. Pfeifer kündigte an, auch neuen Druckern eine Chance zu geben, damit die Kapazität passt und für weitere zweihundertfünfzig Drucker ein Schnellstartprogramm aufzulegen - exklusiv in seinem Landkreis; 3D-Druck-Fachmann im Crashkurs sozusagen. Das war die Chance, viele Arbeitslose aus der Statistik herauszubekommen.

V

Nach dem Telefonat mit Landrat Kittelhaus ging Robert an seinen Laptop und studierte das Informationspaket, das Kittelhaus per E-Mail an alle Bürgermeister im Landkreis verteilte. Der Auftrag sah einen Rahmenvertrag und verbindliche Produktionszahlen für die kommenden fünf Jahre vor – ein Produktionsplan mit Mengen und Terminen für diesen Zeitraum war auch dabei. Es handelte sich um alle möglichen Kleinst-, Klein- und mittleren Bauteile verschiedener Materialien, also kein Problem für die Drucker – hier ging es mehr um

Masse statt um komplizierte Spezialdrucke. Aber das Bieterverfahren hatte es in sich und sollte in den nächsten Wochen über die Bühne gehen. Da war er als Bürgermeister gefordert.

Dass die Kommunalpolitiker als Organisatoren der 3D-Druck-Heimarbeit fungierten, ergab sich einfach aus der praktischen Tatsache heraus, dass die Bürgermeister schon immer Ansprechpartner für Gewerbetreibende in ihrem Einzugsgebiet waren. Nur waren es seit etwa 2029 eben mehrheitlich keine mittelständischen oder Großbetriebe mehr, die an die Bürgermeistertüre klopften, sondern lauter Einzelpersonen und Familien, die ihre Heimbetriebe gründen wollten. Somit mussten ehemalige Wohngebiete für Gewerbetätigkeiten freigegeben werden und manchmal brauchten die vielen Heimbetriebe eben auch ein gemeinsames Sprachrohr, vor allem wenn es darum ging, als Dorf oder Dörferverbund geschlossen für einen CIPE-Auftrag zu bieten. Der Bürgermeister bot sich dafür aus einem ganz einfachen Grund an: er war einfach geschulter als der Rest der Dörfler im Sprechen, Präsentieren und Organisieren. Und es brauchte diese Fähigkeit, um der Gegenseite, also CIPE und den Auftraggeber halbwegs auf Augenhöhe zu begegnen. Denn das waren alles geschulte Profis, die wesentlich organisierter als die kleinen Drucker waren, die alle irgendwie in die Selbständigkeit stolperten oder gedrängt wurden.

Natürlich ging es auch um praktische Fragen: viele Bürgermeister waren auch selbst im Druckgeschäft und so vermischte sich Kommunalpolitik rasch mit persönlichen Gewerbeinteressen. Ein Bürgermeister musste etwas für seine Drucker tun, sonst wurde er nicht gewählt.

Was also Robert als Bürgermeister für seine Gemeinde war, war der Landrat für seinen Kreis, der Regierungspräsident für seinen Bezirk und so weiter. Es gab auch schon Ausschreibungen, wo sich ganze Bundesländer zu einem Bieternetzwerk zusammengeschlossen haben, wo es also beispielsweise hieß: Bayern gegen Sachsen. Die Verschränkung zwischen Politik und CIPE, die mit Dreißigers Arbeitsbeschaffungsprogramm auf Bundesebene begann, setzte sich von dort langsam nach unten durch. Von seiner regionalen Struktur her hatte sich CIPE entsprechend der staatlichen Verwaltung aufgestellt; es gab also immer einen entsprechenden Gegenpart auf der kommunalen, Bezirks-, Länder- oder Bundesebene. CIPE-Regionalleiter Pfeifer war zum Beispiel für den Landkreis Cham zuständig, womit sich seine Zuständigkeit mit der von Landrat Kittelhaus deckte. Er war aber auch für Schwandorf und Regensburg zuständig, womit er Landkreis gegen Landkreis ausspielen konnte. Alle Regionalleiter von CIPE verwalteten mindestens zwei Landkreise, um nach dem Prinzip des *Teile und Herrsche* arbeiten zu können.

„Maria, ich muss mit dir reden“, sagte Robert abends vor dem Fernseher, nachdem er das Material von Kittelhaus studiert hatte.

Maria ahnte es schon: „Lass mich raten, der Urlaub fällt flach? Ist es der Großauftrag, von dem Sepp erzählt hat?“ Ihr genervter Gesichtsausdruck ließ Robert den Kopf senken. Sie waren schon seit drei Jahren nicht mehr im Urlaub und hatten sich jetzt so auf Spanien gefreut, vor allem, weil dort seit der Wiedereinführung der Peseta alles so billig war.

„Maria. Wenn wir diesen Auftrag an Land ziehen, dann haben wir die nächsten fünf Jahre wieder Berechenbarkeit. Dann können wir auch den Urlaub planen und einhalten. Wir können ja stattdessen mal wieder einen Ausflug machen - nach Prag oder Wien. Oder an den Chiemsee.“

Maria lag auf der Couch und war verärgert - nicht über Robert, denn der hatte keine andere Wahl, aber über diese Art von Arbeit. Anders als Robert war sie nämlich selbst einmal Angestellte im Büro und kannte noch feste und vor allem humane Arbeitszeiten, Urlaub und Überstundenabbau. Dass dies Begriffe waren, die man früher oder später nur noch über Geschichtsbücher verstehen konnte, machte ihr Sorgen. Und diese Sorge galt allen voran ihren Kindern.

VI

Robert berief umgehend den Kleinaffinger Gemeinderat ein und informierte über KALIBER. Es war der 22.12.2040, ein Samstag. Bürgermeister Ansorge aus dem Nachbardorf war auch dabei, da die beiden Orte beim 3D-Druck eng kooperierten. Ziel war es, die am Druck beteiligten Einwohner möglichst geschlossen in Aufträge zu bekommen, um Synergien zu heben. Denn je mehr Transporte gebündelt werden konnten, desto geringer waren die Logistikkosten, die CIPE berechnete. Das ganze Logistiksystem von CIPE war getaktet wie ein Busfahrplan - alle Dörfer wurden fahrplanmäßig angesteuert, wobei der Transporter sowohl Druckrohmaterial brachte als auch Druckerzeugnisse mitnahm. Die Drucker konnten die Logistikkostensätze, die CIPE verrechnete, dadurch senken, dass sie an ein Hub lieferten und von dort abholten (anstatt sich etwas nach Hause bringen zu lassen) und indem sie möglichst an vielen Aufträgen gemeinsam arbeiteten, wodurch sich Bündelungen ergaben.

Es verwunderte nicht, dass im Gemeinderat die größten Drucker versammelt waren. Gemeinderatssitzungen waren daher auch immer Druckersitzungen. Das Volumen von KALIBER war anspruchsvoll und bedeutete ein strammes Programm, aber es bedeutete auch Planbarkeit - darüber waren sich alle einig. Und Planbarkeit war nicht selbstverständlich, denn die Aufträge kamen über CIPE nicht gleichmäßig über das Jahr verteilt, sondern durcheinander, manchmal alle gleichzeitig, und dann kam wochenlang nichts, sodass viele Drucker schon Sorgen hatten, wie es weiterging, weswegen viele dann keine Lust mehr hatten, wegzufahren, obwohl gerade die Zeit dafür war. Somit war es schwer, das eigene Leben in planbare Abschnitte aufzuteilen, denn oft genug plante man ein privates Vorhaben und dann kam doch ein Auftrag dazwischen, den man unbedingt noch mitnehmen wollte.

Der Gemeinderat war überzeugt, dass dieser Auftrag geholt werden sollte, vor allem da der große Automobilauftrag, an dem die Kleinaffinger gerade arbeiteten, demnächst fertig beliefert war. Letztendlich war es den Druckern lieber, an großen Aufträgen längerfristig zu arbeiten, als sich von Kleinauftrag zu Kleinauftrag zu hangeln. Daher ermächtigte der Gemeinderat Robert, die Kleinaffinger Drucker für das Landkreis-Bieternetzwerk anzumelden.

Ein weiterer Punkt war das Wüten der Qualitätsprüfer – die Prüfer Kutscher und Förster ließen es zuletzt ziemlich krachen und viele Drucker aus dem Ort waren der Meinung, dass die Bewertung unfair war. Viele Druckerzeugnisse wurden abgelehnt und die Drucker mussten auf eigene Kosten nachdrucken, bis es passte. Vor allem Drucker Heiber, der auch im Gemeinderat saß, beschwerte sich. Robert versprach, mit Regionalleiter Pfeifer Kontakt aufzunehmen, um das Problem zu besprechen.

Dann ging es um Bäcker, einem ehemaligen Drucker aus dem Ort. Er engagierte sich bei der IG3D und wurde deswegen von CIPE ausgeschlossen. Ausschlüsse wegen IG3D-Mitgliedschaft waren immer getarnt und CIPE begründete sie mit Verstößen gegen die Allgemeinen Geschäftsbedingungen oder sonstige Regeln, aber nie offen als Reaktion auf die IG3D-Aktivität. Es war schon eigenartig: wenn man IG3D-Mitglied wurde, schien CIPE das rasch herauszufinden und dann bekam man es mit endlosen Betriebsprüfungen zu tun und auch die Qualitätsprüfer schauten um einiges genauer hin. Es dauerte dann nicht lange, bis genügend Verstöße gesammelt waren, um den Drucker von der Plattform zu schmeißen. Nach außen sah es daher auch so aus, als wäre der Rauswurf gerechtfertigt.

Es war möglich, einen ausgeschlossenen Drucker zurückzuholen, wenn drei A-Level-Drucker für das ehemalige Mitglied bürgten, der Regionalleiter dies unterstütze und der Verstoßene eine Compliance-Schulung erfolgreich durchlief. Die im Gemeinderat vertretenen A-Level-Drucker waren jedoch nicht bereit, für Bäcker zu bürgen. Anders als Robert, aber seine Unterstützung alleine reichte nicht. Die meisten wollten Bäcker nicht helfen, weil sie sich sicher waren, dass er das Engagement bei der IG3D nicht beenden würde, auch wenn er wieder bei CIPE zugelassen war, und das war ihnen zu gefährlich - die gnadenlose Rache von CIPE traf bei Wiederholungstätern auch die Bürgen. Somit war das Thema Bäcker erledigt. Er, der sich für bessere Arbeitsbedingungen für die Drucker einsetzte, wurde von seinen Druckerkollegen fallen gelassen.

VII

Robert Baumert fuhr in der kommenden Woche nach Cham, wo sich in der Stadthalle die Chamer Drucker versammelten. Weil es im Landkreis tausende 3D-Druck-Heimbetriebe gab (alleine in Kleinaffing waren es ja schon zweihundert), ließen sich die meisten Drucker, die an KALIBER teilnehmen wollten, durch ihre Bürgermeister vertreten. Nur einige größere Drucker waren selbst anwesend: das waren größere Heimarbeiter, die mehr als zehn Druckmaschinen hatten, aber auch Großbauern und Handwerksbetriebe, die zur Ergänzung ihrer Haupttätigkeit auch im 3D-Druck aktiv waren und überdurchschnittliche Druckkapazitäten hatten (der Durchschnitt pro 3D-Druck-Heimbetrieb waren 3,5 Druckmaschinen).

Landrat Kittelhaus betonte die Chance des KALIBER-Auftrags als eine dauerhafte Auslastung *seiner* Chamer Drucker und bot sich an, Sprecher des Chamer Druckernetzwerks zu sein, das sich für KALIBER formieren sollte. Regionalleiter Pfeifer stellte dann noch einmal den Auftrag vor, wie die Ausschreibung ablief und was die wichtigsten Vergabekriterien waren (Preis, Bewertung der Drucker der letzten fünf Jahre).

Einer der Bürgermeister fragte, wie viele Bieter es gab, aber die genaue Zahl wollte und konnte Pfeifer nicht verraten: „Was ich aber sagen kann ist, dass die Schwandorfer ebenfalls ein Netzwerk bilden und sich an der Ausschreibung beteiligen - Ziel von CIPE ist es, den Auftrag als ganzes an *ein* Netzwerk zu vergeben und diesen nicht auf mehrere Netzwerke zu verteilen."

Als Pfeifer mit seiner Präsentation fertig war, ging Kittelhaus erneut ans Mikrofon und fragte in den Saal, ob man es zulassen solle, dass die Schwandorfer den Auftrag bekämen, worauf die Menge tobte und Rufe erschallten wie *Niemals!*, *Buh!* und *Der Auftrag geht an uns!* Pfeifer war zufrieden - es lief. Denn auch er stand im Wettbewerb mit anderen Regionalleitern, deren Kennzahl das Umsatzvolumen in ihrer Region war, welches stetig zu wachsen hatte. Daher war es die Aufgabe der Regionalleiter, ständig neue Drucker zu gewinnen und deren Teilnahme an Ausschreibungen sicherzustellen.

Die Gründung des Chamer Druckernetzwerks für KALIBER war dann nur noch reine Formsache. Am Ende des offiziellen Teils gab es noch ein *Gemütliches Beisammensein*, wobei Robert die Gelegenheit nutzte, bei Kittelhaus und Pfeifer, die an einem der Stehtische zusammen standen, die Beschwerde Heibers und anderer Drucker wegen der unfairen Qualitätsprüfung anzusprechen.

„Es fiel mir nicht leicht, den Gemeinderat für KALIBER zu überzeugen, wenn wir am Ende unsere Produkte nicht abgenommen bekommen. Kutscher und Förster waren unfair. Die Produkte waren in Ordnung. Wir haben bei Berger nachprüfen lassen und der ist vereidigter Gutachter. Alles in Ordnung mit der beanstandeten Ware."

Pfeifer, der schon in Bierlaune war, meinte: „Robert, passt schon. Sag deinen Druckern, die sollen die gleiche Ware nochmal vorzeigen. Ihr braucht nicht nochmal zu drucken. Kutscher und Förster haben ihre *Kill Rate* für diese Periode noch nicht erfüllt. Aber nichts schriftlich. Wir verstehen uns – gib das mündlich weiter. Und wenn einer von den beiden euch dumm kommt, rufst mich an."

Kill Rate war Englisch und stand wörtlich für Tötungsrate, aber damit waren keine Menschen gemeint, sondern die Qualitätsprüfer mussten etwas finden. Wenn sie alle Druckerzeugnisse beim ersten Mal ohne Beanstandung annahmen, warf man ihnen vor, nicht gründlich genug zu prüfen. Das führte auch zu ungerechtfertigten Ablehnungen, damit die Prüfer ihre Ablehnungsquote auf einem Mindestmaß halten konnten. Wusste man das als Drucker, zeigte man einfach die gleiche Ware einige Tage später nochmal vor, und dann wurde sie auch abgenommen. Mit der von Pfeifer vorgeschlagenen Lösung war Robert daher zufrieden. Scheinbar hatten sich Kutscher und Förster gerade die Kleinaffinger für ihre Scheinmängelshow herausgesucht, weil es dort in der Vergangenheit so wenig Beanstandungen gab.

VIII

Wenn man ein Netzwerk gründete, bedeutete das für gewöhnlich, dass alle in einen Topf wirtschafteten und Gewinne und Verluste entsprechend der Produktionsanteile und Schwierigkeitsgrade teilten. Der Schwierigkeitsgrad richtete sich nach der Qualifikationsanforderung an ein bestimmtes Druckerzeugnis, wie anspruchsvoll das Druckverfahren und wie teuer die dafür notwendige Druckmaschine war. Jemand der sechzig Teile produzierte konnte mehr verdienen als jemand der tausend Teile produzierte, wenn seine eben schwieriger waren und man dafür sehr teure Geräte brauchte.

Zum Netzwerksprecher sollte man nur den wählen, der ein Team von Druckern zu erfolgsfähige Angeboten zu führen wusste. Dafür musste man wissen, wie CIPE funktionierte und natürlich, wie man die Netzwerkmitglieder beeinflussen konnte, damit diese ihre Schmerzgrenzen anpassten, wenn das System anzeigte, dass man eine bestimmte Prozentzahl teurer war als der günstigste Bieter. Nun musste Kittelhaus aber zunächst das Netzwerk bei CIPE genehmigt bekommen. Schritt eins dieses Prozesses war eine computergestützte Prüfung aller Angaben auf Plausibilität; Schritt zwei war, dass ein Betriebsprüfer kam und die Angaben persönlich überprüfte – dabei wurden administrative und technische Prüfungen vorgenommen, also ob die Buchhaltung in Ordnung war, die

Zertifikate echt waren und vor allem ob die registrierten Druckkapazitäten auch wirklich existierten, denn viele Drucker täuschten Kapazität durch den Einsatz von entsprechender Täuschsoftware vor. Solche Phantomkapazitäten gaben manche Drucker vor, um ihre Chancen bei Ausschreibungen zu erhöhen. Das war ein lukrativer Weg, erst einen Auftrag an Land zu ziehen und sich dann die passende Druckmaschine zu kaufen statt ins Investitionsrisiko zu gehen, wie das der Normaldrucker tun musste.

Der Betriebsprüfer Neumann führte die Prüfungen auch in diesem Fall auf Stichprobenbasis durch - da er nur kleinere administrative und technische Mängel fand, genehmigte Pfeifer das Netzwerk der Chamer Drucker - sie konnten für die KALIBER-Ausschreibung bieten.

IX

Kittelhaus und sein Team im Landratsamt erwiesen sich als tüchtige Angebotsmanager, die rund um die Uhr die Gebote verfolgten. Kurz vor Ende der Ausschreibung - etwa eine Minute - war ein anderer Bieter fünf Prozent günstiger. Kittelhaus wusste, dass die Gewinnmarge bei diesem Auftrag ohnehin schon gering war. Er hatte nicht mehr viel Zeit. Seine Vollmacht war, noch drei Prozent herunterzugehen. Er rief Pfeifer an: „Wir sind fünf Prozent teurer als der Günstigste. Ich kann nur noch drei Prozent runter gehen. Was soll ich machen?"

„Schon in Ordnung. Ihr seid präferiert. Geh die drei Prozent noch runter. Der günstigste Anbieter ist nicht so gut bewertet wie die Chamer Drucker", antwortete Pfeifer völlig gelassen.

Kittelhaus drehte sich zu seinem Mitarbeiter, der vor dem Bildschirm saß und das Auktionscockpit bediente und wies ihn an: „Drei Prozent noch!" Gerade rechtzeitig, denn nach weiteren fünfzehn Sekunden war die Ausschreibung vorbei. Auf dem Bildschirm erschien folgender Schriftzug:

Herzlichen Glückwunsch. Sie sind bevorzugter Bieter. Sie werden in Kürze zu Gesprächen mit dem Auftraggeber eingeladen.

Diese Worte kopierte Kittelhaus in eine E-Mail an alle Netzwerkmitglieder: *Liebe Chamer Drucker: Wir haben es geschafft, aber wir mussten ans Limit gehen. Wir sind jetzt exklusiver Verhandlungspartner. Danke Euch. Euer Landrat Kittelhaus.*

X

Innerhalb der nächsten Wochen gab es einige Treffen mit den Vertretern von KALIBER, in denen Kittelhaus die Chamer Drucker als Netzwerksprecher vertrat. Normalerweise nutzten die Auftraggeber die Nachgespräche, die auf die elektronische

Auktion folgten, auch für Nachverhandlungen. In diesem Fall war das nicht so, obwohl der Auftragswert so enorm hoch war. Landrat Kittelhaus fragte nach einem der Bietergespräche Pfeifer, warum das so war und der verriet den Grund im Vertrauen. Kittelhaus entgleisten für einen Moment die Züge: „Pfeifer, das dürfen die Chamer Drucker niemals erfahren. Die kreuzigen uns!"

XI

Im Februar 2041 war in Cham hoher Besuch angesagt. Dreißiger hatte sich für die Auftragsvergabefeier angekündigt, bei der Vertreter des Konsortiums, Kittelhaus, die Bürgermeister des Landkreises, einige größere Drucker und das Regionalteam von CIPE zugegen waren. Dreißigers Ankunft in Cham war wie ein Staatsbesuch organisiert - private Personenschützer begleiteten Dreißiger, die Presse stand Spalier, die Stadthalle war reich geschmückt, ein Trachtenverein präsentierte sich und verschiedene Reden wurden gehalten. Der Vertrag kam dadurch zustande, das Kittelhaus auf seinem Tablet das CIPE-Portal öffnete und den Auftrag von KALIBER per Knopfdruck akzeptierte. Dieser Vorgang wurde auf eine Großleinwand übertragen. Nach der Feier in der Stadthalle besuchten der Sprecher von KALIBER, Dreißiger, Pfeifer und Kittelhaus zwei ausgewählte 3D-Druck-Heimarbeiterbetriebe, um sich ein Bild von den Leuten hier in

Cham zu machen. Im Anschluss an diese Besuche ging es zu einem feierlichen Abendessen bei einem Chamer Gastwirt, wo auch Stubenmusikanten aufspielten, was vor allem dem Sprecher des Konsortiums gefiel, der aus Hamburg anreiste: „So habe ich mir Bayern vorgestellt!", sagte dieser lautstark.

Robert und einige andere Bürgermeister, darunter auch Ansorge, gingen nach der Feier noch ein paar Bier in Cham trinken. Einige machten sich lustig über Dreißigers Auftritt.

„Das war ja wie ein Staatsbesuch! Fehlte nur noch die Motorradeskorte", sagte einer, worauf Ansorge meinte: „Ihr wisst nicht, wie recht ihr habt. CIPE ist der Staat und der Staat ist CIPE."

Andere fanden Kittelhaus' Rede übermäßig schwülstig: „Mein Gott. Man könnte fast meinen, dass es um eine heilige Mission geht. Ist doch bloß ein großer Druckauftrag. Fertig. Der Kittelhaus hat ja wie der Pfarrer von der Kanzel gepredigt" und der Sitznachbar meinte: *„Papst Joseph ruft zum Kreuzzug auf."*

Weiter über Kittelhaus und Dreißiger lästernd, brachen die Bürgermeister abends wieder in ihre Gemeinden auf.

XII

Auf die Auftragsvergabefeier folgte einige Tage später ein *Kick-off*, also die Auftragsstartbesprechung. Diese wurde als Videokonferenz veranstaltet, an der alle Drucker des Chamer Bieternetzwerks für KALIBER teilnahmen und das waren über fünftausend. Allerdings durfte diese Zahl nicht darüber hinwegtäuschen, dass die Hauptlast des Auftrags auf wenigen Druckern lastete.

Die Kleinaffinger Drucker verfolgten die Konferenz in ihrer Gaststätte am Ort - der Wirt Welzel hatte einen Saal mit Leinwand zur Verfügung gestellt, die normalerweise für öffentliche Fußballübertragungen genutzt wurde. Zusammen mit dem Pfarrhaus und der Kirche war der *Druckerwirt* - ja, er hieß wirklich so - das einzige historische Gebäude, das noch erhalten geblieben war. Kleinaffing, wie die meisten Bauerndörfer, war früher durch Höfe geprägt. Da aber die meisten Familien die Landwirtschaft aufgegeben hatten, waren auch die Bauernhöfe nutzlos geworden. Meistens wurden die oft zweihundert Jahre alten Gebäude abgerissen, denn ein Umbau war aufgrund der Kosten für die meisten einfach nicht wirtschaftlich oder gar erschwinglich. Die alten Bauernhöfe hatten ja keine Zimmeraufteilung, wie man sie heute wünschte. Niedrige Decken, eine große Wohnküche, meistens noch nicht einmal ein Badezimmer. Viele dieser alten Höfe standen Jahrzehnte leer, oft in der Absicht, dass sie von alleine zusammenfielen und die Erben die harte Abrissentscheidung nicht treffen mussten. Die Bausubstanz dieser alten Gebäude war sehr schlecht. Oftmals so schlecht, dass nichts anderes übrig blieb, als ein vollständiger Abriss. Die Decken bestanden häufig aus einem Stroh-Lehm-Gemisch, in das sich schon die Mäuse einnisteten. Was beim Abriss manchmal zum Vorschein kam – alte Waffen, Reichsmark-Scheine aus der Inflationszeit der 1920er, Holzspielzeug, Flaschen – wurde beim Druckerwirt in einem kleinen Anbau ausgestellt, den man *Heimatmuseum* nannte. Der Gastraum selbst blieb urig alt, mit Holzvertäfelung und alten Fotografien der Gastwirtsfamilie Welzel, die hier schon lange die Wirte stellte. Im Gastraum saßen die Stammtischler des Ortes zusammen, ansonsten gab es noch einen größeren Speiseraum und einen großen und kleinen Saal im ersten Stock. Als Kind hatten es Robert und Sepp immer die Erinnerungs- und Andachtsbilder der Soldaten aus dem Ersten und Zweiten Weltkrieg angetan - Jungen interessierten sich halt meistens für das Militär. Unglaublich was diese Mauern in den letzten zweihundert Jahren bereits hörten – denn so alt war das Gebäude des Druckerwirts. Darauf verwies auch ein über dem Stammtisch an der Decke befestigter Leuchter in Form eines gewundenen, verbogenen Balkens. Auf diesem stand auf Bairisch geschrieben: *An diesem Tisch ist schon so viel gelogen worden, dass sich die Balken verbogen haben.*

Einst hieß die Gaststätte *Schlosserwirt*, was sich auf eine alte Schlosserei in der Nähe bezog, aber da diese schon lange nicht mehr existierte, wurde die Gaststätte konsequenterweise in Druckerwirt umbenannt, da nebenan nun auch die Druckmaschinen summten.

Ging der Name der Gaststätte auch mit der Zeit, wurde am Gastraum selbst fast nichts verändert, wodurch der Druckerwirt auch ein Ort der Erholung war. Hier stand die Zeit irgendwie still und alle sagten zum Welzel: „Ändere nichts!" Der Aufenthalt hier war eine Pause von der modernen Welt und vermittelte das gute Gefühl, die Wurzeln noch nicht komplett gekappt zu haben. Der Druckerwirt war also eigentlich selbst ein Museum, das eben auch Bier ausschenkte, gut bürgerliche Küche servierte und einige Fremdenzimmer anbot.

Welzel hatte mit seiner Strategie, nichts zu verändern, ohne es aber heruntergekommen aussehen zu lassen - alles war sehr gepflegt und wurde dezent in Schuss gehalten - ein Alleinstellungsmerkmal in der Region geschaffen, in der es immer weniger Gaststätten dieser Art gab, sodass der Druckerwirt mittlerweile sogar in Touristenführern erwähnt wurde. Der Wirt Welzel und seine Frau hatten auch eine Tochter, Anna, die sehr hübsch war und die es unbedingt nach München schaffen wollte, als Model, das von dort aus die große weite Welt kennenlernen würde. Momentan ging sie aber noch auf das Gymnasium, von wo sie recht passable Noten mit nach Hause brachte. Und hin und wieder half sie auch in der Gaststätte aus.

So auch am heutigen Abend: Robert und einige andere Drucker gingen nach dem Ende der Videokonferenz vom Saal in die Gaststube, wo es gemütlicher war, und viele wollten einfach nur Anna sehen. Die einzigen, die an diesem Abend schon vorher den Gastraum besetzten, waren Bäcker und noch ein anderer von auswärts. Robert nahm sofort an, dass es ein IG3D-Bekannter war.

Robert setzte sich zu ihm: „Servus Bäcker. Wie geht's dir?"

„Passt scho. Selbst?"

„Passt auch. Was machst du jetzt?", wollte Robert ehrlich wissen.

„Ich bin bei der IG3D jetzt erstmal fest angestellt, mit einem Teilzeitjob. Nebenher mache ich noch den Türsteher in Cham oder arbeite beim Wiegand auf der Baustelle – als gelernter Maurer kommt man immer irgendwo unter."

„Sehr gut. Das hört man gerne. Ich hatte wirklich Angst, dass du jetzt in ein Loch fällst, nachdem dich CIPE so rausgeekelt hat. Tut mir leid, dass ich nicht genügend Bürgen zusammengebracht habe – du weißt, wie die Leute sind", antwortete Robert.

„Ja, unschön, aber zu erwarten. Kommt ihr vom Kick-off in Cham, oder?"

„So ist es. War aber eine Videokonferenz. Haben wir oben im Saal gemacht. Du verfolgst noch, was bei CIPE läuft?"

„Tue ich. Aber eher kritisch."

„Was machst du denn jetzt gegen deine Löschung bei CIPE?"

„Die Klage läuft. Aber die Gummiparagrafen in den AGB lassen halt alles zu. Neumann hat nur Kleinigkeiten gefunden. Aber das reichte eben, zusammen mit anonymen Beschuldigungen wegen Preisabsprachen bla bla bla. Bumm, das war es dann", erzählte Bäcker.

„Ich wünsche dir auf jeden Fall viel Glück. Du bist doch ein Kämpfer", munterte Robert ihn auf.

Bäcker schmunzelte wissend: „Robert, *ihr* müsst jetzt kämpfen. Und ich hoffe, du weißt, in was für einen Auftrag ihr geraten seid. Das Tageslicht werdet ihr lange nicht mehr sehen."

Kapitel 2 - Die Produktion

I

Robert und Sepp kamen von einer Besprechung im Gemeinderat zurück. Es war nachmittags und Maria machte gerade den Kaffee. Emma und Bertha hatten heute ihren Online-Schultag und auch Sepps kleiner Sohn Fritz war heute bei Robert und Maria, denn seine Frau Theresa - wie viele andere im Dorf - arbeitete nur noch für KALIBER und kam aus dem Drucken nicht mehr heraus. Auf dem Weg nach Hause erzählte Sepp davon, dass Theresa die letzten Tage fünfzehn Stunden täglich an der Druckmaschine stand. Damit sie überhaupt etwas aß, brachte Sepp ihr immer wieder etwas zu essen und zu trinken.

„Also ich drucke auch viel", meinte Robert, „aber das klingt ja schon verrückt. Also im Schnitt stehe ich täglich acht Stunden im Stall bei den Maschinen, Maria auch und die Kinder manchmal ein bis vier Stunden. Samstags auch, aber Sonntag ist Ruhe, außer wir stehen kurz vor einem Termin und es wird knapp. Aber Fritz ist doch zu klein fürs Helfen - will sie den auch einspannen?"

Sepp schüttelte energisch den Kopf: „Fritz stellt sich nicht an den Drucker! Du weißt, dass ich genug verdiene, aber Theresa möchte unbedingt eine eigene Karriere. Die müsste das gar nicht. Aber wenn sie Fritz da mit reinzieht, dann haue ich ihr die Druckmaschinen kurz und klein. Wir haben schon seit Wochen nicht mehr…du weißt schon."

Robert lachte: „Oh je, wenn's danach ginge! Aber jetzt sind wir gleich zu Hause. Achtung: Maria kann von dem Lippen lesen."

Sepp und Robert gingen schweigend die letzten Meter bis zum Hauseingang. Als sie zur Tür hereinkamen, war das Geschnatter laut: die Kinder unterhielten sich lautstark, Maria redete auch, aber schon im Eingangsbereich konnte man eine fremde Männerstimme vernehmen.

Robert sah Sepp fragend an und sagte: „Das… das ist doch der Moritz?"

Nachdem er sich die Schuhe im Flur ausgezogen hatte, hörte Sepp genauer hin: „Du, des könnte sein. Lass uns mal in die Küche gehen."

Die beiden schlichen in die Wohnküche und staunten nicht schlecht. „Ja, des gibt's ja nicht. Der Moritz!", sagte Robert lautstark.

Moritz, also Moritz Jäger, war etwas jünger als die Baumert-Brüder und ihr Cousin. Er verließ das Dorf vor mehr als zehn Jahren und war offensichtlich zurückgekehrt. Moritz stand auf und begrüßte die beiden: „Servus Robert, servus Sepp. Schön euch wiederzusehen."

„Haben sie dich rausgelassen aus der Kaserne?", fragte Sepp scherzend, während Robert seiner Frau und den Kindern ein Bussi gab.

Moritz, der sich wieder auf die Eckbank setzte, antwortete: „Zu Ende April 2041 offiziell ausgeschieden. Also vor einer Woche. Ganz offiziell und mit allen Ehren."

„Sauber. Was warst du denn zum Schluss?", fragte Sepp weiter.

„Oberfeldwebel."

„Nicht schlecht. Wie lange warst jetzt dabei. Acht Jahre, oder?"

„Zehn Jahre plus ein paar Monate. Ich habe ja erst den freiwilligen Wehrdienst gemacht und bin dann Zeitsoldat auf zehn Jahre geworden."

„Und jetzt? Wie schaut dein Plan aus?", wollte Robert wissen.

„Ich mache jetzt den Berufsförderungsdienst und dann suche ich mir was. Vielleicht werde ich ja auch Drucker! Da gibt es doch das Einstiegsprogramm für Bundeswehr-Ausscheider."

„Willst du wirklich Drucker werden?", fragte Maria und erzählte daraufhin von der harten Realität, vor allem für Anfänger.

Moritz war darüber erschüttert: „Also ich habe mal darüber gelesen und im Internet gibt es ja so Videos mit Erfahrungsberichten, aber dass es so krass ist."

„Wir müssen auch oft mitarbeiten", sagte Emma, die älteste Tochter.

„Ich auch", stimmte Bertha mit ein, fügte noch „und der Fritz nicht!" hinzu und streckte ihm die Zunge heraus, woraufhin sie von Robert geschimpft bekam.

„Und was sagst du, Sepp?", fragte Moritz.

„Ach, weißt du. Bei ein paar Leuten ist es schon schlimm. Wenn du nur die billigen Drucker hast, dann machst du halt das allgemeine Zeug. Das, was jeder kann. Und entsprechend sehen dann auch die Konkurrenz und die Preise aus. Wenn du allerdings in die höherwertigen Druckverfahren und die teureren Maschinen gehst, je weniger Konkurrenz. Dann lässt sich schon besseres Geld verdienen."

„Der Sepp kann dir die Horrorgeschichten nicht bestätigen. Der arbeitet bei CIPE und steht auf der anderen Seite", lautete Roberts nett gemeinter Seitenhieb. Sepp sah etwas verlegen auf seinen Teller.

„Bist du auch Drucker?", fragte Moritz den Sepp.

„Nein. Theresa druckt. Ich bin Qualitätsprüfer bei CIPE. Das heißt ich arbeite bei denen Vollzeit als Angestellter. Als Berger Autoelektronik damals zugemacht hat, da war CIPE schon ziemlich populär. Und ich habe dann den Job als Qualitätsprüfer für Automobilkunden bekommen, wegen meiner Erfahrung."

„Warum hat Berger zumachen müssen?", wollte Moritz wissen.

Sepp antwortete: „3D-Druckmaschinen kann man halt überall aufstellen – im Kinderzimmer, auf dem Dachboden und so weiter. Du brauchst heute keine großen Fertigungsanlagen mehr, um etwas zu produzieren – ein paar Ausnahmen bestätigen die Regel. Berger und die anderen Zulieferer haben alle zugemacht. Die meisten der entlassenen Mitarbeiter sind heute auch Drucker."

„Das heißt, die Teile, die Berger früher zentral hergestellt hat, kommen jetzt von hunderten Kleindruckern", fragte Moritz.

„Mehrere hundert", erklärte Sepp. „Vom Regionalleiter habe ich mal gehört, dass der gesamte Produktionsausstoß von Berger heute von etwa fünfhundert 3D-Druck-Heimbetrieben geleistet wird. Das sind alles Betriebe wie der meiner Frau. Bei uns im Haus stehen die Drucker im Keller und der Garage. Mir haben damals den ganzen alten Schund zum Sperrmüll gebracht und Platz gemacht. Da stehen jetzt die Druckmaschinen und rattern Tag und Nacht."

„Bei mir im Stall", fügte Robert hinzu.

„Und was macht der Berger selbst jetzt?", fragte Moritz.

„Ein paar Hallen sind abgerissen worden; stehen jetzt Wohnhäuser drauf. Zwei kleinere Hallen sind übrig. In einer ist jetzt eine Sportanlage und die andere Halle hat Berger behalten und ein 3D-Druck-Labor und eine Güteprüfstelle für 3D-Druck-Erzeugnisse eingerichtet. Der Berger prüft also jetzt die Erzeugnisse, die aus den Heimbetrieben kommen, wenn ihn CIPE oder die Endmonteure beauftragen. Außerdem ist da auch ein Wartungszentrum für 3D-Druckmaschinen und er verkauft auch Druckmaterial im 24-Stunden-Service. Da kommen oft nachts Leute vorbei, die eine Charge fertig kriegen müssen und ihnen wegen Fehldrucken das Material ausgegangen ist. Zu horrenden Preisen natürlich."

„Wie viel Leute arbeiten jetzt beim Berger noch?"

„Fünf, plus/minus. Von ehemals Neunhundert."

„Wahnsinn. Dass das mit dem 3D-Druck solche Ausmaße erreicht hat. Ich war ja ziemlich lange raus aus dem Wirtschaftsleben. Und wie funktioniert das mit der Plattform?", fragte Moritz interessiert weiter.

„Na ja. Du registrierst dich, durchläufst einen Prozess. Dann musst du deinen Drucker mit der Plattform verknüpfen und du bist startbereit. Auf CIPE gibt es Ausschreibungen und du bewirbst dich. Da gibt es unterschiedliche Bieterverfahren, meistens Auktionen. Manchmal gibt der Auftraggeber auch einen Preis vor und dann bewirbt man sich, wenn man es für den Preis machen kann und wird vielleicht ausgewählt. Und wenn du den Zuschlag bekommen hast und du den Auftrag annimmst, dann gibt es eine Auftragsnummer mit Lieferplan und weiteren Infos. Man schickt dir dann über Paketdienstleister oder Spedition das Druckrohmaterial, du machst den Drucker fertig und dann drückst du im System das Start-Zeichen und dann geht der Druckauftrag direkt an deinen Drucker. Du stehst daneben und schaust, das alles glatt geht. Wenn's fertig ist das Teil rausnehmen, reinigen, prüfen, verpacken, verschicken", erklärte Robert das Prinzip.

Moritz bohrte weiter: „Das heißt, du musst auch keinen Entwurf machen für ein Bauteil? Du kriegst..."

„...von CIPE oder dem Auftraggeber kommen elektronische Druckdateien. Du kriegst diese Druckvorlagen nicht zu sehen, denn die sind geheim und kostbar, also schickt CIPE den Druckauftrag direkt an deine Druckmaschine. Alle Druckmaschinen sind ja online und auf CIPE verbunden, das heißt CIPE kann auf diesen Drucker zugreifen, wenn du das zulässt. Im Rahmen der Ausschreibung wird dir kurz vorgestellt, um was es geht, man bekommt eine Animation, wie das Teil aussieht, worauf man achten muss, welches Material, Verpackungsanleitung und so weiter, also eine Art Tutorial. Dann gibst du deine Gebote ab und wartest."

„Wahnsinn!", sagte Moritz erstaunt. „Und du, Maria? Du musst hier den Laden schmeißen?"

„Ja. Wenn ich meine Schicht vor dem Drucker hab, dann lese ich meistens nebenher oder stricke was für unseren Heimatladen. Manchmal machen wir auch mit den Kindern die Hausaufgaben nebenbei."

„Aber du, Robert. Müsst ihr das machen? Du bist doch der Bürgermeister?", fragte Moritz.

„Du bist gut! Kleinaffing ist nicht München. Ich kriege eine Entschädigung und ansonsten leben wir auch von der Druckerei. Aber es ist schon richtig: Mit unserem Heimatladen, dem Hofladen mit den Bioprodukten, der Druckerei und der Bürgermeisterei haben wir ein gutes Auskommen. Der Hof ist schon lange abbezahlt - den Seppi zahl ich monatlich aus."

„Und du, Seppi. Verdient man da gutes Geld bei CIPE?"

„Ach Moritz. Ich will mich nicht beschweren. Und die Theresa muss eigentlich nicht arbeiten, aber sie will es halt."

Moritz fragte seine Verwandten noch einige Zeit weiter aus, bis er sich ein detailliertes Bild über das Dasein als Drucker gemacht hatte. Robert meinte, dass er doch am heutigen Abend mit zum Stammtisch kommen solle. Dort konnte er weiterfragen und sich andere Meinungen einholen. Ein paar vom Stammtisch würden sich sicher freuen, Moritz wiederzusehen.

II

Moritz sagte zu, obwohl seine Erinnerungen und seine ganze Beziehung zu Kleinaffing ambivalent waren. Es war wohl mehr Neugierde als Zuneigung, die ihn zusagen ließ. Der Stammtisch, an dem Robert und Sepp teilnahmen, war ausschließlich mit der Dorfprominenz besetzt und zu der zählte Moritz nie. Wenn man in einem Dorf zur Prominenz zählen wollte, dann musste man in irgendeiner Disziplin brillieren: in einem wichtigen Verein wie Fußball, Tennis oder Fasching; handwerklich gut drauf sein, zum Beispiel sein Mofa oder Moped frisieren können; einen Plan haben, wie es beruflich weitergehen sollte. Alles musste ganz solide sein, auch das Elternhaus, und da ging es schon los. Moritz war unehelich geboren, der Vater kam von außerhalb und machte sich nach seiner Geburt gleich wieder aus dem Staub. Jeder wusste es: *aus dem Bub kann nix werden*. Er war schon ein Versager, bevor er auf die Welt kam. Dafür hasste er Kleinaffing von Tag eins an. Außerdem lagen Moritz die klassischen Werdegänge im Dorf nicht – er wollte kein Handwerksmeister werden und sich auch nicht in den Vereinen engagieren, weil er sich dort immer abgelehnt fühlte. Moritz und Kleinaffing passten nie zusammen.

Dennoch kehrte Moritz zurück. Nicht um dort ewig zu bleiben, aber er wollte einfach sehen, was sich in Kleinaffing getan hatte. Und als Oberfeldwebel außer Dienst durfte er es wagen, sich an den

Stammtisch zu setzen. Selbstverständlich musste er sich dort dumme Sprüche anhören, wie das ihm der Dienst gut getan hätte – und das von Leuten, die es dort keine Woche ausgehalten hätten. Die meisten der Stammtischler bestätigten ansonsten Roberts und Sepps Berichte über das Leben als Drucker, von achtzig bis hundert Stunden pro Arbeitswoche und dass die Familie mit anpacken musste. Für die Bauernfamilien oder die Selbständigen war das früher schon nicht ungewöhnlich. Aber jetzt hatte es alle erfasst. Und die Gesichter der Menschen im Dorf hatten sich verändert – sie wirkten gestresster und düsterer. Früher sahen diese eher gelangweilt aus, was von der Eintönigkeit des Dorflebens kam. Außerdem war das dumme *Glotzstarren* verschwunden, wenn ein Fremder im Ort war, das unmissverständlich aussagte: *Was willst du hier?!* Moritz konnte das beurteilen, da ihn zunächst niemand wiedererkannte, als er heute hier ins Dorf kam. Dieses Glotzstarren wich nun einem apathischen In-den-Boden-Starren. Dafür fand Moritz nun eine Erklärung: entweder die meisten Dörfler waren abgehetzt und in ihren Gedanken gefangen, wie sie alles auf die Reihe kriegen konnten, oder der Kleinaffinger schämte sich dafür, Druckersklave zu sein, und vermied den Augenkontakt mit Fremden aus Angst, darin Hohn zu erkennen.

Man musste hier am Stammtisch auf die Zwischentöne achten, zwischen den Zeilen lesen. Oberflächlich war es das übliche Gefachsimpel und Getratsche: Tagespolitik, Gemeinderatsthemen, Vereinsangelegenheiten, Erfahrungsaustausch unter Druckern, allgemeines Klagen und Meckern. Aber was Moritz heraushörte, war noch etwas anderes: es brodelte...wegen CIPE. Zum Aufstand reichte es noch nicht, aber vielleicht brauchte es nur einen Funken.

III

Einer hatte es scheinbar auch nicht an den Ehrenstammtisch geschafft: Bäcker. Bäcker, dessen Vornamen nur Insider kannten, gehörte mit Moritz zu der kleinen Gruppe von schwarzen Schafen im Dorf. Bei ihm waren es nicht die Eltern, wie eine alleinerziehende Mutter, sondern Bäcker war einfach ein Meister im Mist bauen: mit Vierzehn besoffen und ohne Führerschein einen Traktor in den Graben fahren; vor Eifersucht dem Nebenbuhler die Nase brechen; mit eigenartigen Frisuren durchs Dorf laufen; der erste Kiffer im Dorf sein; *Karriere* als unfähiger Torwart im Fußballverein und noch viele andere Dinge. Bäckers Vorteil war aber, dass er der Kräftigste im Ort war und sich daher niemand traute, ihm die Abneigung offen ins Gesicht zu sagen. Dank seiner Kraft fand Bäcker Arbeit auf dem Bau und schloss zur Überraschung aller die Lehre als Maurer erfolgreich ab. Eine weitere Eigenart Bäckers war es, Schwächeren gegen Stärkere zu helfen, was ihm die Sympathien vieler einbrachte und daher wunderte es Moritz nicht, dass er sich für die Interessen der Drucker einsetzte, als er Bäcker in seiner Dachgeschosswohnung besuchte. Die beiden waren immer gute Freunde, aber nachdem Moritz zur Bundeswehr ging, oft versetzt wurde und auch im Ausland war, verlor sich der Kontakt. Nach einer ersten überschwänglichen Begrüßung und dem allgemeinen Sich-gegenseitig-auf-den-neuesten-Stand-Bringen, fing Bäcker an von seinem Rauswurf bei CIPE und dem elendigen Druckerleben zu erzählen.

„Und was machst du jetzt?", fragte Moritz.

„Ich arbeite beim Wiegand auf dem Bau, dann habe ich bei der IG3D einen Nebenjob und ansonsten mache ich ab und zu Türsteher. Da ich keine Miete zahlen muss und Mama alles macht, habe ich praktisch keine Fixkosten im Monat. Ich lebe also ziemlich gut", erzählte Bäcker und fragte dann, was Moritz so vorhatte und von was er jetzt lebte.

„Jetzt mache ich erstmal den Berufsförderungsdienst. Außerdem habe ich ja Ausscheidergeld bekommen und krieg noch einen Teil vom Sold für die nächsten vier Jahre. Wahrscheinlich bleib ich aber beim Staat – was soll ich auch sonst machen? Ich bewerbe mich wohl bei der Polizei. Als ehemaliger Soldat gibt's da Möglichkeiten."

„Berufssoldat war nichts für dich?", wollte Bäcker wissen.

„Nein. Die zehn Jahre waren gut, aber es ist da auch nicht alles perfekt. Was mich vor allem aufgeregt hat, war die Ausrüstung, mit der die uns in Einsätze geschickt haben. Sparen zu sehr an Dingen, die du brauchst, um den Job machen zu können", beschwerte sich Moritz. „Ich dachte übrigens auch daran, ins Druckergeschäft einzusteigen."

Bäcker machte eine verneinende Geste und sagte: „Mach das bloß nicht. Das lohnt sich nur, wenn man Geld übrig hat und in bessere Druckmaschinen investiert, die auf CIPE selten sind. Dann macht man gute Gewinne. Aber wenn du hier als 08/15-Drucker mit gemieteten Standarddruckmaschinen anfängst, dann gute Nacht. Außerdem wollen immer noch zu viele Drucker werden – CIPE macht es den Leuten zu einfach."

„Aber es ist doch gut, wenn man mittlerweile so einfach ein Geschäft gründen kann. Wie schwierig war das früher?! Die vielen Gebühren und Versicherungen: Handwerkskammer, Berufsgenossenschaft, Steuervorauszahlung, Versicherungen für alles Mögliche. Das ganze System war doch ausgelegt für große Firmen, die sich eine Megaverwaltung leisten konnten. Und jetzt: alles online, einfachste Buchhaltung und Steuererklärung, niedrige Pauschalen; und CIPE scheint einem alles abzunehmen und kriegst alles aus einer Hand. Finde ich irgendwie gut."

„Kommt drauf an, wie man es sieht: die einen sehen es als gründerfreundlich an, ich sehe es als Symptom für eine Abschaffung sozial abgesicherter Anstellungen, wie es sie früher gab. Wenn die Politik sagt, dass sie die Deutschen zu einem Volk von Unternehmern machen wollen, klingt das erstmal toll, so als ob es darum ginge, alle zu sportwagenfahrenden Millionären zu machen. Darum geht es aber nicht – es geht nur darum, die Masse zu entrechten, denn Arbeitnehmer genießen einfach viele Rechte – und als Selbständiger hat man die eben nicht mehr."

Moritz war noch nicht überzeugt: „Ich weiß nicht. Ist es nicht besser, so eine Arbeit zu haben, als gar keine? Ich meine: ich bin bei dir, dass sichere Anstellungen besser sind. Aber vielleicht ist die deutsche Wirtschaft nicht in der Lage, diese anzubieten. Ich habe letztens einen Wissenschaftler im Fernsehen gesehen, der meinte, dass das wieder kommt, weil sich im Konkurrenzkampf über CIPE langsam größere Druckunternehmen bilden. Die wiederum bräuchten Angestellte und dann käme das wieder in Ordnung."

„*Vergiss es, Moritz!* CIPE tut alles, damit genau das nicht passiert. Die Eintrittsbarrieren in das Druckgeschäft hält CIPE so niedrig, dass du einen ständigen Zustrom von neuen Heimarbeitern hast. Was muss denn ein Großdrucker machen? Stellt sich eine Halle hin, bündelt Druckkapazitäten und stellt Leute ein. Da gibt's hier auch so einen im Landkreis. Aber der hat es nicht einfach, denn er hat Fixkosten und muss teure Angestellte finanzieren. Preislich hat der keine Chance gegen so einen Einzelunternehmer, der im heimischen Keller druckt und aus Kostengründen auf alles verzichtet, was der liebe Angestellte alles so bekommt. Bei dem digitalen und logistischen System, das CIPE erschaffen hat, generiert ein Großdrucker auch keinerlei Synergieeffekte, die nennenswert genug wären, eine Gruppe von weit verteilten Einzelunternehmern in irgendeiner Kategorie auszustechen. Denn bei CIPE kriegt jeder die gleichen Konditionen. Ob jemand zehn Druckmaschinen mietet oder kauft oder nur eine, ist egal: es kostet das gleiche pro Maschine. Somit wird verhindert, dass sich Großdrucker herausbilden. Und selbst wenn sich Großdrucker bilden würden, dann glaube mir: Fabrikhallen aus 3D-Druckmaschinen haben keine Chance gegen plattformkoordinierte Einzelunternehmer – die sind durch CIPE besser und härter orchestriert, als das irgendein Vorarbeiter mit einem Trupp angestellter Drucker je könnte. Bei CIPE kommunizierst du im Wesentlichen mit einer Maschine, die alles bis ins Kleinste ausgerechnet hat", klärte Bäcker auf. „Und die ist absolut gnadenlos. Wer sich eine Fabrikhalle mit 3D-Druckmaschinen hinstellt, hat die technische Revolution der Plattformökonomie nicht verstanden."

„Wow, ich hatte schon an das Gute in diesem System geglaubt, aber du hast mich gerade aus dem Traum geholt."

„Sorry, Moritz. Da sind wir alle durch."

„Und was will die IG3D? Ist das eine Gewerkschaft?", fragte Moritz.

„Nicht direkt Gewerkschaft, weil die Drucker ja keine Arbeitnehmer sind. Die IG3D ist also eher eine Art Branchen- oder Wirtschaftsverband, welcher die Interessen seiner Mitgliedsunternehmen vertritt. Schaut man sich aber die Forderungen der IG3D an, dann ist es eine Gewerkschaft. Die Druckheimarbeiter sind ja faktisch auch Arbeitnehmer - bei einem Unternehmer denkt man ja an Profis, die Betriebe mit Angestellten führen. Das Problem mit der 3D-Druck-Heimarbeit ist, dass massenhaft frühere Arbeitnehmer in die Selbständigkeit gedrängt wurden, die es eigentlich nicht wollten und auch nicht konnten. Aber so sah das *Arbeitsbeschaffungsprogramm 3D-Druck* eben aus. Anstellungen gab es keine - dann eben selbständig", antworte Bäcker.

„Und was machst du bei der IG3D?", wollte Moritz noch erfahren.

„Ich bin jetzt Vorstandsmitglied. Aber das heißt nichts: wir haben grob 15.000 Mitglieder, die meisten davon sind Karteileichen. Für nennenswerte Aktionen haben wir weder das Geld noch die Leute. Es gibt ja über eine Million Druckheimarbeiter. Der Vorstand bei der IG3D macht fast alles selbst, also Innen- und Außenkommunikation, Pressemitteilungen, Infoabende."

„Kann ich verstehen, wenn CIPE auf jeden losgeht, der sich auch nur in eure Nähe traut. Und was will die IG3D konkret?"

„Wenn du das wirklich wissen willst, dann komm morgen Abend mit nach Ingolstadt. Wir haben dort einen Infoabend für die Drucker, die die Automobilteile für einen großen Endmonteur herstellten. Da muss ich dir dann jemanden vorstellen, den ich vor einiger Zeit getroffen habe: der Typ heißt Wittig und ist ein Millionär. Ist mit einer Geschäftsidee reich geworden. Aber tief drinnen ist er ein richtiger Kommunist. Der kann das alles wegerklären. Auch hochtheoretisch, für das anspruchsvolle Publikum", bot Bäcker an und Moritz ging auf den Vorschlag ein.

Aber jetzt war genug über das Druckerdasein geredet; Bäcker und Moritz leerten den restlichen Tag (und Abend) einen Kasten Bier, hörten sich die Musik von früher an und redeten über den ganzen Mist aus der gemeinsamen Jugend, über den man nach vielen Jahren nun endlich lachen konnte.

IV

Am nächsten Abend, während der Autofahrt nach Ingolstadt, erzählte Bäcker alles über Wittig, was er wusste. Wittig hatte ein metallurgisches Verfahren entwickelt, patentiert und dann sein Unternehmen verkauft. Er, um die fünfzig, war dadurch Multimillionär geworden, lebte aber nach außen bescheiden. Er hatte ein Haus in Cham, bei dem man den Luxus erst im Inneren entdeckte. Wittig interessierte sich sehr für die Politik, liebäugelte mit kommunistischen Ideen und schien von einer Rolle als Revolutionsführer zu träumen, begünstigt durch die Tatsache, dass er sich um seinen Lebensunterhalt keine Sorgen mehr machen musste. Marx lebte ja auch von Engels' Geld und Engels war ein wohlhabender Fabrikantensohn.

Dass er sich die Drucker für seine Mission aussuchte, war nicht so unlogisch, denn es war die größte und eine wachsende Gruppe von Menschen, bei der ein soziales Problem deutlich erkennbar war. Ihre Situation war mit der der Arbeiter im neunzehnten Jahrhundert vergleichbar. Auch die mussten sich ihre Rechte und soziale Absicherung erst erkämpfen, entsprechend brauchten die Drucker auch so etwas wie es die Arbeiter einst in der SPD hatten, also ein politisches Sprachrohr. Was das betraf, waren die Drucker völlig verwaist und daher für einen Sozialromantiker wie Wittig ein reiches Betätigungsfeld.

Dass Wittig ehrgeizig war und es in die Geschichtsbücher schaffen wollte – eine Art August Bebel der Digitalisierung – wussten Bäcker und die anderen IG3D-Anführer. Da er aber hatte, was ihnen fehlte - Geld, Kontakte, intellektuelle Ressourcen - nahmen sie dies in Kauf, bestärkten ihn sogar. Noch war CIPE nämlich so stark, dass sie jede Bildung größerer IG3D-Gruppen verhindern konnte, mit teilweise grenzwertigen Methoden. Wittig war aber guter Dinge, dass die IG3D mit seiner Hilfe eine starke Massenbewegung werden konnte. Denn nach dem Exportcrash 2029 rückten die

Leute wegen der Krise wieder enger zusammen – und das musste sich doch organisieren lassen!

Bei der Veranstaltung in Ingolstadt war Wittig Hauptredner. Er sprach über *Chancen und Gefahren der Plattformökonomie*, wie es auf der Einladung hieß. Die Veranstaltung begann gegen 19:00 Uhr und war sehr gut besucht; am Ende zählte man einhundertfünfzig Gäste. Seine Rede kam gut an und dauerte etwa eine Stunde. Nachdem Wittig einige Rückfragen der Besucher beantwortet hatte, leitete Bäcker ihn zum Tisch der IG3D-Funktionäre, an dem auch Moritz saß. Nachdem Bäcker beide einander vorstellte, nutzte Moritz die Chance, mehr von Wittig zu erfahren. Da die Themen Digitalisierung und Plattformökonomie an ihm bisher völlig vorbei gingen, fragte Moritz als erstes: „Könnten Sie mir die Sache mit *Shareconomy* und *Gig Economy* nochmal erklären?"

Wittig, dem man die Sonnenstudiobräune ansah, passte so gar nicht in die Runde der anderen IG3D-Funktionäre, aber er schien ein netter Kerl zu sein, der ein aufrichtiges Anliegen hatte. Er antwortete Moritz: „Ich versuche es gerne. CIPE ist eine digitale Plattform und kein Hersteller und auch kein klassischer Händler. Plattformen bringen lediglich Nachfrager und Anbieter zusammen. Sie kreieren einen Marktplatz mit einer Hausordnung und standardisierten Geschäftsbedingungen und so weiter. Soweit in Ordnung?"

„Ja, das habe ich verstanden. Also CIPE ist so etwas wie früher Uber und Airbnb?“, fragte Moritz weiter.

„Richtig. Grundsätzlich ist daran nichts auszusetzen. Eine Plattformökonomie kann aber in zwei extreme Richtungen ausarten: Gig Economy und Shareconomy. Das sind die zwei Seiten der einen Medaille, die den Namen Plattformökonomie trägt.“

„Und CIPE ist die…“

„Gig Economy. Sie entfesselt den totalen Wettbewerb. Einen supereffizienten Markt. Sie haben ja in den Diskussionen erlebt, wie CIPE die Menschen vor sich hertreibt. Gnadenlos.“

Moritz fragte weiter: „Und was ist mit der Shareconomy?“

„Das ist eine Art digitaler Kommunismus. Wenn man es richtig macht! Plattformen bergen auf jeden Fall die Möglichkeit für ein effizientes und faires Gemeineigentum. Wenn jeder sein Privateigentum über eine Shareconomy-Plattform jedem zur Verfügung stellt, dann haben wir einen Kommunismus, also eine plattformbasierte Tauschökonomie.“

„Aber das mit dem Kommunismus hat doch nie funktioniert?“

„Natürlich nicht“, gestand Wittig ein, „aber das lag vor allem daran, dass die Behörden mit der Planung aller wirtschaftlichen Vorgänge früher überfordert waren. Der Ostblock...das waren ja noch analoge Wirtschaftsformen. Aber nehmen Sie mal die digitalen Themen *Big Data* und *Heuristik*: Massendaten aus unserem individuellen Verhalten werden von diesen Maschinen verstanden und Muster erkannt, und sie werden immer besser darin, weil die Kapazität der Maschinen in Sachen Datenspeicherung und Datenverarbeitung immer weiter steigt. Diese Fähigkeit kann man nutzen, um über die totale Information den totalen Wettbewerb zu entfachen, also die *Gig Economy*. In dieser gibt es kein Pardon mehr für menschliche Ineffizienz. Oder aber ich nutze diese Fähigkeit, um den Bedarf der Menschen besser zu erkennen und ihnen die Dinge zu beschaffen, die sie brauchen, ohne den Menschen selbst dabei als eine ökonomische Größe zu sehen. Das ist die *Shareconomy*. Markteffizienz und totale Information kann man also in beide Richtungen nutzen. Technisch gesehen halte ich den Kommunismus heute für möglicher denn je. Eine effektive Planwirtschaft mithilfe der Digitalisierung."

Bäcker lauschte der Debatte und zuckte etwas zusammen, als Moritz seine nächste Frage stellte: „Aber ist es denn nicht widersprüchlich oder sogar heuchlerisch, wenn man den Kommunismus nur mittels technischer Errungenschaften umsetzen kann, die der Kapitalismus hervorgebracht hat?"

Aber Wittig konnte das nicht schocken: „Nicht nach Marx. Der Kommunismus entwickelt sich ja letztendlich aus dem Kapitalismus. Er hat nie in

Abrede gestellt, dass es erst diese Wirtschaftsphilosophie braucht, bevor die nächste kommen kann. Ich will dem Kapitalismus auch seine Innovationskraft nicht in Abrede stellen. Er bietet engagierten Menschen die natürlichsten Anreize. Aber man muss sich auch Fragen, ob man jede Innovation auch wirklich braucht. Ich verzichte lieber auf die eine oder andere Innovation, wenn die Menschen dafür sozial sicherer leben."

Dagegen konnte Moritz nichts einwenden. Aber natürlich wollte er jetzt wissen, ob Wittig letztendlich für das Verbot von CIPE war.

Der antwortete: „Nein. CIPE muss nur aufhören, die Drucker gegeneinander auszuspielen und deren Preise durch den harten Wettbewerb zu drücken. CIPE ist mittlerweile so mächtig. Dreißiger könnte problemlos Mindeststandards durchsetzen, also auch Mindestentgelte. Stattdessen wird diese Plattform mehr und mehr zum Selbstzweck, die Gewinne von den Druckern absaugt. Wäre dem nicht so, dann bliebe eigentlich ein geniales Konzept übrig. Denn die dezentrale Fertigung durch viele kleine Drucker ist krisensicherer und ausgewogener als eine zentrale Megafabrik. Lebensunwerte Megastädte sind dank CIPE ebenfalls ausgeblieben, weil man auch aus der Peripherie uneingeschränkt am Wirtschaftsleben teilnehmen kann."

„Verstehe. Sie wollen also CIPE nicht abschaffen, sondern reformieren", fasste Moritz zusammen.

„Richtig. Die SPD und die ganze Arbeiterbewegung haben ja damals auch nicht die Industrie abgeschafft, sondern sich einfach nur für faire Arbeitsbedingungen eingesetzt", antwortete Wittig.

„Ich mag diese Antwort", sagte Moritz enthusiastisch. „Was mich an den Linken immer aufgeregt hat, sind deren simple Feindbilder. Der *böse Kapitalist* zum Beispiel."

Wittig nickte und erklärte dann: „Bei den Linken rennen auch viele Dummköpfe herum. Den Kapitalisten wie früher gibt es nicht mehr. Der Kapitalist in der Digitalisierung ist eine Maschine. Er ist ein Datenspeicher und ein Prozessor - das Kapital ist Information und die Fähigkeit, dezentrale Akteure zu orchestrieren, also ein Algorithmus. Damit sticht sie den alten Kapitalisten problemlos aus. Dieses Informationskapital kann uns aber allen zugute kommen. Bessere Bedarfsprognose beispielsweise, wie ich vorhin erklärte. Auch dafür kämpfen wir."

„Warum meinen Sie bekämpft CIPE die IG3D?", wollte Moritz noch wissen.

„Der erste Grund dafür ist Bequemlichkeit: Die Drucker sind derzeit atomisiert, haben keine gemeinsame Stimme. Den Druckern gegenüber steht ein Monopol wie CIPE und dahinter oligopolistische Endmonteure. Momentan springen die mit den kleinen Druckern nach Belieben um. Das wäre vorbei, wenn die Drucker mit einer Stimme sprächen."

„Ich habe einen Artikel gelesen, in einer Wirtschaftszeitschrift, die schrieben, dass es gut sei, wenn CIPE die Preise dauerhaft niedrig hielte“, hakte Moritz nach.

„Gekaufte Presse. CIPE und den Endmonteuren geht es um zwei Dinge: Macht und Marge. Je mehr davon, desto besser. Volkswirtschaftlich würde es gut sein, wenn die Masse der Drucker wieder mehr Geld verdienen würde. Mehr Geld, mehr Konsum.“

An dieser Stelle griff Bäcker ein und beendete Moritz’ Kreuzverhör, denn er musste mit Wittig noch einige organisatorische Themen besprechen. Für Moritz war das in Ordnung und er war zufrieden, dass er heute nach Ingolstadt mitkam. Er hatte nicht nur vieles erfahren, sondern zum ersten Mal einem Multimillionär die Hand geschüttelt, dessen Visionen es ihm antaten.

V

In den nächsten Tagen besuchte Moritz noch andere Bekannte und Verwandte in Kleinaffing und Umgebung. Überall das gleiche Bild: Menschen, die Tag und Nacht neben ihren Druckmaschinen saßen und kaum noch Zeit für etwas anderes hatten. Das waren alles Leute, die früher freitagmittags den Hammer fallen ließen, um sich das ganze Wochenende dem Müßiggang zu widmen oder ihren Hobbys nachzugehen. Jetzt war das anders – bei Moritz' Besuchen hieß es nach einer halben Stunde: „Moritz, es war schön dich wieder zu sehen, aber wir müssen noch einen Auftrag bearbeiten. Komm doch mal wieder vorbei, wenn wir mehr Zeit haben." Das war auch keine Ausrede. Die Menschen waren tatsächlich gehetzt. Früher gab es das nicht.

Der einzige Ort in Kleinaffing, der einen noch entschleunigte, war der Druckerwirt. Zweifellos ein Ort, der auch noch nie beschleunigt hatte. Welzel, der Wirt, erkannte Moritz sofort und freudig wieder. Moritz und Bäcker waren mit ein paar anderen Jungs einst seine besten Kunden, was an einem Nebenraum mit Billardtisch, Dartautomat und alter Musikbox mit alten Rock- und Metalhits aus den 1970ern/1980ern lag. Dort verbrachten sie den Großteil ihrer Freizeit.

Welzel ließ sich von Moritz zunächst erzählen, was dieser die letzten zehn Jahre machte, inklusive einiger leicht übertriebener Soldatengeschichten. Wie lange er weg war, merkte Moritz vor allem in dem Moment, als er Anna erblickte, die hübsche Tochter des Wirts. Vor zehn Jahren war das Mädchen mit den rotblonden Haaren acht oder neun Jahre alt und nun eine verdammt attraktive Frau, die Moritz nervös werden ließ. Der Wirt holte Anna zu sich her und sagte: „Schau mal, wer zurück ist!"

Anna brauchte zunächst einige Sekunden, um dann ein unsicheres „Moritz?" herauszubringen.

„Ja, der bin ich."

„Warum bist du wieder *hier*?", wollte Anna wissen. Die Art und Weise wie sie es sagte, machte klar, dass sie nicht viel von Kleinaffing hielt.

„Ich bin bei der Bundeswehr gewesen. Jetzt ist es aber aus und ich wollte mal zurück zu den Wurzeln. Einfach um mich neu zu orientieren."

„Ich bin mir nicht sicher, ob Kleinaffing der Ort ist, um sich zu orientieren."

„Na, na!", griff Welzel ein. „Wir leben von Kleinaffing. Mach es nicht zu schlecht."

„Natürlich, Papa", antwortete Anna und wandte sich dann wieder Moritz zu. „Du musst mir mal was von der großen weiten Welt erzählen. Ich will mir die auch ansehen. Aber jetzt muss ich wieder zurück in die Küche. Heute ist ein Koch ausgefallen." Anna drehte sich um und ging wieder in die Küche. Moritz sah ihr hinterher. Die Rückkehr nach Kleinaffing hatte sich jetzt schon mehrfach gelohnt.

„Anna ist aber…groß geworden", merkte Moritz an, als die Wirtstochter außer Sicht war.

„Ja, das ist sie. Aber sie will weg. Ich weiß nicht, ob das von ihr selbst kommt oder von den Gästen. Da sind oft welche hier, die ihr Geschichten erzählen: München, Mailand, Paris, London. Und sie glaubt halt auch alles."

„Also ich verspreche dir, dass ich ihr keinen Floh ins Ohr setze. Aber sag mal, Welzel, dieses CIPE hat doch die Kleinaffinger zu Zombies gemacht, oder?“

Welzel ließ sich zu keiner klaren Antwort hinreißen und meinte: „Du weißt ja noch, wie die Jahre vor 2029 war. Da war es Pessimismus. 2029 war es Panik. Danach Ratlosigkeit. Dann Hoffnung mit CIPE. Jetzt ist es Rastlosigkeit. Die letzten fünfzehn Jahre war für jeden was dabei – man kann sich aussuchen, was besser ist, aber richtig gut war es schon lange nicht mehr.“

„Wie ist es eigentlich mit deinem Umsatz? Merkst du, dass die Leute keine Zeit haben?“

Der Wirt schüttelte den Kopf, während er nebenbei ein paar Gläser wusch, und antwortete: „Nicht wirklich. Dadurch, dass es den meisten Leuten wirtschaftlich nicht mehr so gut geht, suchen sie auch wieder mehr die Gemeinschaft. Und weil alle so wenig Zeit haben, findet diese Gemeinschaft hier statt. Diese Gaststättenkultur gab es zuletzt vielleicht in den 1990ern, zumindest kenne ich sie nur aus den Erzählungen meines Vaters. Aber es scheint da einen Zusammenhang zu geben: je mehr die Menschen arbeiten und je gestresster sie sind, desto eher suchen sie Zerstreuung im Alkohol. Beim Drucken kommt ja noch hinzu, dass das so eintönig ist. Man steht, sitzt oder liegt neben diesen Dingern und wartet bis sie fertig sind; dann Teil rausnehmen und weiter geht es. Das ist schon auch frustrierend. Für mich wäre es nix. Aber Platz hätte ich für die Teile. Ich könnte sofort groß einsteigen."

Während Welzel und Moritz redeten, kamen immer wieder vereinzelt Drucker aus dem Dorf in die Gaststube, meistens in kleineren Grüppchen, und kippten rasch ihre Biere in sich hinein. Ihr Gesprächsthema war immer nur das Drucken und vor allem die Angst vor den Qualitäts- und Betriebsprüfern und den Lieferterminen. Sie blieben vielleicht eine kurze Zeit und gingen dann wieder zurück an ihre heimischen Druckmaschinen. Auch wenn Moritz früher keine Anerkennung von den Dörflern erhielt, fühlte er dennoch ein gewisses Maß an Mitleid bei diesem Anblick. Aber wenn die Situation so schwierig und die Unzufriedenheit mit CIPE so groß war, warum rannten sie Bäcker und seiner IG3D nicht die Bude ein?

VI

Robert verließ für einige Minuten die laufenden Druckmaschinen im ehemaligen Stall, um ins Wohnhaus zu gehen. Es war schon elf abends und eigentlich wollte er sich nur Kaffee holen und ein Brot schmieren, um danach gleich wieder weiter zu machen. Aber er bemerkte, dass im Wohnzimmer noch der Fernseher lief. Vielleicht war Maria davor eingeschlafen. Aber Maria saß auf der Couch und hielt den Kopf in den Händen.

„Maria? Was ist los?", fragte Robert.

„Ach, nix", sagte Maria, aber Robert sah, dass schon etwas war.

„Von wegen *nix*. Du hast ja geweint. Weswegen denn?"

„Ach, wegen den Kindern. Die haben die letzten Wochen so viel mitarbeiten müssen. Und heute kam die Bertha und hat gemeint, sie kann nicht mehr!" Maria fing wieder zu weinen an.

Robert ging zu Maria und nahm sie in den Arm: „Ich habe auch ein schlechtes Gewissen. Das war wirklich viel die letzte Zeit. Aber was sollen wir machen?"

„Warum haben wir nur diesen Auftrag angenommen, frage ich mich..."

„Maria: die Diskussion hatten wir doch schon so oft! Du weißt, warum. Wir haben das damals im Gemeinderat besprochen, jeder hat gewusst, was für ein hartes Programm das ist und jeder hat Ja gesagt, weil wir die Auslastung und den Umsatz wollten. Dass die Kinder so viel mithelfen mussten...zuerst ist es mir nicht aufgefallen, weil ich in deren Alter auf dem Hof noch viel mehr mitarbeiten musste. Aber du hast recht. Vielleicht kann uns der Moritz ab und zu zur Hand gehen, beim Verpacken zum Beispiel. Ich frage ihn mal. Er will doch so genau wissen, wie das mit dem Drucken so ist. Bei uns kann er in die Schnupperlehre."

Maria schniefte und schluchzte noch ein wenig, beruhigte sich dann aber wieder und fand den Vorschlag gut, also schrieb Robert eine Kurznachricht an Moritz: *Hast du demnächst Zeit, uns beim Drucken zu helfen? Wir sind ziemlich an der Kapazitätsgrenze. Ich kann dir Frühstück, Mittag- und Abendessen bei uns anbieten und du kannst das Gästezimmer benutzen. Interessiert?*

Moritz war noch beim Druckerwirt und mittlerweile ziemlich betrunken – da er nicht mehr fahren konnte, war ihm das Angebot mit dem Gästezimmer gleich recht und antwortete: *Können wir für ein paar Wochen schon machen. Aber das Gästezimmer bräuchte ich gleich. Bin beim Druckerwirt und kann nicht mehr fahren.*

Robert schrieb zurück: *Ja klar. Hättest du aber auch so haben können.*

Damit hatte Robert eine gute Nachricht für Maria, die ihn beobachtete, wie er mit Moritz Nachrichten austauschte: „Also, er hilft uns für ein paar Wochen. Er kriegt dafür freie Kost und Logis. Aber das Gästezimmer braucht er gleich heute. Hat wohl beim Druckerwirt zu tief ins Glas geschaut."

Maria stand von der Couch auf, wirkte zufrieden und bereitete das Gästezimmer für Moritz vor. Das war keine schlechte Idee von Robert und Moritz schien sich mit den Kindern auch gut zu verstehen. Aber dieser Auftrag ging noch über Jahre – Moritz war keine Dauerlösung. Aber für einen Moment waren die schlimmsten Sorgen weg.

VII

Einige Tage später trafen sich Wittig, Bäcker und Moritz beim Druckerwirt. Wittig hatte schon von diesem urigen Lokal gehört und dass es hier gutes Essen gab. Da ließ er sich nicht lumpen und folgte Bäckers Einladung nach Kleinaffing. Moritz erzählte, dass er seit einigen Tagen bei Robert wohnte und ihm beim Drucken half, weil dieser KALIBER-Auftrag wohl so anstrengend sei: „Ich weiß jetzt, was Welzel meinte. Die Eintönigkeit dieser Arbeit ist so krass: warten, rausnehmen, abstauben, prüfen, verpacken und das hunderte Male am Tag. Was mich rettet ist, dass ich nebenbei Radio höre und praktisch den ganzen Tag Disko habe. Aber Maria kocht sooo gut…das ist es wert."

„Was hätten sie ohne dich gemacht?", fragte Bäcker.

„Weiß ich nicht. Aber ewig mache ich das auch nicht. Ich bin ein Notnagel, weil die Kinder am Protestieren waren. Die mussten die letzte Zeit wohl viel mitarbeiten. Maria, die arme Frau, war schon ganz fertig."

Wittig schüttelte den Kopf: „Das ist wie in Deutschland zur Frühindustrialisierung. Kinderarbeit als Normalität. Kostenlose Arbeitskraft, die sowieso da ist."

„Oder in der Dritten Welt…bei meinen Auslandseinsätzen habe ich das auch oft gesehen: Kinderarbeiter und Kindersoldaten", fügte Moritz hinzu und fragte: „Wann tut sich da endlich mal was? Die Leute wissen doch größtenteils noch, dass es auch mal anders war. Dass es auch anders geht."

Bäcker antwortete: „Viele vertrauen noch darauf, dass die Ankündigung der Politiker aufrichtig war. Dass das ein Ausnahmezustand wäre und irgendwann wieder Normalität einkehren würde. Aber CIPE ist mit dem Arbeitsbeschaffungsprogramm zu einem Giganten gewachsen und scheffelt riesige Gewinne. Niemand will aber begreifen, dass der Ausnahmezustand Normalität geworden ist. Ändern wird sich von selbst nichts."

„Aber das ist die Aufgabe der IG3D, diese Erkenntnis zu verbreiten. Was die Drucker aber wirklich brauchen, ist der Knall, der sie aufweckt. Es braucht die eine große Krise, die das Fass zum Überlaufen bringt. Momentan befinden sich die Drucker in einer Art Halbschlaf, zwischen Leben und Tod: CIPE verschafft ihnen ein Dasein, das zu gut zum Sterben und zu schlecht zum Leben ist. Dieser Zustand ist gewollt. Er macht zu schwach, um sich zu wehren, aber auch nicht verzweifelt genug, um die notwendige Wut zu entwickeln, die Ketten zu sprengen. Aber vielleicht kommt dieser große Knall bald", meinte Wittig.

Moritz nahm einen kräftigen Schluck Bier und gab seine Einschätzung ab: „Ich habe das Gefühl, dass das so lange nicht mehr dauert."

VIII

Theresa und Sepp waren am nächsten Tag bei Maria und Robert zum Mittagessen: „Sag mal Maria, rufen die bei euch auch nichts ab?“, fragte Theresa. Sie meinte damit die Druckerzeugnisse, die die Chamer Drucker für KALIBER auf Hochtouren produzierten.

„Nein. Bei uns stapeln sich die Pakete im alten Heustadel.“

„Das gibt's doch nicht! Wir arbeiten jetzt seit mehr als drei Monaten an diesem Auftrag, produzieren und produzieren, und die Auftraggeber rufen die Ware nicht ab. Was soll das?“, fragte Theresa.

Aber Sepp lenkte rasch auf ein anderes Thema ab: „Isst der Moritz nichts?“

„Der war gestern mit Bäcker beim Druckerwirt und kam spät zurück. Er hat erst vor einer Stunde gefrühstückt und passt jetzt auf die Druckmaschinen auf“, meinte Robert.

„Dass das Wiedererwachen dieses Duos mal keinen Ärger bedeutet“, murmelte Sepp. „Du weißt, was die beiden früher hier so alles gemacht haben.“

„Ach, was. Lass mal den Moritz in Ruhe – der hilft uns hier beim Drucken und wir sind heilfroh, dass er das macht“, fuhr Maria dazwischen.

„Verlangt er Geld dafür?“, wollte Theresa wissen.

„Nein. Freie Kost und Logis. Kriegt ja noch Sold weiterbezahlt“, sagte Robert.

„Das ist ja großzügig von ihm“, meinte Theresa.

Mitten in das Gespräch platzte Moritz, der sich etwas zu trinken holen und kurz Hallo sagen wollte. Theresa machte ihm gleich ein Jobangebot, denn sie war bereit Geld für seine Hilfe zu bezahlen. Robert war nicht glücklich darüber, dass Theresa versuchte Moritz abzuwerben, schwieg aber.

Aber Moritz lehnte ohnehin ab: „Danke Theresa, aber ich würde niemals auf Marias Essen verzichten.“ Maria wurde ganz verlegen von diesem Kompliment, während Theresa völlig irritiert war.

„Wie sieht es mit der Jobsuche aus?“, wollte Sepp von Moritz wissen.

„Ich werde mich bei der Polizei bewerben“, antwortete dieser. Da die Drucker liefen, verabschiedete Moritz sich aber rasch wieder und ging zurück an die Arbeit.

„So was!“, schimpfte Theresa als Moritz aus dem Raum war. „Lehnt der einfach mein Angebot ab. Der weiß doch gar nicht, wie ich koche!“

„Du kochst ja nicht und druckst nur noch!“, entgegnete Sepp vorwurfsvoll.

Theresa bekam einen hochroten Kopf und sagte erzürnt: „Wenn einer wie Moritz mir helfen würde, dann hätte ich wieder Zeit dafür!"

„Fangt jetzt hier keinen Streit an, bitte", fuhr Maria dazwischen.

„Schon gut", sagte Theresa. „Aber zurück zu KALIBER. Robert, du musst mal mit dem Pfeifer reden. Das geht so nicht. Wenn die Auftraggeber nicht abrufen, dann gibt es keinen Umsatz und die Vorlagekredite kosten Zinsen nach dreißig Tagen."

Und wieder fuhr Sepp dazwischen: „Aber du kriegst doch - wie die anderen - den Umsatzausfall ausgeglichen. Gibt doch den Kredit von CIPE, bis der Auftraggeber abruft. Das ist doch eine tolle Sache. Wo gab es das früher? Der Berger hat früher von den Autokonzernen sein Geld erst nach vier Monaten bekommen und musste dauernd zur Bank rennen und um Überbrückungskredite betteln. Bei CIPE läuft das vollautomatisch: sobald der Auftraggeber in Annahmeverzug ist, kommt automatisch der Umsatzausfallkredit."

„Ja, lieber Sepp", wies Theresa ihn zurecht, „und ich habe dir schon gesagt, dass auch dieser Kredit Zinsen kostet. Das war in der Kalkulation nicht eingeplant. Und billig ist dieser Kredit nicht. Zehn Prozent Zinsen pro Jahr."

Nun griff Robert ein: „Sepp, ich muss der Theresa zustimmen und ich verstehe auch, dass du deinen Arbeitgeber verteidigst, aber das geht mittlerweile zu weit. Wir zahlen mittlerweile alle Zinsen ohne Ende. Zinsen für die Vorlage, Zinsen für den Umsatzausfallkredit. Wenn das so weitergeht, dann arbeiten wir nur noch für die Zinsen. Ich rede mit Kittelhaus und ich werde dieses Abrufproblem auch im Gemeinderat thematisieren."

Kapitel 3 - Große Probleme

I

Robert erreichte es, dass Kittelhaus Anfang Juni einen Termin mit dem CIPE-Regionalleiter Pfeifer organisierte, aber dennoch stand der Landrat hinter KALIBER: „Meinst du ich verteidige CIPE, weil ich nichts Besseres zu tun habe? Du weißt, wie wichtig dieses Geschäft für den Landkreis ist. Der ganze Landkreis ist praktisch eine einzige 3D-Druck-Fabrik. Wenn du den Kampf gegen CIPE aufnimmst, dann entziehst du den Leuten ihre Existenzgrundlage. Also mach bitte keine Szene gegenüber Pfeifer."

„Joseph, ich bin nicht nur Drucker, sondern auch Bürgermeister. Wirtschaft ist nicht alles."

„Ha, ha, ha". Kittelhaus lachte laut auf und bekam sich kaum mehr ein. „Erzähl das mal deinen Wählern, wenn keine Arbeit mehr da ist. Pass auf: du kannst es den Leuten nie recht machen. Ist Arbeit da, wird geklagt. Ist keine da, wird geklagt..."

„Ja, das weiß ich doch", unterbrach ihn Robert.

„Na also. Du musst dich um deine Leute kümmern und vor die Wahl stellen - Arbeit und Einkommen oder Freizeit und Darben. Dass du ihnen nur diese Optionen anzubieten hast, ist weder deine noch meine Schuld. Die Zeiten sind eben so. Ich wünschte mir auch, dass es anders wäre. Aber wenn eines schon immer galt, dann das: von nichts kommt nichts."

„Keiner hat ein Problem damit, viel zu arbeiten. Du tust ja gerade so, als wenn es hier um gesteigerte Arbeitszeiten ging. Ich hab letztens gegen Mitternacht einen Spaziergang gemacht – früher war es um diese Uhrzeit in allen Fenstern dunkel aber heute brennt überall das Licht und jeder weiß warum: die Leute sitzen vor den Druckmaschinen. Es wird auch vermehrt die Schule geschwänzt, weil die Kinder beim Drucken helfen müssen. Letztens habe ich einen Anruf bekommen, weil das in unserer Gemeinde besonders schlimm ist: von Montag bis Freitag liegt die Abwesenheit bei über fünfzig Prozent. Und dabei wäre das gar nicht nötig, denn es wird eh nichts abgerufen."

„Ah geh, Robert! Du weißt doch wie das früher war, als noch alles Landwirtschaft bei uns war. Während der Erntezeit waren die Schulklassen früher noch leerer", wehrte Kittelhaus ab.

„Ich glaube, dass es hier schon einen qualitativen Unterschied gibt. Wir reden hier nicht nur von der Erntezeit, sondern die Mitarbeit der Kinder ist ein Normalfall geworden."

Kittelhaus sah Robert mit eiskalter Miene an und antwortete trocken: „Wenn du Kenntnis hast von Gesetzesverstößen, dann geh zur Polizei, Robert. Mehr kann ich dir dazu nicht sagen."

„Fantastisch. Und wenn ich zur Polizei gehe, dann kriegen die Leute eine Anzeige, werden bei CIPE gesperrt und dann haben sie keine Arbeit mehr."

Kittelhaus klatschte in die Hände: „Richtig, Robert, richtig. Jetzt hast du's kapiert. Verstehst du jetzt, warum ich nichts mache? Genau aus diesem Grund."

Kittelhaus war ein cleverer Redner. Mit seiner hageren Statur sah der Landrat asketisch und äußerst diszipliniert aus. Man hatte schon optisch Respekt vor ihm. Robert antwortete deshalb: „Gut, Joseph. Du hast gewonnen, für den Moment. Aber lass uns auch das praktische Problem besprechen. Wir produzieren vertragsgemäß, aber die Auftraggeber rufen entgegen dem Vertrag nichts ab. Die Zinsen für die Vorlage- und Umsatzausfallkredite fressen jede Marge auf. Das ist nicht tolerierbar."

„Das verstehe ich...", fing Kittelhaus an, aber da klopfte auch schon Pfeifer an die Tür.

Pfeifer kam herein, schüttelte beiden Herren die Hände, setzte sich entspannt in einen der Sessel, die im Büro des Landrats standen und fragte großspurig: „Ihr habt mich gerufen - wie kann ich dienen?"

Robert sprach ihn auf die fehlenden Abrufe an und was das für die Drucker bedeutete.

Pfeifer wirkte erstaunt: „Die rufen nichts ab? Das wundert mich aber, wo ihr doch alle so brav druckt. Ich werde das mal prüfen lassen. Nicht dass da ein Systemfehler vorliegt. Gebt mir ein paar Wochen, alle Fehlermöglichkeiten zu prüfen."

Robert sagte bei diesem Termin nicht mehr viel. Er wollte heiße Eisen wie Kinderarbeit nicht erwähnen und damit seine Bürger und Drucker gefährden, denn CIPE spielte tatsächlich ein doppeltes Spiel: sie wusste, dass die meisten Heimdrucker nur durch die kostenlose Mithilfe von Familienmitgliedern das notwendige Volumen produzieren konnten, aber wurde ihr der Gesetzesverstoß offiziell gemeldet, sperrte sie den Beschuldigten sofort. Als sich das Gespräch in unwichtigen Nebensächlichkeiten verlor, verabschiedete sich Robert und ließ Kittelhaus und Pfeifer alleine.

„Wie ist die Stimmungslage wirklich?", wollte Pfeifer wissen, nachdem Robert aus dem Zimmer war.

„Ich registriere vorsichtiges und verhaltenes Klagen einiger Drucker und Bürgermeister", erklärte Kittelhaus. „Ich habe aber nicht verraten, was hier wirklich los ist."

Pfeifer lehnte sich zurück und lächelte: „Gut so, Kittelhaus. CIPE weiß Loyalität zu schätzen."

II

Robert traf einige Bürgermeister aus dem Landkreis beim Druckerwirt, darunter auch Ansorge aus dem Nachbardorf. Er erzählte von seinem Gespräch mit Kittelhaus und Pfeifer, bei dem leider nicht viel herauskam. In der Gaststube waren außerdem noch einige andere illustre Gäste anzutreffen: Wittig, Bäcker und Moritz saßen mit einigen aus dem Dorf zusammen. Wittig, der immer häufiger beim Druckerwirt zu sehen war, hatte in einer Nische des Gastraums einen Art *Revoluzzertisch* aus ergebenen Zuhörern gebildet. Und direkt an einem Nebentisch saßen die Schergen von CIPE, die den *Ausbeutertisch* bildeten: Oberbetriebsprüfer Neumann sowie die beiden Qualitätsprüfer Förster und Kutscher. Zwischen den beiden Tischen gab es jetzt schon böse Blicke, obwohl der Abend noch jung war.

An der Theke hockte ein Geschäftsreisender und redete mit der schönen Anna, die die Getränke machte, während ihr Vater mit dem Servieren alle Hände voll zu tun hatte.

Der Geschäftsreisende sagte zu ihr: „Also... wenn du Model werden willst - und glaube mir, dass *du* das Zeug dazu hast -, dann kann ich dir helfen. Mein Schwager arbeitet beim Fernsehen und der hat die richtigen Kontakte. Die suchen laufend neue Gesichter und du bist eine wahre Schönheit."

Anna hörte dem schon angetrunkenen Mann aufmerksam zu und wurde ganz verlegen. Während das Bier aus dem Zapfhahn in die Gläser floss, malte sich bereits eine große Zukunft aus.

So ging das eine Weile und an jedem Tisch wurde ordentlich gebechert, bis es zwischen Revoluzzertisch und Ausbeutertisch anfing, laut zu werden. Einer der Drucker beschwerte sich über KALIBER und die fehlenden Abrufe, ein anderer über CIPE im Allgemeinen und wieder ein anderer über die unfairen Qualitätsprüfungen. Der Ausbeutertisch wehrte sich mit einigen fiesen Sprüchen über faule und unfähige Drucker und dann wurde es handgreiflich, sodass Welzel dazwischen gehen musste: „Ihr Streithansl! Geht jetzt heim! Und keine Schlägereien vor dem Haus! Das fällt alles auf mich zurück."

Neumann, Förster, Kutscher und einige Drucker vom Revoluzzertisch, die ins Handgemenge verwickelt waren, verließen den Druckerwirt und gingen friedlich nach Hause. Wittig verabschiedete sich eine halbe Stunde später, aber Bäcker und Moritz blieben noch länger. Auch der Bürgermeistertisch lichtete sich kurz darauf, weswegen sich Moritz und Bäcker zu Robert und Ansorge setzten, die auch noch sitzen blieben.

Der Dienstreisende beobachtete alles, während er ein Bier nach dem anderen in sich hineinlaufen ließ. Richtig hellhörig wurde er, als das Wortgefecht im Gastraum losging und er das Stichwort *KALIBER* hörte. Da er für einen der Endmonteure arbeitete, die auch über CIPE beauftragten, wusste er genau, was es damit auf sich hatte. Als Anna sich verabschiedete, gab der Dienstreisende ihr seine Nummer und sagte: „Gute Nacht, schönes Mädchen. Träum von deiner Karriere - sie hat heute begonnen." Dann stand er auf und ging auf den Tisch zu, an dem Moritz, Bäcker, Ansorge und Robert saßen und setzte sich mit deren Erlaubnis dazu. Das Thema am Tisch war der Streit von vorhin und was gerade alles schief lief.

Ansorge meinte: „Dieser KALIBER-Auftrag… ich weiß nicht. Ich habe ein schlechtes Gefühl."

Der Dienstreisende verriet nicht, für wen er arbeitete, aber die anderen merkten, dass er eine Ahnung hatte. Zwei Bier später und mittlerweile mit einem ordentlichen Rausch, sagte der Dienstreisende leicht lallend: „Also, wenn ich Drucker wäre, würde ich schon lange einen Aufstand gemacht haben. Die verarschen euch nach Strich und Faden."

„Warum?", wollte Robert wissen.

Der Dienstreisende antwortete: „KALIBER ist dazu gemacht euch den letzten Pfennig aus der Tasche zu ziehen. Das haben CIPE und die Auftraggeber zusammen ausgeheckt. Die Auftraggeber haben nicht vor, die bestellten Sachen so schnell abzurufen, denn die wollen auf eure Kosten Bestände aufbauen. Und wenn dann mal der große Auftrag kommt, dann rufen sie es ab. Aber erst dann."

„Soll das heißen, die haben Drucke beauftragt, die sie eigentlich nicht brauchen?“, fragte Moritz.

„Nicht jetzt, aber irgendwann schon. Na ja, vielleicht“, meinte der Dienstreisende.

„Aber das ist doch nicht der Sinn des 3D-Drucks. Es hieß doch immer, mit dem 3D-Druck gibt es keine Bestände mehr, weil man erst dann druckt, wenn man es braucht“, warf Bäcker ein.

Der Dienstreisende trank den Schnaps, den ihm Welzel aufs Haus gab - der Wirt merkte, dass es interessant wurde und wollte die Zunge des Dienstreisenden gelockert halten: „Ja, schon, aber die Endmonteure, also eure Auftraggeber, stehen mit anderen Endmonteuren im Wettbewerb. Wer schneller liefern kann, der kriegt den Auftrag. Bestellt man über CIPE erst, wenn der Auftrag des eigenen Kunden da ist, dann muss man die Drucke ausschreiben, beauftragen, dann werden sie produziert und dann geliefert. Das dauert schon mal ein paar Wochen. Aber wenn die Teile schon gedruckt sind und bei euch lagern, dann muss man sie nur abrufen. Die Auftraggeber wollen sich damit einen Vorteil verschaffen, in dem sie euch schon mal auf Verdacht produzieren lassen. Dadurch können sie insgesamt schneller montieren und liefern, also ihre Konkurrenten ausstechen. Kostet sie ja nichts, denn die zahlen erst, wenn sie abrufen.“

Robert wurde sauer: „Aber uns kostet das was! Die Lagerung ist nicht umsonst, wir haben

Schwund, weil wir für langfristige Lagerung nicht ausgestattet sind und dann noch die Zinsen, die uns CIPE berechnet. Und CIPE deckt das?"

Der Dienstreisende lachte: „Pfff…decken? Das ist von denen ausgeheckt worden und die Auftraggeber waren begeistert. Durch dieses Auf-Verdacht-produzieren-Lassen verschafft CIPE seinen Auftraggebern einen Zeitvorteil und CIPE selbst verdient richtig gutes Geld mit den Zinsen, die ihr für die Vorlagen und die Kredite wegen des Umsatzausfalls aufgebrummt bekommt. Wisst ihr..." - der Dienstreisende nahm einen Schluck Bier - „...CIPE verdient soviel Geld mit euch, dass sie nicht wissen, wohin damit. Am Kapitalmarkt gibt es nicht mehr so viel Zinsen – selbst mächtige Anleger machen maximal drei bis fünf Prozent. Aber ihr zahlt an CIPE zehn Prozent Zinsen für den Umsatzausfallkredit und für die Vorlagen nach dreißig Tagen etwas weniger. Das ist viel mehr, als CIPE am Kapitalmarkt kriegt und das nahezu risikofrei. CIPE hat also ein neues Geschäftsmodell: ihr arbeitet, bekommt kein Geld, braucht Kredite und bekommt sie von CIPE. CIPE verdient doppelt an euch: erstens an eurer Leistung und zweitens an den Zinsen. CIPE hat ein Interesse daran, dass der Abruf durch den Auftraggeber möglichst lange dauert, denn dann bekommt CIPE möglichst lange Zinsen. Verstanden?"

Ansorge und Robert sahen sich an und antworteten mit einem ärgerlichen „Allerdings!".

„Und KALIBER ist der Testballon für dieses Abzockesystem?!“, fragte Moritz.

Der Dienstreisende stieß auf und sagte dann: „Jep. Ihr seid die Versuchskaninchen. So…und jetzt geht der gute alte Toni ins Bett. Danke für eure dummen Gesichter…die sind amüsant. Das nehme ich vom heutigen Abend auch noch mit.“

III

Moritz und Robert gingen vom Druckerwirt gemeinsam nach Hause und kamen gegen Mitternacht zurück. Maria wartete noch in der Küche, denn Robert war ihr in letzter Zeit etwas zu oft in der Kneipe: „Wie war's beim Welzel?“, fragte sie etwas vorwurfsvoll.

„Knapp vor einer Schlägerei…der Moritz, der Bäcker und ein paar andere hatten eine Auseinandersetzung mit Neumann, Förster und Kutscher“, erzählte Robert.

„Na, na“, verteidigte sich Moritz, „ich habe nicht geschlägert. Aber erzähl doch mal vom interessanten Teil des Abends.“

Maria spitzte ihre Ohren und Robert erzählte von dem besoffenen Dienstreisenden und was dieser ausgeplaudert hatte. Sie war erschüttert: „Das gibt es doch nicht! So etwas machen die mit uns.

Und was machst *du* jetzt?", wollte sie von Robert wissen.

„Was soll ich denn machen? Nach München fahren und dem Dreißiger den Hintern versohlen."

„Jetzt gib halt nicht so eine blöde Antwort!", beschwerte sich Maria.

„Ich weiß noch nicht, was ich mache! Ich gehe morgen nochmal zum Druckerwirt. Vielleicht sitzt der Dienstreisende auch wieder da. Ich will ihn nüchtern sehen und fragen, ob das heute die Wahrheit war."

„Aber bleib dann nicht wieder so lange beim Welzel. Du warst die letzte Zeit so oft bei dem – und dann immer so lange. Entweder du stehst im Stall bei den Druckmaschinen oder du hockst beim Druckerwirt."

Robert war mittlerweile komplett genervt und Moritz machte sich aus dem Staub und ging in sein Zimmer. „Maria, nicht jetzt. Ich muss mir überlegen, wie ich mit der Info von heute umgehe. Und übrigens: ich *hocke* nicht einfach beim Druckerwirt...heute habe ich mich beim Druckwirt mit anderen Bürgermeistern getroffen, um unsere Probleme mit KALIBER zu besprechen. Du tust ja gerade so, als wenn ich mich da jeden Tag vollaufen lassen würde."

„Mir haben einfach nichts mehr voneinander. Dieser dämliche Auftrag war ein Fehler. Ich möchte, dass du dich aus dem verabschiedest", schrie Maria.

„Das ist aber nicht so einfach", antwortete Robert mit ruhiger Stimme, denn die Situation durfte jetzt nicht eskalieren. „Wenn man sich aus einem Vertrag ohne wichtigen Grund rauskündigt, gibt es automatisch eine schlechte Bewertung, Vertragsstrafen et cetera et cetera. Ich kann maximal meinen Anteil selbst auf CIPE ausschreiben oder direkt bei einem Unterauftragnehmer anfragen. Und macht man das, dann wissen die Bieter, dass man das Ding loshaben will oder überfordert ist und bieten entsprechende Preise. Das ist dann immer ein Verlustgeschäft. Vor allem hat KALIBER schon so einen schlechten Ruf. Das will keiner, wenn die sich die Abrufhistorie und den Lagerbestand ansehen."

Dass ein Auftraggeber die über CIPE beauftragten Druckerzeugnisse nicht abrief, kam immer wieder mal vor, war aber kein signifikantes Problem. Die Fälle bewegten sich bisher im Promillebereich, waren also im Vergleich zum Gesamtvolumen ein seltenes Problem. Passierte es aber, funktionierte in den meisten Fällen die Konfliktlösung durch CIPE und es kam zu einer annehmbaren Lösung für beide Seiten. Üblicherweise verkaufte der Drucker die nicht abgerufenen Druckerzeugnisse über CIPE Materials (eine spezielle CIPE-Plattform, die als Börse für Druckmaterial und Druckerzeugnisse fungierte). Ergab das für den Drucker einen Verlust, weil dieser weniger vom neuen

Käufer erhielt, glich der ursprüngliche Auftraggeber dies aus. Ein systematisches Nichtabrufen wie bei KALIBER gab es bisher nicht – Robert hatte schon einen Konfliktfall eröffnet, aber von CIPE kamen nur die automatischen Vertröstungen wie *Fall ist noch in Klärung – wir melden uns unaufgefordert, sobald neue Erkenntnisse vorliegen*.

Robert legte sich ins Bett, blieb aber noch lange wach: dieser Missstand ließ ihm keine Ruhe.

IV

Am nächsten Tag um 07:00 Uhr morgens erschien Robert wieder bei Welzel, da er den Dienstreisenden beim Frühstück vermutete.

„Servus Robert. Kommst jetzt wieder öfter?“, fragte Frau Welzel, die Frau des Wirts und Mutter von Anna.

„Ich komm immer gerne zu dir. Sag mal, ist der Dienstreisende von gestern da?“

„Wie heißt der denn?“, wollte die Wirtin wissen.

„Toni, also Anton wahrscheinlich. Nachname keine Ahnung.“

„Nein, der ist abgereist.“

„*Verdammt*. Du weißt, was er gestern gesagt hat? Kannst du mir seine Kontaktdaten geben?“

Frau Welzel verneinte das: „Das dürfen wir wegen Datenschutz nicht. Da können wir große Probleme bekommen."

Robert verstand das und wollte die Welzels auch nicht in Schwierigkeiten bringen. Er würde am Abend nochmal mit Welzel darüber sprechen. Vielleicht konnte der den Dienstreisenden kontaktieren und fragen, ob er ihn zurückrufen möchte.

Als nächstes fuhr Robert aber zu seinem Bruder Sepp. Der frühstückte gerade und war überrascht über den frühen Besuch. Robert erzählte ihm, was dieser Toni gestern von sich gab und er meinte zu erkennen, dass Sepp etwas wusste. „Sepp, ist da was dran?", wollte Robert energisch wissen.

Sepp tat unwissend: „Also, der Typ war doch scheinbar besoffen. Vielleicht wollte der sich wichtig machen. Mir ist nicht bekannt, dass KALIBER gemacht wurde, um aus euch aus Zinsen herauszupressen."

Robert glaubte Sepp nicht, ließ sich aber nichts anmerken: „Weißt du, Sepp: was dieser Toni erzählt hat, klingt jetzt nicht unglaubwürdig. Für mich ist das die bisher schlüssigste Erklärung für das, was hier gerade passiert. Es ist eine Tatsache, dass CIPE an diesem Zustand, unter dem wir leiden, ziemlich gut verdient."

Sepp sagte zu, sich etwas umzuhören, machte aber klar, dass er als Informant seinen Job riskiere. Das wollte Robert nicht und verzichtete. Er fuhr wieder zurück nach Hause und ging in den Stall, wo Maria die Druckmaschinen überwachte und Moritz gerade Teile verpackte. Robert erzählte ihnen von seinen Besuchen beim Wirt und Sepp, dass diese aber keine neuen Informationen brachten.

Da machte Moritz einen Vorschlag: „Weißt du was, Robert? Bäcker und ich haben es auch gehört. Bäcker soll das über den Newsletter der IG3D verteilen – wenn CIPE dann mit Anfragen und Beschwerden überhäuft wird, dann passiert sicherlich was. Dann ist der Betrug aufgeflogen, sie ändern vielleicht ihre Vorgehensweise und eure Ware wird endlich abgerufen."

Robert war mit Moritz' Vorschlag einverstanden.

V

Moritz bat Bäcker telefonisch, genau das zu tun, denn dieser Betrug – wenn es denn so war, wie dieser Toni es erzählte – musste aufgedeckt werden. Bäcker meinte, dass man die Aussage des Dienstreisenden verifizieren sollte, denn CIPE hetzte sehr schnell Anwälte auf einen, wenn man Gerüchte öffentlich machte, ohne dass diese beweisbar waren. Dafür gab es dort eine eigene Abteilung, die die Medien beobachtete und jeder noch so kleinen Kritik nachging, selbst wenn es nur mal so dahingesagt war, wie man eben in

Chats diskutierte. Bäcker schlug außerdem vor, dass er ein Schreiben an CIPE verfassen werde, in welchem er die Gerüchte beschrieb und um Stellungnahme bäte. Sollte eine Antwort ausbleiben oder dementiert werden, konnte man das öffentlich machen. Damit war man einigermaßen sicher vor den CIPE-Anwälten, weil man ausgewogen berichtete. Außerdem meinte Bäcker, dass das Thema Potential hatte. Vielleicht konnte man es verwenden, um CIPE zu Zugeständnissen zu bewegen und das dann den Mitgliedern als Erfolg verkaufen, um die IG3D populärer zu machen.

„Und wenn wir das anonym raushauen? Geht doch darum, dass die Drucker Bescheid wissen“, schlug Moritz vor, aber Bäcker verneinte das, weil es *anonym* nicht gab; die digitalen Spürhunde würden einen mit 99,9%-iger Wahrscheinlichkeit finden. Moritz nahm verwundert war, wie vorsichtig und passiv Bäcker agierte, denn er war selbst mit dabei und hatte die sensationelle Information dieses Toni mit eigenen Ohren mitbekommen. Entweder Bäcker war zum Strategen mutiert oder zum Feigling degeneriert.

„Bäcker, was ist los mit dir? So kenne ich dich gar nicht.“

„Hör mal. Ich bin verantwortlich für unsere Organisation. Ich muss aufpassen, was ich sage. Die IG3D ist keine Terrororganisation.“

Moritz legte wieder auf ging zurück an die Arbeit, wo er Robert von seinem Gespräch berichtete.

Der konnte Bäckers Vorsicht nachvollziehen, sagte aber: „Ich werde mit Ansorge reden – wir werden definitiv unseren Bürgermeisterkollegen von gestern berichten und vielleicht verbreiten wir die Info unter den Netzwerkmitgliedern, die für KALIBER drucken. Und dann sehen wir weiter."

VI

Einige Wochen vergingen: die Abrufe blieben weiterhin aus und auch von Bäcker kam in der Sache nichts mehr. Moritz und Robert gingen aus dem Stall zum Mittagessen ins Haus und bemerkten, dass zwei Nachbarskinder mit am Tisch saßen.

Robert war etwas erstaunt, aber Maria klärte flüsternd auf: „Die Heinrich von drüben war bei mir. Die hatte einen Nervenzusammenbruch und ich pass jetzt auch auf ihre Kinder ein wenig mit auf. Die hat hier sonst keinen."

„Nervenzusammenbruch? Meine Güte, was war denn da los?", wollte Robert wissen.

„Na ja, es ist der Stress. Tag und Nacht am Drucker, alleinerziehend, Mann zahlt keinen Unterhalt. Jetzt noch KALIBER. Es reicht hinten und vorne nicht."

Robert fühlte Schuldbewusstsein: „Mittlerweile frage ich mich auch, wie wir nur so blöd sein konnten. Beim Druckerwirt reden sie mich schon schwach an."

„Ich habe auch drüber nachgedacht, aber du konntest ja nicht wissen, dass die Auftraggeber die Ware nicht abrufen. Außerdem war das Druckerdasein vorher auch schon schwierig. Und du hast damals recht gehabt, als wir gestritten haben: Wir kommen da nicht einfach raus. Und frag doch mal die Leute, ob sie aus KALIBER rauswollen. Dann fragen sie bestimmt: *Und was machen wir dann?*" Maria versuchte Robert mit diesen Worten zu stützen.

„Dieser Auftrag, die Gerüchte…wie ein Alptraum ist das. Heute Abend ist Krisensitzung im Gemeinderat", sagte Robert und setzte sich an den Mittagstisch. „Dort werden wir Klartext reden."

VII

Bei der Gemeinderatssitzung erkundigten sich einige nach dem Gerücht, dass die Nichtabrufe ein mieses Spiel von CIPE und den Endmonteuren wären. Robert erzählte daraufhin erneut die Geschichte von diesem Toni und auch, dass er mit Kittelhaus darüber sprach, aber der meinte, dass Pfeifer dieses Gerücht zurückwies. Außerdem erwähnte Robert, dass Welzel sich weigere, die Kontaktdaten des Dienstreisenden herauszurücken. Damit war die Sache nicht mehr als ein Gerücht, auch wenn sie eine gute Erklärung für das Abrufproblem war.

„Ich habe über die Plattform eine Änderung des Druckplans und eine Druckpause beantragt. Ist aber abgelehnt worden. Wie sieht das bei euch aus?“, wollte eines der Gemeinderatsmitglieder wissen.

Von den zwölf Gemeinderatsmitgliedern waren zehn Drucker; nur der Arzt und Sepp waren keine Drucker, obwohl das für Sepp nur zum Teil galt, weil seine Frau druckte. Von diesen zehn bestätigten acht diese Erfahrung, zwei hatten es erst gar nicht versucht.

Dann berichtete ein weiteres Gemeinderatsmitglied von zwei Überfällen auf Transporter, die Druckrohmaterial verteilten und dass Neumann mit der Polizei nach den Tätern suche. Der Überfall geschah im Landkreis Cham in den frühen Morgenstunden des vorgestrigen Tages. Aufgrund des bestehenden Fahrplans war es für die Täter einfach, den Transportern aufzulauern. Die Zeitungen berichteten nicht darüber, um niemanden zur Nachahmung zu animieren. Aber der Schaden betrug mehr als eine Viertelmillion Mark, da die Transporter voll beladen waren. Die Fahrer sprachen von drei maskierten Tätern. Sie hielten die Transporter an, fesselten und knebelten die Fahrer, fuhren mit den Transportern in den Wald, luden um und ließen die Fahrer dann laufen. In einem der Transporter wurde ein Schreiben gefunden, dessen Wortlaut ungefähr war: *Wenn CIPE meint, uns kaputt machen zu können, machen wir CIPE kaputt #KALIBERLÜGT.*

Während die Drucker unter den Gemeinderatsmitgliedern Schadenfreude zeigten, verurteilte Sepp den Überfall. Robert würgte die Diskussion ab: „Wir halten natürlich unsere Augen offen nach den Tätern, aber wir haben noch ein paar andere Themen, die wir heute bearbeiten müssen."

VIII

Moritz und Bäcker besuchten Wittig in seinem Haus in Cham. Moritz wollte wissen, was man denn nun aus der Aussage des Dienstreisenden machen könne und er wollte Wittigs Meinung dazu hören. Bäcker war weiter dafür, mit dieser Information vorsichtig umzugehen und Wittig stimmte dem zu, war aber auch dafür, einen befreundeten Verleger und seine Zeitung darauf anzusetzen.

„Ich kenne da jemanden, der das professionell recherchieren kann. Den werde ich gleich kontaktieren. Übrigens: wer ist eigentlich für die Überfälle auf die CIPE-Transporter verantwortlich?", fragte Wittig. Bäcker und Moritz gaben sich ahnungslos und zuckten nur mit den Schultern.

„Wir haben ein Lied geschrieben", lenkte Moritz auf ein neues Gesprächsthema ab. „Gegen

Dreißiger und CIPE. Wir brauchen etwas Geld, um es zu produzieren und die IG3D hat keines."

„Du engagierst dich ja richtig für die Drucker", stellte Wittig anerkennend fest.

„Immerhin bin ich Druckerhelfer! Ich arbeite ja bei meinem Cousin mit. Also was ich in Kleinaffing alles erlebe und wenn ich sehe, wie diese Plattform die Leute versklavt, dann wird irgendwie mein Gerechtigkeitsgefühl beleidigt. Und mit dem Lied bringen wir die Probleme der Drucker in die Öffentlichkeit. So ein Lied bleibt auch eher hängen als ein Vortrag."

Wittig lies sich den Text vorlesen; er basierte auf einem Kampflied der Weber aus dem neunzehnten Jahrhundert: dem *Blutgericht*. Der Text gefiel ihm sofort, vor allem weil die Parallelen zwischen den Webern und den Druckern offensichtlich waren: „Ihr nehmt einfach eine Nachwuchsgruppe. Die sind froh, wenn sie mit etwas Kontroversem Aufmerksamkeit erlangen. Die Produktionskosten zahle ich. Geht zu einem professionellem Studio und lasst euch ein Angebot machen. Und dann stellt ihr das Lied mit einem schönen Video auf die großen Videoportale. Da kriegt ihr über die Aufrufe auch Geld. Hat die IG3D einen Kanal?"

„Ja, aber da ist nicht viel drauf", antwortete Bäcker.

„Und genau das muss sich ändern!". Wittig schenkte an seiner Hausbar gerade die Getränke aus und dachte noch einmal über Moritz' Vorschlag nach: „Wisst ihr, die Idee mit eurem Lied ist großartig. Jede Bewegung, ob politisch oder religiös, braucht ihr Marketing-Paket. Das besteht aus einem Symbol, einer zentralen Schrift, einem Idol und einer Hymne oder Gebet. Denkt an die Christen: Kreuz, Bibel, Jesus, Vaterunser. Oder die Sozialisten/Kommunisten: Stern, Kommunistisches Manifest, Marx, Internationale. Oder die Nazis: Hakenkreuz, Mein Kampf, Hitler, Horst-Wessel-Lied. Das sind die Bausteine. Und das müssen wir für die IG3D und die Druckerbewegung auch haben."

Bäcker stimmte zu: „Das ist mir noch nicht aufgefallen, aber es stimmt. Aber wir haben noch kein Symbol. Die IG3D hat nur einen Schriftzug. Wir müssen mal brainstormen, was für ein Symbol es sein könnte."

„Vielleicht irgendwas mit einem Haus – wegen der Heimarbeiter. Wie wäre es mit schützenden Händen über einem Haus", schlug Moritz vor.

„Das klingt nicht schlecht. Aber es muss einfach nachzuzeichnen sein. Denkt an Graffiti auf den Hauswänden. Wenn das Symbol zu komplex ist, wird es nicht reproduziert. Hände nachzeichnen ist nicht einfach. Da braucht man schon Talent", antwortete Wittig.

„Na ja, stilisiert. Das können ja auch einfach nur gerade Linien sein", meinte Bäcker.

„Es muss aber auch verstanden werden. In München gibt es Marketing-Agenturen. Da fahren wir hin und lassen uns einen Vorschlag machen. Bäcker, sprich du das mal mit deinen IG3D-Kollegen ab und hol dir die Genehmigung für die Ausarbeitung eines Logos. Sag denen auch, dass ich das finanzieren werde - in einem gewissen Rahmen."

„Mach ich", folgte Bäcker Wittigs Anweisung.

„Wie sieht es denn in Kleinaffing und Umgebung aus? Ist die Stimmung schon reif?", wollte Wittig wissen.

„Alle am Ächzen. Die schuften Tag und Nacht und die Auftraggeber rufen nichts ab. Die wissen nicht mehr, wo sie das Zeug noch lagern sollen. Beim Robert ist auch schon alles voll und er ist ja auch nicht als Dauerlager ausgerüstet. Er hat keine Lagergerätschaften oder Lagerverwaltungssysteme in seinen alten Ställen, denn die Hubs sind ja nur ausgelegt auf Kurzfristlagerung. Jetzt liegt das Zeug wochenlang bei ihm. Bei Ansorge im Nachbardorf sieht es genauso aus", erklärte Moritz.

Wittig hatte schon länger auf eine Chance gewartet, die Drucker zu mobilisieren. Dass diese ausgerechnet vor seiner Haustüre zustande kam, war vielleicht ein Wink des Schicksals: „Ihr wisst ja noch, wie ich davon gesprochen habe, dass es die große Krise braucht, damit die Menschen aufwachen. Ich habe das Gefühl, die ist jetzt da. KALIBER ist diese Krise - vor lauter Gier überspannt CIPE den Bogen. Das müssen wir *jetzt* ausnutzen. Für die IG3D bedeutet das, hier ihre Präsenz zu bündeln und ihre Aktivität zu steigern. Hier in Cham. Und wir müssen die IG3D nicht nur vortragen und schulen lassen – ihr müsst zu einer schlagkräftigen Bewegung werden. Das Lied haben wir schon, am Symbol arbeiten wir. Wer ist das Idol? Ich schlage dich vor, Bäcker. Du bist für die Idee der Druckerbewegung von CIPE verstoßen worden. Du bist der gefallene Engel. Du bist Luzifer, der Lichtbringer, der die Drucker erleuchtet."

Bäcker lachte: „Wittig, sag das bloß nicht. Bei uns draußen, wenn du sagst ich bin der Teufel, dann kommen die mit Fackel und Mistgabel und killen mich."

„Es ging mit mir durch. Du hast recht. Aber trotzdem: dein Beispiel hat Potential. Dann brauchen wir noch eine zentrale Schrift. Sie muss den Ursprung, die Entwicklung und die Ziele der IG3D zusammenfassen. Eine Art *Druckermanifest* oder so ähnlich."

„Aber warum willst du das nicht machen, Wittig? Du bist der theoretisch Geschulteste, weit und breit. Warum willst du nicht auch das Idol sein?", wollte Bäcker wissen.

„Weil ich keiner von ihnen bin. Ich bin kein Drucker. Nicht mal ein ehemaliger. Sie würden mich nicht akzeptieren, sondern ich bliebe ein Fremdkörper. Dich müssen wir aufbauen zum Idol, das Gesicht der Druckerbewegung", beschloss Wittig. „Aber an der Schrift kann ich arbeiten. Und du Moritz, du bist auch kein Drucker, also kein richtiger. Aber du musst dich als Schutzmann für sie etablieren. Wo die Drucker unter Druck gesetzt werden, musst du Gegendruck machen. Als ehemaliger Soldat, da kannst du vor allem für Sicherheit sorgen und die Menschen organisieren und formen. Hast du darüber schon nachgedacht?"

Moritz nahm von Wittig einen Cocktail entgegen und überlegte.

„Also wenn die IG3D hier in Cham und im Landkreis richtig aktiv wird und die Drucker mobilisiert, wird es definitiv Gegenwind von CIPE gegeben und der kann heftig werden", meinte Bäcker.

Auch hierzu hatte Wittig eine Idee: „Wir richten bei der IG3D eine Art Notfallnummer ein. Wenn zum Beispiel der Betriebs- oder der Qualitätsprüfer einen Drucker nötigt, dann kommst du, Moritz, mit ein oder zwei anderen und bedrängst die CIPE-Leute. Und alles schön mit Kamera aufnehmen und alles dokumentieren. Wie ein investigativer Journalist vor Ort. Ihr steht den Leuten bei und beschützt sie."

„Und wenn einer von den CIPE-Leuten richtig böse war, dann lauern wir ihm nachts auf und vermöbeln ihn? CIPE muss Probleme bekommen, ihre Schergenarmee zu bemannen", schlug Moritz vor.

„Ich mag diese Idee grundsätzlich: momentan haben die Betriebs- und Qualitätsprüfer freie Hand

– keiner muckt auf. Alle haben Angst", sagte Wittig.

„Exakt. Das wäre dein Job, Moritz. Den Selbstschutz organisieren: Reporter bei Tag, Zorro bei Nacht. Moritz Jäger, du machst deinem Namen noch alle Ehre. Jage die Schurken", frohlockte Bäcker.

Wittig hob seine Stimme an: „*...aber*, wollte ich noch sagen, wir sollten nicht kriminell werden. Noch nicht. Das wäre die Ultima Ratio. Versuchen wir es bitte erst mit Aufklärung, politischer Arbeit und passivem Widerstand."

Moritz merkte, wie Bäcker und Wittig seine Zukunft ausplanten und hatte dazu einige Anmerkungen: „Also...wartet mal. Wenn ich mich für dieses Notfallkommando zur Verfügung stelle, dann muss ich meine Mithilfe bei Robert und Maria einstellen und dort ausziehen, denn ich würde sie belasten. Wenn ich für die IG3D aktiv werde und CIPE bekommt das raus, dann werden die Robert und Maria angreifen, oder Bäcker?"

„Definitiv!", stimmte dieser zu.

„Gut. Dann werden wir dir eine Anstellung besorgen und dich so unterbringen, dass du für deine Tätigkeit bei der IG3D frei bist", meinte Wittig.

„Die Finanzen der IG3D sind...angespannt, um es vorsichtig zu sagen. Wir können Moritz nicht anstellen", sagte Bäcker aber Wittig meinte, dass er da schon eine Idee hätte und begann, diese Moritz und Bäcker auseinanderzusetzen.

Für den restlichen Abend war das Hauptthema, wie man die IG3D zu einer schlagkräftigen Organisation machen konnte. Die IG3D musste mehr bieten als bisher: öffentlichkeitswirksame Aktionen, die Popularität brachten; Infoveranstaltungen, die nicht nur aufklärten, sondern auch zum Handeln bewegten und Netzwerke aufbauten; und vor allem sollten die Infoveranstaltungen den Druckern auch etwas Praktisches bringen, also Beratung in vertraglichen und technischen Fragen, das heißt Tricks und Kniffe im Umgang mit CIPE vermitteln. Auch die Erschließung von Einnahmequellen für die IG3D war ein Thema. Bäcker nahm eine ganze Liste an Maßnahmen mit nach Hause. Er fühlte es: Der Kampf konnte nun richtig beginnen.

Kapitel 4 – Radikalisierung

I

Emma saß in ihrem Zimmer, surfte im Internet und sah sich ein paar YouTube-Videos an. Seitdem Moritz Ende Juni – das war vor etwa zwei Wochen – ausgezogen war, musste sie wieder öfters helfen und suchte nach einem eintönigen Tag, den sie mit Verpackungstätigkeiten verbrachte, nach Zerstreuung. Dabei entdeckte sie eine Videoempfehlung: es war ein Lied, das den Titel *Druckermania* trug. Die aufstrebende Deutschrap-Gruppe *Langfinger* hatte es eingesungen und drehte auch ein Video dazu. Emma rief es auf und hörte folgenden Text:

Hier im Netz ist ein Gericht

Viel schlimmer als die Mafia

Es spricht ein Urteil über dich

Die Strafe ist Druckermania

Hier wirst du langsam gequält

Hier ist die Folterkammer

Deine Arbeitsstunden ungezählt

Deine Bilanz ein großer Jammer

Nun kam der Refrain:

CIPE und Dreißiger
Cops und Politiker
Alle umso gieriger
Du umso niedriger
Schurken, Satansbrut
Höllische Dämonen
Wollen dein Hab und Gut
Baden in Millionen
Druckerlein, Druckerlein
Schrei es in die Welt hinein

So ging es weiter:

Tag und Nacht die Drucker rattern
Deine Kinder mit den Zähnen klappern
Schule oder Brot, Wissen oder Not
Das Internet die Quelle
Wird zur Arbeitshölle

CIPE die Armen drückt
Da wird der Ehrliche ganz verrückt
Kommt des Druckers Ware an

Der kleinste Fehler gleich ein Bann

Erhält er dann den kargen Lohn

Folgt darauf Spott und Hohn

Nach Zins und Zinseszins

Dreißigers Gegrins

Aber eines ist gewiss

Und wir sagen es mit Permiss

Euer Geld und euer Gut

Wie Butter in der Sonne Glut

Wird vergehen

Wie wird es euch ergehen

Wenn ihr nach dem Raub

Vor dem Gericht selber liegt im Staub?

Emma sah sich das Video gleich noch zweimal an. Es gefiel ihr – keine Frage – und sie fühlte sich angesprochen. Den Kontext des Liedes verstand sie sofort und dass es eine Verbindung zu ihrer Familie und dem Leben als Druckerkind gab. Das mussten die Eltern sehen, also nahm sie ihren Laptop und lief damit in die Wohnküche: „Mama Papa, schaut mal!“ rief Emma.

Robert und Maria saßen am Küchentisch und machten gerade Buchhaltung und Steuern.

„Was hast du denn?“, fragte Maria.

„Im Internet ist ein Druckerlied - der Text ist *voll* hart."

„Ein Druckerlied? Spiel mal ab", sagte Robert und Emma ließ es abspielen. Während Robert und Maria das Lied hörten und das Video sahen, verzogen sich ihre Gesichter abwechselnd in unterschiedliche Richtungen, denn es war gleichzeitig lustig und ernst, überzogen aber traf doch ins Schwarze. Es war ihnen zum Lachen und zum Weinen zumute. Und das obwohl Robert und Maria wussten, dass sie es noch gut erwischt hatten, aber sie mussten an viele andere denken, die unter dem CIPE-Joch weitaus ärger litten.

„Das Video hat schon fast fünfhunderttausend Aufrufe - nach zwei Tagen", sagte Emma. „Und? Was sagt ihr?"

Robert und Maria sahen sich fragend an, um vor ihrer Tochter eine abgestimmte Antwort zu geben. Robert ließ seine Frau antworten.

„Schau. Das ist Satire. Da wird vieles überzogen, auch um Aufmerksamkeit zu bekommen und damit sich das Gesagte einprägt. Was denkst *du*, was von dem Lied richtig ist?", fragte Maria.

Emma dachte nach: „Ich glaube, dass man bei CIPE ganz viel arbeiten muss, damit man genügend Geld verdient. Und dass andere davon profitieren, dass man bei CIPE wenig Geld für die Arbeit bekommt." Emma hatte es verstanden.

„Genau richtig. Aber man darf Leuten nicht den Tod wünschen oder zur Gewalt aufrufen. Man muss sich politisch engagieren, den legalen Weg gehen."

Emma antwortete sofort: „Papa, du bist doch Politiker. Was machst du denn dagegen, dass man bei CIPE so wenig verdient?"

Maria sah Robert mit hochgezogenen Augenbrauen an. Die Tochter hatte sie kalt erwischt. Robert versuchte sich herauszuwinden: „Emma, das ist nicht so einfach. Politiker müssen abwägen: Auf der einen Seite braucht es Arbeit, denn die Menschen müssen Geld verdienen, damit es was zum Essen und zum Anziehen gibt. Auf der anderen Seite wollen die Menschen Freizeit und Vergnügen haben. Manchmal kriegt man beides nicht unter einen Hut. Momentan klagen die Leute über die viele Arbeit, aber sie haben eine. Was meinst du, was los wäre, wenn sie keine hätten? Dann wären die Unruhen noch viel schlimmer und dann würden auf YouTube Lieder gegen die Politiker gesungen werden, mit noch härteren Texten. Auch gegen Politiker wie mich."

Robert merkte, dass er schon wie Kittelhaus redete. Aber er hatte das Gefühl, sich mit dieser Antwort wenigstens halbwegs anständig aus der Affäre gezogen zu haben. Emma zuckte mit den Schultern und ging wieder auf ihr Zimmer.

„Puh", sagte Maria, „das ging nochmal gut. Aber trotzdem frage ich mich, ob man nicht mehr tun könnte. Ich meine, unsere Politiker bis zum Bundeskanzler katzbuckeln vor Dreißiger, dass es fast schon peinlich ist."

„Ja, aber was sollen da so kleine Dorfbürgermeister wie Ansorge oder ich dagegen machen?", fragte Robert. Er erhielt keine Antwort.

Genau in diesem Moment kam eine SMS von Moritz, welche an Robert und an Sepp gerichtet war: *Leute, habt ihr schon Druckermania gehört?* Die SMS enthielt einen Link zu dem Video auf YouTube.

Robert antwortete sofort: *Ja, Emma hat es uns gerade gezeigt.*

Kurz darauf Sepp: *So ein Schmarrn,* worauf Moritz mit einem Emoticon antwortete, dass ein Sichtotlachen andeutete.

Während Robert am Smartphone herumhantierte und schmunzelt, machte Maria eine Kopfbewegung die *Was ist los?* ausdrückte, worauf Robert ihr den Schriftverkehr zeigte, der sich ebenfalls schmunzeln ließ. Die Debatte hatte die Familie erreicht. Vielleicht war das auch gut so, denn Maria wünschte sich insgeheim von ihrem Robert mehr Engagement für die Rechte der Drucker, auch wenn sie sein Dilemma verstand. Es war ja auch ihres.

II

Ein paar Tage nachdem *Druckermania* herauskam, lud Wittig den Verleger Hornig zu sich ein, um eine Nachrichtenkampagne zu organisieren. In seinem dezent luxuriösen Haus lebte er alleine, hatte nie geheiratet und keine Kinder. Hin und wieder ging er kurze Liebeleien mit Frauen ein, aber da er fürchtete, dass sie ihn nur des Geldes wegen mochten, wehrte er sich gegen eine feste Bindung.

Im großen Wohnzimmer nahm Hornig auf einem Chesterfield-Sofa Platz und trank seinen Espresso, während Wittig sich mit einem Glas Wein stehend an den Kamin lehnte und sagte: „Also, Hornig, ich brauche dich. Wir dringen ja in die Redaktionen der großen Tageszeitungen selten durch. Haben alle Angst vor Dreißiger."

„Na ja. Es gibt schon ein paar Aufrichtige, die sich nicht von ihm einschüchtern lassen. Unser Magazin zum Beispiel. Und ich habe gute Kontakte zu anderen Redaktionen."

„Deswegen brauche ich dich. Ich habe mit den Leuten von der IG3D gesprochen: Wir möchten den Dreißiger im öffentlichen Ansehen so herunterziehen, wie er es mit den Druckern macht, die sich beschweren. Die meisten Berichte über die Probleme der Drucker im Fernsehen und der Zeitung waren zwar verhalten kritisch, aber insgesamt zu sachlich. Wir müssen von der Sachebene herunter auf die persönliche – so wie es gute Propaganda eben macht. Nicht alles wird ganz wahr sein, aber Dreißiger lügt und windet sich in den Medien ja auch ganz schamlos."

„Ich bin bereit, die Sache der Drucker zu unterstützen, wenn ich auch den Schein der Neutralität waren muss, sonst ist die Glaubwürdigkeit meines Blattes am Ende. Aber man kann ja mal Gerüchte in die Welt setzen und sich dann dezent davon wieder distanzieren oder eben anmerken, dass diese Gerüchte noch unbestätigt seien. Aber raus ist raus. Sensationen verkaufen sich ja sowieso am besten."

Wittig lächelte Hornig an: „Genau so. Welche Strategie schlägst du vor?"

Hornig stellte die Espressotasse auf dem Tisch vor sich ab, lehnte sich wieder zurück und schlug dabei ein Bein über das andere: „Das machen wir so, wie jede Propaganda vorgeht. Die Grundsätze lauten: 1) Unsere Sache ist gerecht. 2) Die Sache von CIPE ist ungerecht. 3) CIPE kämpft mit unlauteren Mitteln. 4) Der Chef der anderen, also Dreißiger, hat dämonische Züge. 5) Eigene Fehler werden verschwiegen. 6) Fehler von CIPE werden aufgebauscht. 7) Künstler und Intellektuelle unterstützen unsere Sache. 8) Frauen und Kinder leiden unter CIPE. Immer schön die hungrigen Kulleraugen zeigen, auch wenn's damit nichts zu tun hat. 9) Wer unsere Darstellung der Dinge anzweifelt, steht auf der Seite von Verbrechern. 10) Für alles, was passiert, tragen CIPE und Dreißiger sowie seine Kunden die Verantwortung."

„Genial!", frohlockte Wittig. „Arbeitet ihr Journalisten generell mit diesem Schema? Ich erkenne da ein Muster."

Hornig fuhr fort: „Natürlich! Ist ein klassisches Propagandaschema. Pass auf: Wir finden in München und woanders locker ein paar Persönlichkeiten wie Künstler, Wissenschaftler, populäre Schauspieler, die sich für die Sache der Drucker stark machen. Wir stellen Fotomontagen ins Netz, die Dreißiger auf Partys beim Koksen zeigen und so weiter. Wir verbreiten Unwahrheiten aus seiner Jugend - einen anonymen Brief zum Beispiel, der ihn des Betrugs bezichtigt. Möglichkeiten gibt es da ohne Ende. Die ganz dreckigen Sachen machen wir über eine anonyme Webseite, die seriösen Anklagen lassen wir offiziell über meine Zeitung laufen. Vielleicht machen wir mal eine Spezialausgabe über das Leiden der Drucker im *Nero*."

„Und da wäre noch eine spezielle Story, denn zwei meiner IG3D-Bekannten haben von irgendeinem Typen aufgeschnappt, dass CIPE mit KALIBER eine fiese Abzocke konzipiert hat. Das müsste gut recherchiert werden, denn wenn das stimmt, ist das eine Sensation."

„Kümmern wir uns drum. Gib mir mal einen Ansprechpartner und dann setze ich einen der Redakteure drauf an."

„Du kennst doch auch Leute von *Anonymous*? Können wir die gewinnen? Vielleicht können wir

Dreißiger oder einen Topmanager hacken. Oder die CIPE-Plattform angreifen."

„Ich kann mal mit meinen Kontakten reden. Hast du schon einen konkreten Plan?", wollte Hornig wissen.

Wittig bejahte dieses Frage: Er erzählte Hornig, was er schon seit einiger Zeit mit diversen Personen aus dem Umfeld der IG3D besprach, vor allem das Problem des fehlenden Abrufs der Druckerzeugnisse, die sich überall stapelten. Vielleicht konnten die Hacker hier helfen. Hornig und Wittig unterhielten sich eine knappe Stunde über das Thema und einigten sich auf eine Vorgehensweise.

Daraufhin verabschiedete sich Hornig: „Ich fahre jetzt nach München und werde mit einigen Leuten reden. Treffen wir uns doch in der nächsten Woche?"

„Machen wir so!" Wittig ging auf den Vorschlag ein – er war gespannt, was Hornig erreichen konnte. Er und Hornig kannten sich schon lange, daher auch die Duzbeziehung. Sie gingen zusammen auf die gleiche Schule in Cham und blieben auch danach lose in Kontakt, als beide wegen des Studiums nach München gingen, wenn sich beide auch ganz unterschiedlichen Themen widmeten, denn Hornig ging in den Journalismus, Wittig in den Maschinenbau. Dennoch war die gemeinsame Herkunft ein Band, das lose hielt. Oberpfälzer unter sich. Als dann Wittig sein eigenes Geschäft hochzog, griff er immer wieder auf Hornigs Medienkenntnisse zurück und Hornig wurde so etwas wie Wittigs PR-Berater, was diesem enorm half, seine Geschäftsidee zu vermarkten. Wittig wurde auch Anzeigenkunde in Hornigs Zeitung, einem sozialkritischen Blatt, das sich anders als die Großzeitungen auf Missstände vor der Haustüre fokussierte, anstatt in die Ferne zu schweifen und über Bananenrepubliken herzuziehen, obwohl das Elend doch so nah war. Hornig war also ein Enthüllungsjournalist. Er nutzte junge, unerfahrene Journalisten und schickte sie auf verdeckte Missionen nach dem Vorbild von Günter Wallraff. Das waren harte Jobs, aber sie konnten sich damit einen Namen im Journalismus machen.

Sein ganzes Magazin, das monatlich erschien, baute auf solchen Geschichten auf und hatte eine treue Leserschaft. Es hieß *Nero*, in Anspielung auf den gleichnamigen römischen Kaiser, der es liebte, sich verkleidet unter sein Volk zu mischen, um dessen Stimmung unverfälscht selbst zu erkunden.

III

Es war Sonntag. Mindestens einmal im Monat gingen Robert und Sepp mit ihren Familien beim Druckerwirt gemeinsam zum Essen, aber die Frauen und Kinder kamen erst später hinzu. Vormittags waren die Männer zuerst beim Frühschoppen der Dorfhonoratioren.

Wittig, Bäcker und Moritz waren auch da, saßen aber etwas abseits in einer Ecke der Gaststube, wo sie ihr Weißwurstfrühstück genossen. Sie sprachen über die Grundzüge der Strategie, wie Wittig sie kürzlich mit Hornig entwarf: Juristische Schritte, Desinformationskampagnen, Berichterstattung in Hornigs Zeitung und Hackerangriffe auf CIPE, sofern Anonymous mitmachte. Die IG3D sollte aber aus den übelsten Schmutzkampagnen herausgehalten werden und sich den Druckern als seriöse Organisation empfehlen. Wittig nannte Bäcker gute Anwälte in München, die bereit waren, Klagen gegen CIPE und ihre Auftraggeber zu initiieren. Es brauchte nur einen Drucker, der bereit war, eine Klage zu erwirken, der sich andere Drucker anschließen konnten. Wittig wollte von Bäcker und Moritz wissen, ob sie jemanden kannten, der willens war, sich exemplarisch gegen CIPE zu stellen.

„Wie wäre es mit dir, Bäcker? Dir haben sie doch auch übel mitgespielt", fragte Moritz.

„Nein", antwortete Bäcker, „meine Klage läuft schon und richtet sich gegen meine Sperrung auf CIPE. Du brauchst jemanden, der in den konkreten Fall passt. Jemand muss klagen, weil die Ware nicht abgenommen wird."

„Du hast recht. Wir brauchen jemanden, der aktiv bei KALIBER dabei ist und sich noch nie etwas zu schulden hat kommen lassen. Und er muss von der Nichtabnahme betroffen sein. Forscht ihr beide mal in Kleinaffing, wer das sein könnte. Ihr kennt die Leute. Und es muss mit dem aktuellen Problem zu tun haben. Die Anwälte meinen, dass hier eine gute Chance besteht, etwas herauszuholen. Die AGB könnten nichtig sein. Aber es muss auch jemand sein, der verrückt genug ist, denn wenn CIPE von der Klage Wind bekommt, war es das mit dem 3D-Druck-Geschäft für den armen Tropf". Wittig nahm einen Schluck Weißbier, während Bäcker und Moritz anfingen nachzudenken, wer das sein konnte. Dann meinte Wittig zu Moritz: „Übrigens: Kannst du deinen Cousin, den Bürgermeister, auf einen Termin ansprechen? Ich würde mich gerne mit ihm treffen."

Moritz sah Wittig entgeistert an: „Willst du ihn für die Klage gewinnen? Vergiss es. Robert ist nicht der Typ dafür und macht auch zu viel Geschäft mit dem Drucken."

„Nein. Ich habe andere Pläne mit ihm", antwortete Wittig.

Und während Wittig Bäcker und Moritz seinen Plan bezüglich Robert Baumert erklärte, war an dem anderen Tisch der Frühschoppen in vollem Gange. Der Bürgermeister Ansorge vom Nachbardorf stieß auch hinzu, da seine kleine Gemeinde keine eigene Gaststätte mehr besaß. Auch Neumann, der Oberbetriebsprüfer, war da, weil er in der Nähe wohnte. Nahezu alle am Tisch waren selbst fleißige Drucker. Das Gesprächsthema war natürlich das Lied *Druckermania* auf YouTube, welcher vor etwa einem Monat erschien.

Und da war auch der anonyme Brief, der in Hornigs Blatt *Nero* erschien, der Anschuldigungen gegen Dreißiger und CIPE enthielt. Natürlich endete der Bericht im *Nero* mit dem Aufruf, dass sich der Verfasser doch bitte melden möchte, denn nur so könne man den Anschuldigen auf den Grund gehen. Beweise bräuchte man ja schon. Aber die Anschuldigungen standen nun im Raum – ob wahr oder falsch. Zudem kündigte Hornig im Editorial eine Spezialausgabe an, die sich Dreißiger und CIPE zu widmen gedachte.

Neumann und Sepp verteidigten ihren Chef, aber alle anderen freuten sich klammheimlich, manche auch ganz unverhohlen. Der anonyme Briefschreiber erzählte Schwank aus Dreißigers Jahren vor CIPE: kleinere, aber peinliche Verfehlungen, der Rauswurf bei seinem alten Arbeitgeber, die harten Jahre der Arbeitslosigkeit, Mauscheleien und so weiter.

Und dann zog einer der Dorfprominenten einen Flyer heraus, den er gestern im Briefkasten fand und auf dem stand: *Wenn Sie von CIPE mit unbegründeten Betriebs- oder unfairen Qualitätsprüfungen drangsaliert werden, rufen Sie sofort die Notrufnummer der IG3D. Ein Außenteam wird Ihnen zu Hilfe eilen. Noch heute Mitglied werden! Ihre Mitgliedschaft bleibt anonym. Nur gemeinsam sind wir stark. Mitglieder erhalten Rechtsschutz über unsere Vertragsanwälte.* Der meinte dann zu Neumann: „So, Neumann, jetzt ist Schluss mit lustig. Wenn ihr kommt und mich ärgert, hole ich die Kavallerie.“ Das meinte er scherzhaft, aber Neumann wurde ganz anders. Der Frühschoppen machte sich herzlich lustig über den Flyer, aber Sepp und Neumann ärgerten sich.

Mitten in der Diskussion musste Robert aufstehen, weil das Weißbier trieb. Der Weg zur Toilette führte an dem Tisch vorbei, an dem Wittig, Moritz und Bäcker saßen. Robert ging an ihnen grüßend vorbei, was diese freundlich erwiderten. Moritz sprang auf, folgte Robert und fing ihn im Waschraum ab.

„Servus Robert."

„Servus Moritz."

„Sag mal, verbrüdert ihr euch mit dem Neumann, dem Schinder?"

„Der Neumann ist öfters in der Runde. Hat sich bisher ausgezahlt, ihn nicht zum Feind zu haben", antwortete Robert ganz entspannt.

„Ja klar. Aber, was der in der letzten Zeit mit einigen deiner Drucker macht, weißt du schon? Wer sich über den Abrufstau beklagt, kriegt gleich Besuch."

„Das sind nicht *meine* Drucker."

„Doch. Du bist der Bürgermeister und weil fast alle deine Einwohner Drucker sind, bist du auch der Druckermeister." Moritz war schon etwas angeheitert, aber seine Bierlogik hatte etwas für sich. Er, Robert, war für die Leute verantwortlich, hatte er doch viele ermutigt, in dieses Geschäft einzusteigen. Und anfangs war er auch auf Kittelhaus' Seite, als es darum ging, den Superauftrag KALIBER an Land zu ziehen. Er war in der Verantwortung, wenn auch mehr moralisch als formal. Und das war nicht weniger schwierig.

„Vielleicht ist das so. Dennoch: Neumann kann zu einem echten Problem werden. Neumann und Pfeifer. Besser man stellt sich gut mit ihnen, denn die beiden können dir deine Lebensgrundlage wegnehmen, so schnell schaust du gar nicht. Frag den Bäcker, der weiß es. Wenn du, Bäcker und dieser Wittig den radikalen Weg gehen wollt: bitte. Ist ein freies Land. Aber keiner von euch lebt vom Drucken. Wir schon."

„Leben? Viele mehr schlecht als recht."

„Moritz, lass uns diese Unterhaltung nicht hier führen."

„Wittig möchte mit dir reden. Hast du morgen Zeit?"

„Grundsätzlich ja. Wann?"

„Wir kommen zu dir. So gegen drei?"

„Müsste klappen. Morgen habe ich keine Termine außer Haus. Also: ich bin da."

Robert und Moritz gingen beide wieder zurück zu ihren Tischen.

Als Robert an seinem Tisch wieder ankam, fragte Neumann gleich: „Na, Robert, da haben sich ja die richtigen gefunden: Der Moritz war jetzt lange aufgeräumt beim Bund, aber kaum zurück, sind die Troublemaker gleich wieder zusammen. Und schon ist Unruhe im Ort."

„Na, ja. So hart würde ich es nicht ausdrücken", beschwichtigte Robert. „Der Moritz braucht immer die spezielle Mission. Und was den Bäcker betrifft: dazu kann ich nichts sagen, da weißt du mehr."

Neumann schüttelte den Kopf: „Darf ich nichts zu sagen. Aber es hatte seinen Grund, dass Bäcker auf CIPE gesperrt wurde. Und jetzt hängen sie mit dem Salonkommunisten Wittig zusammen."

„Es gibt Leute, die Wittig imposant finden. Der könnte ja auch ein Lotterleben führen. Bei dem Geld, das der hat, ist er sehr bodenständig geblieben", warf Ansorge ein.

„Der Wittig hat dem Bäcker und dem Moritz Arbeit besorgt. Das schweißt auch zusammen", ergänzte Sepp.

„Jetzt fügt sich das Mosaik zu einem geschlossenen Bild", antwortete Neumann.

„Du, Neumann, zurück zum Geschäftlichen. Die Leute ächzen, die Lager füllen sich. Wenn die Auftraggeber jetzt nicht bald abrufen…ich weiß nicht, ob wir so weitermachen können", sagte Robert.

„Ich verstehe euer Problem. Die Auftraggeber brauchen halt die Flexibilität. Ich kann dir aber auch nicht mehr sagen. Ich habe da keinen Einblick", antwortete Neumann.

„Was sagt denn Pfeifer“, fragte Ansorge.

„Nichts. Ich weiß nicht, ob ihm das Thema so klar ist. Hat ja vieles um die Ohren. Außerdem: dass die Abrufe nicht kommen, heißt natürlich, dass keine Umsätze fließen. Aber dafür bekommt ihr ja die Umsatzausfallkredite und das wird automatisch verrechnet, sobald der Abruf erfolgt. Ist doch eine super Regelung.“

Nun war auch der Feuerwehrkommandant im Gespräch: „Neumann, das finden wir ja toll, aber die Umsatzausfallkredite kosten ja auch Zinsen, die nicht eingeplant sind. Die Zinsen schmälern die Marge und wenn das noch lange dauert, dann kommen wir in die Verlustzone. Wir arbeiten dann in Zukunft nur noch für die Zinsen. Zinsen für den Umsatzausfallkredit und die Vorlage. Du kennst ja die Gerüchte, dass ihr das absichtlich macht.“

„Unsinn“, polterte Neumann. „Nach dem Essen komme ich kurz bei euch vorbei und schaue mir die Lager an. Ich mache ein Foto. Bilder sagen ja mehr als tausend Worte. Wenn Pfeifer die übervollen Lager sieht, dann versteht er gleich. Einverstanden?“

Die meisten am Tisch stimmten zu. Der Fußballtrainer machte einen Vorschlag: „Sag doch dem Pfeifer, dass es auch gut wäre, wenn die Druckpläne geändert werden könnten. Denn momentan drucken wir fürs Lager. Würden die Pläne gestreckt, hätten wir jetzt die Kapazitäten frei, um Aufträge anzunehmen, die auch sofort zu Umsatz führen und nicht aufs Lager gehen. Ganz ehrlich: wir sind doch für die Auftraggeber so was wie eine Bank. Wir finanzieren denen die Bestände. Es hieß doch immer: *durch den 3D-Druck gibt es keine Bestände mehr*. Was soll das also?"

„Ich werde das so an Pfeifer weitergeben. Aber ihr wisst ja: CIPE vermittelt nur zwischen euch und dem Auftraggeber. Mehr können wir nicht tun", predigte Neumann.

Mittlerweile kamen die Familien von Robert und Sepp, weil es schon kurz vor zwölf war. Der Frühschoppen löste sich auf und die beiden Baumert-Familien gingen an einen langen Tisch in einem Nebenraum, wo sie das Mittagessen einnahmen. Robert blieb nachdenklich, denn der Fußballtrainer hatte den Nagel auf den Kopf getroffen. Genau darum ging es hier: Bestände aufbauen, auf Kosten der Drucker. Sepp registrierte das auch – sein und Roberts Blicke trafen sich und jeder wusste, was der andere dachte.

„Ich treffe mich morgen mit Wittig", sagte Robert leise, sodass nur Sepp ihn verstand, während die Frauen und die Kinder untereinander in Gespräche verwickelt waren.

„Robert, hör' bloß auf", antworte Sepp. „Was willst du mit dem Dampfplauderer? Wenn ich Millionär wäre, könnte ich mich auch auf die Hängematte legen und fromme Reden halten."

„Er will sich mit mir unterhalten. Ich kann mir doch anhören, was er zu sagen hat."

„Soll ich dazu kommen?", fragte Sepp.

„Nein. Lass nur. Wittig wollte sich nur mit mir treffen. Das wäre jetzt unhöflich. Außerdem musst du noch mehr aufpassen als ich. Du arbeitest bei CIPE."

„Lass dich bloß nicht vor seinen Karren spannen. Der hat nichts zu verlieren - du schon", warnte ihn Sepp.

IV

Am nächsten Tag, pünktlich um drei, erschien Wittig zusammen mit Moritz und Bäcker auf Robert Baumerts Hof. Sie stiegen aus Wittigs Mercedes wie der Gangsterboss mit seinen Schlägern und trafen Robert im alten Stall inmitten der vielen 3D-Druckmaschinen, die alle ruhig vor sich hin ratterten und summten. Robert kontrollierte die laufende Produktion und merkte zunächst nicht, dass Wittig und die anderen bereits im Eingang standen und erschrak kurz, als er den Besuch im Augenwinkel entdeckte: „Oh Gott, haben Sie mich erschreckt!", entfuhr es Robert.

„Entschuldigung, Herr Baumert", sagte Wittig und Bäcker und Moritz begrüßten ihn mit einem „Servus Robert".

Alle gaben sich die Hand und Robert bat seine Gäste mit ins Haus zu kommen. Maria und Bertha saßen im Wohnzimmer und sahen fern, während Emma in ihrem Zimmer war und Musik hörte. Robert fragte Maria und Bertha, ob einer kurz auf die Maschinen aufpassen könnte, aber beide lehnten ab, da sie ihre Serie nicht unterbrechen wollten. Also ging Robert zu Emma, die einwilligte und sich mit ihrer Zeitschrift und dem Smartphone in den Stall zu den Maschinen begab.

Die Männer nahmen in der Wohnküche Platz und Robert verteilte Kaffee: „So Herr Wittig, sie wollten mit mir sprechen. Was kann ich für Sie tun?"

„Sie wissen, was ich für die Druckerbewegung mache?", fragte Wittig.

„Nein, nicht alles. Ich weiß, dass Sie manchmal Reden bei der IG3D halten, oft mit Bäcker zusammen sind und seit neuestem auch Moritz dabei ist. Aber was sie genau machen, weiß ich nicht."

Wittig erklärte daraufhin: „Politisch stehe ich eher links. Ich machte zwar viel Geld, aber das heißt nicht, dass ich mich vom politischen und sozialen Leben verabschiedet habe. Ich will nicht verneinen, dass der 3D-Druck eine gute Sache ist. Er hat das Wirtschaftsleben regionalisiert und damit immuner gegen globale wirtschaftliche Verwerfungen gemacht. Aber dennoch bin ich der Meinung, dass CIPE zu einem Monstrum geworden ist. Und mit KALIBER ist die Maske gefallen."

„Wie meinen Sie das?", wollte Robert wissen.

„Herr Baumert. Sie wissen doch, was dieser Handelsvertreter gesagt hat...beim Druckerwirt... ist schon etwas her."

„Ja. Sie sind gut informiert. Leider konnte ich ihn nicht ausfindig machen."

„Ich schon. Ich weiß, wer das war. Auch, dass ihm fristlos gekündigt wurde, weil er geplaudert hat. Und jetzt wird dieser Mann im *Nero* auspacken. Der Punkt ist: Sie haben Ihre Bürger KALIBER schmackhaft gemacht. Wenn jetzt herauskommt, dass KALIBER ein betrügerisches System ist, dann werden Sie von Ihren Bürgern mit verantwortlich gemacht – genauso wie Kittelhaus und alle anderen."

„Kann schon sein. Aber ich bin ja auch ein Getäuschter."

„Das kann man so oder so sehen. Als Bürgermeister oder Landrat muss man schon genauer hinsehen als der Otto-Normal-Drucker. Dafür werden sie bezahlt und sind gewählt worden. Sie hätten ja im Zuge des Bieterverfahrens eine Bedingung erklären können, dass entgegen der gewöhnlichen CIPE-AGB eine Pflicht zur sofortigen Abnahme besteht. Sie hätten sich anwaltlich beraten lassen können, wie man das bei Großaufträgen, die mit erheblichen Risiken belastet sind, eben so macht."

Robert bemerkte, dass seine Frau den Fernseher im Wohnzimmer leiser stellte, um besser mithören zu können. Sie wusste, wer da heute zu Robert kam. Er antwortete: „Hinterher ist man immer schlauer. Aber da bin ich nicht der einzige, der getäuscht worden ist. Alle Bürgermeister haben am Ende für KALIBER gestimmt."

„Ich würde Ihnen gerne etwas anbieten, damit Sie sich von einem Opfer zu einem Täter wandeln, der das Heft des Handelns in die Hand nimmt. Die Druckerbewegung braucht ehrliche Gesichter. Und wir dachten dabei an Sie."

Robert blickte seine Besucher verdutzt an: „Wer ist *wir* und was heißt das konkret?"

„*Wir* sind die hier Anwesenden und die gesamte Führung der IG3D", antwortete Wittig. „Sie müssen kein Mitglied werden, aber sollten Sie sich für öffentliche Auftritte zur Verfügung stellen, um die Interessen der Drucker zu verteidigen, bekommen Sie von uns Unterstützung: Anwälte, PR-Berater, Logistik."

„Sie wollen also einen politischen Kampf führen und brauchen dafür Mitstreiter", fragte Robert. Der Fernseher im Wohnzimmer wurde immer leiser.

„So kann man es nennen."

„Herr Wittig: Warum setzen Sie sich so für die Drucker ein? Sie sind doch keiner?"

„Es gibt Menschen, die setzen sich für Tiere ein, ohne welche zu sein", antwortete Wittig. „Ich habe mich mit der Veränderung beschäftigt, die durch die Plattformökonomie entstanden ist. Diese Veränderungen betreffen alle, nicht nur die Drucker. Es wird Zeit, dass sich die Drucker ihrer Bedeutung und ihrer Macht bewusst werden. Lassen Sie mich dazu theoretisch ausholen…" Wittig hielt nun einen Monolog über die Plattformökonomie, ultrabrutaler Gig Economy und gemeinwohlorientierter Shareconomy, so wie damals in Ingolstadt.

„Also, was sagst du dazu?", fragte Moritz Robert, als Wittig fertig war.

„Auf einen Ökonomievortrag war ich nicht gefasst. Als Ex-Landwirt bin ich es gewohnt, pausenlos zu arbeiten. Für die meisten hier ist CIPE einfach eine zwar anstrengende, aber verfügbare Option, auf dem Land zu leben und Geld zu verdienen."

Wittig machte weiter: „Alles richtig. Aber KALIBER ist ein Betrug. Sich dagegen zu wehren ist doch gesunder Menschenverstand, unabhängig davon, ob man politisch interessiert ist oder nicht."

„Durchaus. Aber was wollen Sie oder die IG3D dagegen machen?", fragte Robert.

„Wir gehen auf unterschiedlichen Feldern vor: Über die Presse klären wir die Allgemeinheit auf. Das Magazin *Nero* wird hierzu eine Sonderedition herausgeben. Zudem produzieren wir Videoreportagen, die im Fernsehen und auf Streaming-Diensten erscheinen. Da könnten auch Sie auftreten. Es geht darum, Dreißiger die mediale Lufthoheit zu entziehen und eine Gegenöffentlichkeit aufzubauen, also öffentlichen Druck zu erzeugen. Außerdem wollen wir Musterklagen gegen CIPE initiieren, um deren AGB zu kippen und zu Schadenersatz zu verpflichten. Weil KALIBER Betrug ist."

„Und was sind Ihre konkreten Forderungen?", hakte Robert nach.

„Grundsätzlich wollen wir das abgeschaffte Heimarbeitsgesetz wieder einführen. Das unterdrückt Dreißiger, entgegen aller Versprechen. Dann wären die meisten Probleme gelöst. Zudem braucht es Gesetze, die den marktbeherrschenden Plattformen besondere Fürsorgepflichten zuschreiben, ähnlich denen eines Arbeitgebers", erklärte Wittig.

„Das klingt vernünftig, wenn ich auch das Heimarbeitsgesetz nicht im Detail kenne, aber meines Wissens nach sah dieses Mindestlöhne und Urlaub vor. Aber nochmal: wie kann ich Ihnen bei dieser Mission helfen?" Robert stellte diese Frage, obwohl er die Antwort schon kannte, aber er wollte Wittig die Sache schwieriger machen und sich selbst eine Pause zum Nachdenken geben. Er durfte sich jetzt zu nichts hinreißen lassen.

Wittig aber kannte seinen Text: „Bäcker und ich sind Agitatoren, also Überzeugungstäter. Moritz ist kein Drucker. Wir stimmen nicht die unentschlossenen, unpolitischen Drucker um, also wie Ihre Bürger in diesem Dorf. Wir brauchen einen von ihnen. Diese Person sollte aber auch die politischen und wirtschaftlichen Prozesse kennen, die hierbei eine Rolle spielen. Sie sind der ideale Kandidat."

„Das sehen Sie so, aber ich bin mir da nicht so sicher. Was ist mit Ansorge?", fragte Robert.

„Ansorge ist nicht der Typ für so etwas. Euer Nachbardorf liegt ja komplett im Funkloch - technisch und auch sonst. Und Ansorge - so nett er ist - bremst sich selbst mit seiner Unentschlossenheit aus. Du kennst die Historie seiner *Projekte*", warf Bäcker ein. „Was meinst du, warum du einer der Ersten warst, die Kittelhaus anrief, um für KALIBER zu mobilisieren? Ich sage es dir: weil sich die meisten Bürgermeister im Landkreis an dir orientieren."

Und Wittig ergänzte: „Womit auch Ihre nächste Frage beantwortet wäre, warum nicht ein anderer Bürgermeister gefragt wurde. Außerdem liegt es doch auf der Hand, dass wir Sie fragen. Bäcker und Moritz kennen Sie; Ihr Wort hat Gewicht im Landkreis; Sie bringen die notwendigen Voraussetzungen mit. Also?"

Robert merkte, dass Wittig seine Hinhaltefragerei durchschaute. Trotzdem machte er weiter: „Warum gerade dieser Landkreis?"

Wittig wirkte langsam etwas genervt: „Herr Baumert! Das liegt doch auf der Hand. KALIBER ist der Tropfen, der das Fass zum Überlaufen bringt. Und der Landkreis Cham ist halt nun einmal von diesem Auftrag betroffen. Natürlich suchen wir hier nach Mitstreitern. Und warum gerade Sie, haben wir schon erklärt."

Robert fühlte sich unwohl. Das tat er immer, wenn auf ihn eingeredet wurde: „Ich werde darüber nachdenken. Ich lasse mich jetzt zu keiner Zusage drängen. Zudem müsste ich für die Entscheidung wissen, was Sie sich konkret vorstellen. Soll ich IG3D-Mitglied und dort Funktionär werden? Eine Partei gründen? Sprecher eines noch zu gründenden Vereins werden?"

„Nein. Wie ich schon sagte: Wir brauchen einen Sprecher der Drucker, nicht der IG3D. Jemanden, der aus der Mitte der Menge das Wort gegen die Ungerechtigkeit erhebt. Sie stellen sich dann als öffentlicher Redner und Interviewpartner zur Verfügung und mobilisieren ihre Bürgermeisterkollegen. Die Agenda und konkrete Inhalte würden wir gemeinsam entwickeln", antwortete Wittig.

Robert wollte das Gespräch nun beenden: „O.K. Ich muss das überdenken. Klar ist, dass mich CIPE ins Visier nimmt, sollte ich machen, was ihr wollt."

Wittig bejahte das: „Davon können Sie ausgehen. Sollten Sie zum Beispiel im *Nero* ein Interview geben, kriegt das Dreißiger persönlich vorgelegt und er wird sich auch persönlich darum kümmern. So ist er. Aber wir stehen hinter ihnen. Wir verfügen über nicht unerhebliche Ressourcen."

„Und Dreißiger um noch viel mehr Ressourcen. Das ist nicht mal David gegen Goliath, sondern kleine Maus gegen Goliath", reagierte Robert leicht zynisch.

„Wenn Sie sich lieber gängeln lassen, dann tun Sie das. Wir bieten Ihnen die Chance, wenigstens etwas zu machen. Wenn es einfach wäre, könnte es jeder machen!", entgegnete Wittig.

„Gut. Ich melde mich Ende der Woche bei Ihnen. Das will gut überdacht sein. Kann sein, dass ich mit Ansorge darüber rede. Einfach der zweiten Meinung wegen. Jetzt muss ich mich aber langsam wieder um meine Druckerei kümmern", bat Robert den Besuch hinaus. Alle standen auf und gingen zur Haustüre.

Beim Hinausgehen meinte Moritz zu Robert: „Mach das Richtige. Die Leute brauchen dich."

Robert sah Moritz an: „Ja, ja. Ich lasse es mir durch den Kopf gehen". Als die Besucher weg waren, ging Robert zurück in die Küche, wo Maria auf ihn wartete. „Du hast alles gehört?"

„Das meiste. Die wollen dich wohl zu einem Che Guevara machen", meinte Maria.

„Ich weiß nicht, was die von mir wollen. Da kommen die zu einem Dorfhansl wie mir. Der Dreißiger zerdrückt mich wie eine Fliege."

Maria stimmte ihm *nicht* zu: „Dreißiger will, dass ihr alle genau das denkt. Er weiß, dass vieles, was CIPE macht, eigentlich illegal ist, aber keiner klagt, weil seine Leute sofort ausschwärmen, wenn einer auch nur ein bisserl aufmuckt. Ich habe mir mal unsere Finanzlage angesehen: Die Zinsen für die Vorlagen und die Umsatzausfallkredite fressen jeden Gewinn auf. Wenn wir nicht die Bürgermeisterentschädigung und unseren Hofladen hätten, dann würde es zappenduster aussehen. Ich verstehe Wittig."

„Machst du mir jetzt auch Druck?", fragte Robert.

„Nein. Wir haben schon Druck. Zumindest hat Wittig recht wenn er sagt, dass Dreißiger das Entgegenkommen der Politik aus den Krisenjahren bis heute ausnutzt. Irgendwann müssen wir doch etwas tun."

„Gut. Stell dir vor, ich halte mein Gesicht in die Kameras und protestiere gegen KALIBER. Dreißiger und alle seine Lakaien wie Kittelhaus, Pfeifer, Neumann, Förster und Co. werden sich auf uns stürzen. Bist du darauf vorbereitet?"

„Wie kann man sich darauf vorbereiten? Aber wann wehren wir uns endlich dagegen wenn nicht jetzt?", fragte Maria.

„Wenn wir mal nicht mehr abhängig sind von CIPE. Dann machen wir das."

Maria schüttelte den Kopf: „Das wird so schnell nicht passieren. Dreißiger klebt an der Macht und zerstört jeden und alles, was diese gefährdet."

Robert ging zum Kühlschrank und nahm sich ein Bier. Das brauchte er jetzt.

„Mach mir auch eines auf", forderte ihn Maria mit einem Lächeln auf. Robert tat wie ihm geheißen und beide setzten sich an den Küchentisch. Maria nahm Robert in den Arm und kraulte seinen Hinterkopf, um seinen Denkprozess anzuregen.

Dann richtete sich Robert auf: „Ich werde mit ein paar Leuten darüber reden. Ansorge und ein paar andere Bürgermeister. Vielleicht bringe ich es am Stammtisch auf, sofern Neumann nicht dabei ist. Welzel ist auch immer ein guter Ratgeber. Aber du bist dafür, oder was?"

Maria überlegte: „Ja, halt nicht radikal, aber mal den Mund aufmachen. Das braucht es jetzt endlich. Und der Moritz hat es schon erkannt: von den ganzen Bürgermeistern aus dem Landkreis bist du der richtige, soweit ich die anderen kenne."

Robert schwieg. Das Thema musste er in Ruhe mit seinen Kollegen besprechen. „Ich gehe mal wieder in den Stall, Emma ablösen."

V

Robert suchte in den nächsten Tagen die Gespräche mit Freunden und Bekannten, denen er einen umsichtigen Rat zutraute. Erst mit Ansorge, der meinte, dass es zwar richtig sei, sich gegen KALIBER zu wehren, aber er sah derzeit nicht, wer diesen Kampf mit guter Erfolgsaussicht führen konnte und Wittig und die IG3D hielt er für zu schwach.

Welzel, der Druckerwirt, der von dem Handelsvertreter aus erster Hand wusste, was für ein mieses Spiel CIPE mit KALIBER trieb, antwortete genau das gleiche. Er hatte vielleicht auch Angst, dass ohne CIPE das Druckergeschäft und damit auch Kleinaffing zusammenbrechen würde.

Der Pfarrer hatte keine Meinung.

Der Fußballtrainer, ein aktiver Mann, der auch schon Neumann seine durchaus konstruktive Meinung geigte, war dafür, dass Robert auf Angriff überging, aber das war auch dessen Charakter, denn der Fußballtrainer war so ein Mensch der nach der Devise lebte, dass Angriff die beste Verteidigung war.

Die anderen großen Drucker im Ort waren etwas verhaltener: sie setzten auf Gespräche mit Pfeifer und hofften, dass dieser etwas ausrichten konnte, aber das war angesichts der Reaktionen von CIPE auf jede Art von Kritik an KALIBER Wunschdenken. Robert dachte auch darüber nach, mit Landrat Kittelhaus zu sprechen, war sich aber unsicher und hatte die ungute Ahnung, dass Kittelhaus mit Pfeifer über die drohende Revolte reden würde – und das bedeutete eine CIPE-Razzia auf seinem Hof oder vielleicht noch schlimmere Abschreckungsmaßnahmen. Also tat er etwas anderes: er bat einen der Kreisräte bei der nächsten Kreistagssitzung das Thema aufzubringen. Kreisrat Reimann, mit dem Robert eine freundschaftliche Beziehung pflegte, hatte mit dem Druckergeschäft nichts zu tun, war also nicht erpressbar. Reimann sagte zu, es auf die Tagesordnung zu setzen: erstens wollte er eine Auskunft darüber, was Kittelhaus zu dem Abnahmestau von 3D-Druck-Erzeugnissen zu sagen habe und wie er sich für eine ordnungsgemäße Abwicklung von KALIBER einsetzen wolle, zweitens dass sich im Landkreis langsam Widerstand gegen das Geschäft aufbaue. Noch heimlich, bald aber nicht mehr. Und genau das Tat Reimann.

Über die Kreistagssitzung musste Ansorge Robert berichten, der ihr beiwohnte - er sagte zu Robert: „Reimann hatte das Thema angesprochen und Kittelhaus meinte erst, dass ihn das nicht zu kümmern brauche, da er nicht im Geschäft sei. Reimann wehrte sich dagegen, in dem er darauf verwies, dass er gerade deswegen etwas sagen musste, weil viele Betroffene sich nicht trauen würden. Dann machten aber auch andere Kreisräte Anmerkungen, dass sie mit KALIBER auch unzufrieden seien. Kittelhaus wurde ganz nervös und meinte, dass es für den Landkreis geschäftsschädigend sei, dieses Thema hier aufzubringen. Wer ein Problem habe, solle sich an den Regionalleiter Pfeifer wenden. Der sei zuständig. Dafür kassierte er einige zynische Gesten und Bemerkungen der Kreisräte. Die Stimmung war dahin. Kittelhaus sagte nichts mehr für den Rest der Sitzung."

Reimann rief einige Tage nach der Kreistagssitzung bei Robert an und erzählte ihm selbst von den Geschehnissen und auch darüber, dass Pfeifer sich einen Tag später bei ihm meldete und sich neugierig erkundete, wie er denn darauf gekommen war, dass es Probleme mit KALIBER gab. Pfeifer wollte Namen, stellte sich aber etwas dumm an und tarnte seine Nachfrage als Hilfsangebot: „Pfeifer sagte wortwörtlich *Wenn Sie mir sagen könnten, wer sich da beschwert, dann würde ich mit diesen Leuten Kontakt aufnehmen und versuchen, ihnen zu helfen*. Darauf antwortete ich, dass alle Drucker Probleme hätten. Er solle seinen Job machen und dafür sorgen, dass die Auftraggeber ihre Waren abriefen – sie hätten diese ja auch bestellt. Dann wurde Pfeifer pampig und verbat sich die Einmischung in Angelegenheiten, die mich nichts angingen. So endete das Gespräch“, berichtete Reimann.

Robert war Reimann für seinen Einsatz sehr dankbar und sie vereinbarten Stillschweigen - bis auf Weiteres.

Am Ende der Woche war es soweit, dass Robert seine Entscheidung verkündete. Erst besprach er diese mit seiner Frau; Maria verstand, dass momentan die meisten Drucker im Dorf gegen eine von Robert geführte massive Beschwerde gegen CIPE waren. Dem wollte sich Robert beugen, wenn er es auch nicht musste, denn von einem Bürgermeister konnte man ja auch voranschreiten erwarten, wo andere zauderten. Aber es war wohl noch nicht die Zeit gekommen für eine Revolte.

Als am Freitagabend Moritz zu Robert kam, um dessen Entschluss zu hören, war er enttäuscht: „Dass du mal später nicht bereust, die Handreichung ausgeschlagen zu haben."

Aber Robert meinte, dass er momentan keine Stimmung für eine Revolte sah: „Vielleicht ändert sich das - und wenn meine Bürger es von mir fordern, dann werde ich auch öffentlich gegen CIPE auftreten."

Mitten in diese Szene kam Sepp zur Tür herein: „Ach, die Revolutionäre. Und du Moritz: Kaum bist du im Land, gibt's Ärger. Wegen dir habe ich Stress in der Firma."

„Warum das denn?", wollte Moritz wissen.

„Der Neumann weiß, dass du mit dem Bäcker und dem Wittig gemeinsame Sache machst. Und bei CIPE gilt die Sippenhaft. Da du mein Verwandter bist, darf ich mir was anhören. *Was da in meiner Familie ablaufen würde - ob ich meinen Cousin nicht im Griff hätte* hieß es."

Moritz konnte es kaum fassen: „Und für den Scheißladen arbeitet ihr? Das ist ja Stasi, oder schlimmer: Gestapo. Pass auf, ich schicke dir einen Reporter vom *Nero*-Magazin vorbei - erzähl dem das!"

Sepp langte sich an den Kopf uns sah seinen Bruder an: „Du sag mal: ham's dem beim Bund des Hirn auch abgenommen, oder?"

Mittlerweile gesellte sich auch Maria in die Wohnküche und schloss die Tür hinter sich, damit die Kinder den Streit nicht so ungefiltert mitbekamen. Und der ging jetzt richtig los: Sepp sang das Lied *CIPE über alles,* ganz pflichtbewusst; Moritz das Lied *Nieder mit CIPE,* Maria war weiterhin dafür, mit CIPE kritischer umzugehen, aber behutsam; und Robert? Der stand dazwischen. An ihm zerrten die Streitenden wie die Rösser bei der Vierteilung.

Aber jetzt sprach er ein Machtwort: „Schluss jetzt! Sepp, du kannst nicht anders, aber erzähl mir nicht, dass KALIBER ein sauberes Geschäft ist. Ist es nicht – ich weiß es aus erster Hand. Und du Moritz: Du hast nichts zu verlieren. Du kannst dich hier hinstellen und den Revoluzzer spielen. Ich habe eine Familie zu versorgen und mich um meine Bürger zu kümmern. Ich schaue mir das mit CIPE noch eine Weile an. Wenn das mit KALIBER nicht besser wird, dann kommt der Moment, an dem ich nicht mehr friedlich bleibe.“ Dann stand Robert auf, nahm sich ein Bier aus dem Kühlschrank und ging raus zu seinen Druckmaschinen. Die anderen ließ er sprachlos in der Wohnküche stehen. Er musste nachdenken – alleine.

VI

Eine Woche später in Cham, in Wittigs Haus: Wittig, Bäcker, Hornig und Moritz kamen zusammen und besprachen die nächsten Schritte gegen Dreißiger und CIPE. Wittig war etwas enttäuscht über Roberts Absage, aber er hörte auch heraus, dass die Tür noch einen Spalt breit offen blieb. Roberts Hinweis, dass die Stimmung unter den Druckern noch nicht auf Revolution stand, war aber sehr nützlich. Umso wichtiger war es nun, die Stimmung weiter anzuheizen, also ging die Frage an Hornig, wie es nun bei ihm weiterging.

Der antwortete: „Ich habe schon erste Reporter losgeschickt. Es werden bereits Interviews und Recherchen durchgeführt. Wenn ihr Tipps habt, welche Leute interessant sein könnten, dann lasst es mich wissen. Für die Sonderedition reicht das Material noch nicht, aber für die Septemberausgabe könnten wir schon erste Berichte über KALIBER bringen und wo das Problem für die Drucker liegt. Außerdem dachte ich an ein Portrait über Bäcker, damit er einem größeren Publikum bekannt wird. Seine Geschichte als ein von CIPE gemobbter IG3D-Aktivist steht exemplarisch für den CIPE-Terror. Für die Sonderedition brauche ich aber die Erlebnisberichte der verdeckten Reporter und das dauert noch Monate, wird aber bestimmt ein Knaller. Ansonsten produziert meine Agentur zwei Videoreportagen für das Fernsehen: Eine Reportage über das Druckerleben und CIPE als solches, eine zweite nur über KALIBER. Müsste im nächsten Monat fertig sein. Auch hierzu bitte gerne Hinweise geben, wer ein guter Interviewpartner in unserem Sinne sein könnte." Wittig und die anderen wirkten zufrieden.

Als nächstes berichtete Bäcker: „Die IG3D würde gerne mit dir, Wittig, eine theoretische Schrift zur Plattformökonomie verfassen. Also praktisch dein Vortrag jetzt als Nachlese und Argumentationsgrundlage - und als unsere zentrale Referenzschrift. Natürlich gegen Schutzgebühr, damit wir Einnahmen generieren. Dann wollen wir in Cham eine Werbetour machen unter dem Motto: *Probleme mit KALIBER? IG3D hilft*. Nicht zu vergessen wäre auch die Demo in München im Oktober. Außerdem planen wir eine Reihe von Infoveranstaltungen im ganzen Bundesgebiet. Wittig: wir hätten dich auch gerne als Redner, wenn du magst."

Wittig stimmte zu: „Hört sich gut an. Moritz, hast du auch Punkte?"

Moritz schlug Hornig vor, den Kreisrat Reimann zum Thema KALIBER zu interviewen und erwähnte die besagte Kreistagssitzung.

Hornig nahm den Hinweis auf und ging zum nächsten Thema über, verpflichtete aber alle Anwesenden zu absoluter Geheimhaltung: es ging um Anonymous. Er erzählte: „Ich habe mit meinem Kontakt gesprochen und Rückmeldung erhalten. Die Hacker wären grundsätzlich bereit, CIPE anzugreifen. Die Plattform eine gewisse Zeit lahmzulegen und Daten zu klauen, wäre machbar, aber Abrufe der Auftraggeber zu fingieren aber eine ganz andere Hausnummer."

„Moment", griff Bäcker ein, „was meint ihr mit *Abrufe fingieren?*"

Wittig erklärte: „Wir wollen einen Hackerangriff im Robin-Hood-Stil. Die Hacker nehmen es vom reichen Dreißiger und geben es den armen Druckern. Das Problem ist doch, dass die Drucker produzieren und die Auftraggeber nicht oder nur sehr wenig abrufen. Daher kein Umsatz und die vielen Zinsen für Vorlagen und Umsatzausfallkredite. Also generieren oder fälschen die Hacker die Abrufe der Auftraggeber und damit werden auch automatisch auf CIPE Lieferungen und Umsätze gebucht und den Druckern gutgeschrieben. Die Drucker würden den Unterschied erst nicht merken. Auf ihren Computern würden Abrufe eingehen, der Paketdienst kommt und nimmt die Druckerzeugnisse mit. Wahrscheinlich würden es die Auftraggeber, also die Endmonteure merken, wenn auf einmal die Lieferungen eingehen."

„Genial, oder?", fragte Moritz Bäcker, der mit Erstaunen zustimmte. Keine Frage: das wäre ein enormer Popularitätsschub für die Druckerbewegung. Die meisten würden ahnen, dass die IG3D damit zu tun hat.

„Aber würde CIPE das Geld nicht wieder zurückfordern?", fragte Bäcker.

„Natürlich", sagte Wittig, „und sie werden es wohl einfach wieder verrechnen. Aber das so sicher geglaubte und mit den Auftraggebern ausgekartelte Betrugssystem bekäme Risse."

„Aber können wir nicht einfach das Internet lahmlegen und somit die Plattform verhindern?“, fragte Bäcker weiter.

„Das ist der falsche Ansatz. Denk an die Weber: Die haben auch versucht, den Einsatz von Webmaschinen durch Zerstörung zu unterdrücken – hat es ihnen geholfen? Ich bin nicht der Meinung, dass sich die Digitalisierung so aufhalten lässt. Anstatt zu versuchen, sie zu verhindern, muss es darum gehen, den Prozess in unserem Sinne zu beeinflussen, die Dinge in unserem Sinne zu kanalisieren. Daher bin ich für die Zusammenarbeit mit Anonymous, aber nicht als eine Anti-Digitalisierungskampagne sondern als eine Art Internetstreik. Wir stören die Plattform, verhandeln, setzen unsere Forderungen durch, danach können die Plattformen wieder laufen.“

Hornig stimmte Wittig zu und war bereit, in diesem Sinne zu vermitteln.

„Das heißt, Anonymous wird im Zusammenhang mit dem Hackerangriff auch die Forderungen der IG3D nennen?“, fragte Bäcker.

„So hätte ich mir das vorgestellt, ja“, antwortete Wittig.

„Aber wird man uns dann nicht für den Angriff haftbar machen?“, hakte Bäcker nach.

Hornig machte einen Vorschlag: „Warten wir, wie Dreißiger auf die Demo in München, die Videoreportagen und die *Nero*-Berichte reagiert.

Bleibt er stur und droht, dann lassen wir Anonymous von der Kette. Die Hacker verstehen, dass man hier koordiniert vorgehen muss. So ein Hackerangriff muss zum richtigen Zeitpunkt in der richtigen Dosis kommen, damit die Nachricht verstanden wird."

Alle waren einverstanden mit Hornigs Vorschlag und nach der Arbeit kam der Schnaps: Wittig öffnete seine Heimbar für die Gäste.

VII

Hornigs Reporter waren eifrig: Zwei schleusten sich als neue Drucker bei CIPE und anderen Plattformen ein, damit man *Nero* nicht vorwerfen konnte, es handele sich um einseitiges *CIPE bashing,* daher musste neben der Aufdeckung der Missstände bei CIPE auch ein Vergleich mit anderen Plattformen her. Davon gab es ein paar, aber verglichen mit CIPE waren dies Zwerge, oftmals Nischen für sehr spezielle Kunden oder Produkte. Dieses verdeckte Experiment war aber auf ein halbes Jahr angelegt, um ausreichend Erfahrungen sammeln zu können. Die Veröffentlichung der Sonderausgabe würde sich also noch etwas ziehen. Andere Journalisten führten Interviews mit Leuten wie Kreisrat Reimann, Bäcker und einigen Ex-Druckern, die bei CIPE rausgeflogen waren und alle hatten eine Schauergeschichte zu erzählen. Die Journalisten prüften sehr genau, ob die ehemaligen Drucker aufgrund eigenen Verschuldens bei CIPE gesperrt waren – bei einigen war das der Fall, aber diejenigen, die CIPE nur wegen ihrer IG3D-Mitgliedschaft sperrte oder weil sie auf faire Bedingungen pochten, schafften es in die nächste *Nero*-Ausgabe.

Darüber hinaus vermittelten Bäcker und Moritz Kontakte zu Druckerfamilien, in denen die Reporter regelmäßig beobachten konnten, wie lange gearbeitet wurde und wie stark die Kinder eingebunden waren. Auch Kittelhaus baten die Journalisten der Ordnung halber um ein Interview, aber er lehnte es genauso ab wie CIPE selbst.

Zwei weitere Reporter trafen sich getarnt als Auftraggeber von Großdruckaufträgen mit Vertriebsleuten von CIPE und das in unterschiedlichen Regionen. Ziel war es herauszufinden, ob die KALIBER-Masche auch für andere Auftraggeber funktionierte. Die Reporter fragten jeden CIPE-Vertriebsmitarbeiter: „Wir möchten gerne einen größeren Auftrag über CIPE platzieren, jedoch haben wir das Problem, dass wir nicht genau wissen, wann unser Auftrag, für den wir die Teile brauchen, kommt. Wenn er kommt, dann muss es aber schnell gehen."

Alle drei CIPE-Vertriebsmitarbeiter antworteten zunächst: „Dann müssten sie produzieren lassen und bei sich Teile auf Lager nehmen – legen sie sich einen Vorrat an, um gleich loslegen zu können."

Darauf die Fangfrage: „Wissen Sie, wir wollen keine Bestände aufbauen. Wäre es nicht möglich, dass die Drucker bereits auf Vorrat produzieren. Wir rufen dann ab, wenn wir die Teile brauchen?“

Wieder antworteten alle drei Vertriebler sinngemäß: „Das dürfte kein Problem sein. Die CIPE-AGB sind in dieser Beziehung sehr auftraggeberfreundlich. Mit der Ausschreibung Ihres Auftrags auf CIPE definieren Sie einen Druck- und Lieferplan, der eigentlich bindend ist. In den AGB steht aber, dass eine zeitliche Verschiebung der Auslieferung auf einen späteren Zeitpunkt durch den Auftraggeber einseitig angeordnet werden kann. Wir bewegen uns hier in einer rechtlichen Grauzone, denn welche Verschiebung angemessen ist, wird von keinem Gesetz exakt definiert. Das müsste immer ein Richter fallweise auslegen. Die Drucker werden aber nicht klagen, dafür sorgen wir. Daher gilt: wo kein Kläger, da kein Richter. Offiziell muss ich Ihnen natürlich sagen, dass die von Ihnen definierten Druck- und Lieferpläne aufrichtig sein müssen. Sie dürfen nichts hochladen in die Ausschreibung, was Sie nicht ernst meinen, sonst wäre das Betrug. Wir verstehen uns.“

Das KALIBER-Betrugsschema war also systematisch im Vertrieb von CIPE angelegt worden, um für die Auftraggeber auch noch das letzte aus den Druckern herauszuholen – und für CIPE selbst. Die *Nero*-Mitarbeiter nahmen die Gespräche mit versteckter Kamera auf. Als Hornig und Wittig sich das Rohmaterial in der Redaktion ansahen, waren sie in Feierlaune. Mit am Tisch saßen die Reporter und durften sich bejubeln lassen.

„Sensationell! Besser als ich es mir habe träumen lassen. Hornig, wenn ihr mit dem Bericht rauskommt, dann ist der Skandal da", frohlockte Wittig.

„Wir werden das noch in der Septemberausgabe von *Nero* bringen, zusammen mit den Interviews und dem Portrait über Bäcker. Die Videoreportagen verkaufen wird dann im Anschluss an die TV-Sender, wenn das Interesse wegen des *Nero*-Berichts groß ist – dann nehmen wir mehr ein", antwortete Hornig. „Willst du eigentlich auch noch in die Ausgabe rein, zum Thema nachhaltiges Unternehmertum beispielsweise?"

Wittig lehnte ab: „Lass mich noch raus. Vielleicht machen wir was, wenn die Sonderausgabe mit den Erfahrungsberichten deiner Undercover-Drucker rauskommt. Wann ist die soweit?"

„Ende des Jahres, eher nächstes Jahr. Frühestens. Solche Enthüllungsstorys müssen robust sein. Wenn sich die anderen Medien unsere Berichte anschauen, werden sie methodische Fehler suchen, so wie die Beschuldigten eben auch. Wenn man zu kurz recherchiert oder die Stichprobe nicht repräsentativ ist, wird die Story als unglaubwürdig verrissen werden. Deswegen haben wir mit der versteckten Kamera auch in drei Regionen recherchiert und nicht nur in einer. Dadurch wurde die

Systematik des Betrugs offenbar. Die Botschaft lautet: Cham *ist überall*", erklärte Hornig.

Wittig lobte Hornig und seine Reporter und lud alle in ein Münchner Nobelrestaurant zum Essen ein. Während des Essens erzählte er von der Notrufteam-Idee, die er mit Bäcker und Moritz entwickelte.

Hornig mochte die Idee: „*Wie das A-Team!*". Er bot an, die Einsätze zu begleiten und darüber auch eine Reportage zu machen.

„Das fände ich gut. Was ich mich aber auch frage: wie gefährlich kann Dreißiger werden? Wenn sich *Nero* auf ihn einschießt, wie könnte die Reaktion aussehen?", wollte Wittig wissen.

„Ich denke", antwortete Hornig, „dass er sich auf jeden Fall juristisch wehren wird. Eine Gegenschmutzkampagne wird sich sicherlich auch auftun. Geld hat er genug und dann findet er auch ein namhaftes Blatt, das den Auftrag annimmt. Detektive könnte er auch gegen mich oder andere einsetzen, aber das bin ich gewohnt. Diesen Reaktionen wohnt ja immer eine dialektische Dynamik inne, denn wenn sich die Gegenseite wehrt, ist das auch wieder Stoff für einen Bericht und so weiter. Das wissen viele nicht und liefern damit unfreiwillig Material für neue Attacken meinerseits. Wir werden sehen, wie Dreißiger reagiert. Für ihn dürfte das neu sein, weil sich bisher noch kein Blatt so richtig traute, ihn anzugehen."

VIII

„Verdammt nochmal!", stampfte Dreißiger auf, als ihm sein Pressechef Weinhold die neueste Ausgabe des *Nero* näher brachte. Es war die Septemberausgabe. Das hatte noch keiner gewagt, CIPE derart an den Karren zu fahren. Immerhin galt Dreißiger im Land als so etwas wie der Retter aus der wirtschaftlichen Not, entsprechend gnädig war die Öffentlichkeit ihm gegenüber auch. Aber *Nero* schien ihn als Dauerthema entdeckt zu haben.

„Wir müssen jetzt sehr bedächtig reagieren", empfahl Weinhold, „denn an den Anschuldigungen ist auch etwas Wahres dran. Das macht sie so gefährlich. Die Reporter, die mit versteckter Kamera Vertriebsgespräche führten, haben letztendlich genau das entlarvt, was auf den letzten Vertriebsschulungen angewiesen wurde. Wir waren da vielleicht etwas zu selbstsicher."

Dreißiger sah Weinhold erzürnt an: „Na und? Was ist denn schon dabei, wenn man seinen Kunden aufzeigt, wie sie sich optimieren können. Es muss keiner mitmachen. Wenn jemandem unsere AGB nicht gefallen, dann sollen sie nicht Drucker werden."

„Das wird die Öffentlichkeit aber anders bewerten. CIPE ist die größte 3D-Druck-Plattform der Welt, die fast alle anderen verdrängt hat. Viele Menschen stehen vor der Wahl, entweder Drucker über CIPE zu werden oder gar nichts zu verdienen. Bei dieser marktbeherrschenden Stellung wird dieses Argument nicht verfangen. Und sehen Sie sich auch die Geschichte von diesem Bäcker an. Tatsache ist, dass jeder, der bei der IG3D aktiv wird, systematisch aus der Plattform gemobbt wird. Ich habe schon öfters darauf hingewiesen, dass sich diese Praktiken rächen könnten. Jetzt haben wir das Ergebnis."

„Weinhold, auf welcher Seite stehen Sie eigentlich?"

„Auf Ihrer."

„Das hört sich aber gerade anders an."

„Weil ich Ihnen die Wahrheit sage? Denken Sie doch an Ihre frühen Jahre. Welcher Rat war gut? Der, der weh tat, oder der, der schmeichelte?" Weinhold hatte die Nase voll von Dreißiger. Er war nicht der erste Leiter einer großen Organisation, den eine Kamarilla aus Speichelleckern und Jasagern in die Hybris führte.

Dreißiger traute seinen Ohren nicht: „Sie klingen wie ein Prediger. Die Frage ist doch, ob Sie zum Ratgeber taugen?"

„Herr Dreißiger, wenn Ihnen nicht gefällt, was ich sage, dann feuern Sie mich doch einfach."

Dreißiger hielt eine Zeit inne und antwortete dann: „So einfach kommen Sie mir nicht davon. Sie werden sich der Öffentlichkeit stellen und einen medialen Gegenangriff planen. Ich erwarte, dass Sie mir noch heute Abend darlegen, wie Sie sich diesen vorstellen. Mein Sohn und ich hören uns dann an Ihre Ideen an. Dann entscheide ich, wie es mit Ihnen weitergeht."

Gesagt, getan. Dreißiger Senior und Junior sowie Weinhold trafen sich wieder um 20:00 Uhr in einem Konferenzraum der Zentrale. Dreißiger erwartete einen Masterplan gegen *Nero,* der vor allem eines ausstrahlte: Angriff. Aber Weinhold verteilte nur ein Blatt mit einer sehr kurzen Stellungnahme: *Aufgrund der zahlreichen Anfragen wegen der September-Ausgabe des Magazins Nero nehmen wir wie folgt Stellung: CIPE vermittelt zwischen Auftraggebern und Auftragnehmern von 3D-Drucken. Die AGB haben den Zweck, den Auftraggebern eine Beauftragung lukrativ zu machen, womit wir den Millionen Druckern jeden Tag Arbeit beschaffen. Jeder Drucker, der auf CIPE aktiv ist, wird in den AGB geschult und auch darin, wie man einzelne Sondervereinbarungen mit den Auftraggebern vereinbart, wenn zum Beispiel bestimmte Standardklauseln aufgrund der Volumina ungeeignet erscheinen. Davon macht kaum ein Drucker Gebrauch. Somit haben sich die AGB bewährt. Was die Vorgehensweise gegen IG3D-Mitglieder betrifft: keiner der von CIPE ausgeschlossenen Drucker ist wegen der IG3D-Mitgliedschaft belangt worden, sondern wegen nachgewiesener Regelverstöße. Die CIPE-Community wächst kontinuierlich – von einer selektiven Teilnehmerpolitik kann also keine Rede sein. Weitere Anfragen zu dem Nero-Bericht werden wir nicht beantworten, da wir Sensationsjournalismus nicht unterstützen und uns ausschließlich der Aufgabe widmen wollen, dem wirtschaftlichen Wohl aller zu dienen.*

Dreißiger Junior fragte nach: „Nicht, dass ich den Text jetzt schlecht finde, aber sonst wollen Sie nichts machen?"

„Nein", antwortete Weinhold entschlossen, „denn Magazine wie *Nero* warten nur darauf, dass wir uns mit ihnen ein Wortgefecht liefern. Vertrauen Sie darauf, dass die Menschen im digitalen Zeitalter sehr vergesslich sind. Auf die Menschen prasseln jeden Tag hunderte von Meldungen ein. Der hysterische Schwarm ist in ständiger Bewegung. Anstatt ein Thema zu bekämpfen, muss man es untergehen lassen. In einem Monat erinnert sich niemand mehr daran. Einfach stur weitergehen. Befeuern Sie nicht die Diskussion, denn CIPE funktioniert, weil jeder schweigend hinnimmt, was CIPE vorgibt. Wenn Sie eine öffentliche Diskussion anheizen, dann wird das Schweigen gebrochen."

Dreißiger Senior richtete das Wort an Weinhold: „Weinhold, ich wollte Ihnen eine Chance geben, zu zeigen, wo Sie stehen. Die haben Sie genutzt. Und weil Sie nicht auf unserer Seite stehen, sind Sie ab sofort freigestellt."

„Papa, ich glaube...", aber ein Blick des Seniors genügte und sein Sohn war still.

Als Weinhold den Raum begleitet durch den Sicherheitsdienst verließ, wies Dreißiger Senior Folgendes an: „Die von Weinhold verfasste Stellungnahme geben wir noch heraus, aber dann will ich einen Pressechef, der *Nero* und allen anderen die Hölle heiß macht. Ich will gleich morgen früh ein Meeting mit Weinholds Vertreterin, der Rechtsabteilung und dem gesamten Vorstand."

IX

Ansorge, Robert und einige andere Bürgermeister aus dem Landkreis trafen sich beim Druckerwirt in Kleinaffing, einige Tage nachdem der *Nero* erschien. Welzel stellte ihnen einen separaten Raum zur Verfügung, damit Neumann oder andere CIPE-Spitzel eine freie Unterhaltung nicht unterdrücken konnten. Jeder hatte eine Ausgabe vom *Nero* dabei und war entsprechend aufgeheizt.

„Seht ihr's? KALIBER ist systematisch. Was dieser Typ hier gesagt hat, war nicht gelogen. Woanders machen sie es genauso", sagte einer der Bürgermeister.

„Ja, aber du hast doch gelesen, was CIPE geantwortet hat. Sinngemäß so viel wie *ihr hättet ja nicht darauf eingehen müssen*", hielt einer der anderen dagegen. „Da gebe ich denen recht. Wer zu blöd ist, den bestraft das Leben. Und wir waren zu blöd. Immerhin sind wir alle hier nicht erst seit gestern im Druckergeschäft."

Ansorge meinte dazu: „Da sind wir bei der klassischen Frage der Schuld: Ist es der, der alles mit einem macht, oder der, der alles mit sich machen lässt?“

„Da gibt es aber ein noch einen weiteren Faktor: wie ist die Macht verteilt? Nicht jeder kann oder ist bereit zu sterben, um sich zu wehren. Ich meine *sterben* im Sinne von wirtschaftlich untergehen. Ich habe mich auch auf anderen Plattformen registriert, aber die sind noch schlimmer. Ich wüsste momentan nicht, wie ich anders mein Geld verdienen sollte und damit meine ich die meisten meiner Wähler“, antwortete der Bürgermeister einer Gemeinde, die ausschließlich vom Drucken abhängig war.

„Das ist das Problem. Selbst wenn wir uns geweigert hätten, den Auftrag zu den unschönen Bedingungen anzunehmen: dann hätte es eben ein anderer gemacht“, meinte Robert. „Aber dann hätte ein anderes Druckernetzwerk den Auftrag an der Backe und unsere Kapazitäten wären für andere Geschäfte frei, die eben nicht auf Lager gehen. Wisst ihr, Wittig und Bäcker waren doch bei mir. Ich muss öfters an das denken, was Wittig gesagt hat. CIPE nutzt einfach eine Gesetzeslücke aus. Deswegen ist es auch richtig, dass wir Bürgermeister über die politische Schiene etwas machen. Die IG3D will die Wiedereinführung des Heimarbeitsgesetzes – das könnten wir doch unterstützen?“

„Dann wird der Dreißiger sagen, dass wenn die 3D-Druck-Heimarbeit zu stark reguliert wird, dann wandert die Arbeit ins Ausland ab“, kam es aus der Runde.

„Alles Spekulation. Wir müssen uns überlegen, was wir konkret machen. Wir können nicht so weitermachen, denn das wäre unser wirtschaftlicher Tod; die Zinsen fressen uns auf. Wir sollten jetzt Kittelhaus mit dem *Nero*-Bericht konfrontieren und das ganze Netzwerk, das an KALIBER arbeitet, muss einheitlich gegenüber CIPE ein Ultimatum stellen. Dann nehmen sie uns den Auftrag vielleicht weg, aber na bitte: sollen sie doch“, schlug Ansorge vor und überraschte alle mit seinem Kampfeswillen.

„Wie sehen die Abrufe bei euch aus?“, fragte Robert in die Runde. „Weiter bei Null?“

Alle nickten.

Robert schlug folgendes vor: „Wir schreiben an Kittelhaus. Ganz offiziell: wir bitten um eine offizielle Sitzung des Chamer Drucker-Netzwerks. Tagesordnungspunkte: erstens die Abrufproblematik und zweitens die Berichte des *Nero*-Magazins. Ziel der Veranstaltung muss sein, die weitere Vorgehensweise zu besprechen.“

„Absolut richtig. Aber das wird den Kittelhaus wahrscheinlich langweilen. Der druckt nicht. Der will bloß die Gewerbesteuerumlage für seine anderen Projekte“, meinte Ansorge.

„Bekommt er ja keine, wenn wir keinen Gewinn machen! Bei den Zinsen. Wir lassen ihn nicht so einfach davon kommen. Bei der Auftragsfeier, als der Dreißiger in Cham war, hat er sich als Schirmherr aufgespielt. Soll er das mal machen und sich für uns einsetzen", antwortete einer der anderen Bürgermeister und alle anderen signalisierten Zustimmung.

„Robert, setzt du den Brief auf?", fragte einer aus der Runde.

„Ich rufe meine Frau an. Die soll den schnell schreiben und hierher bringen. Dann unterschreiben wir ihn *hier und jetzt!* Nicht, dass es sich hier jemand über Nacht wieder anders überlegt. Wir sind uns im Klaren darüber, dass der Brief Ärger einbringt? Kittelhaus wird ihn an Pfeifer weiterleiten und dann kriegen wir alle Besuch. Für CIPE ist jede Form von Gegenaktion eine Revolte." Robert wollte das gleich klarstellen. Betretenes Schweigen unter den Versammelten war die Folge.

Robert telefonierte mit Maria und die machte sich gleich an den Brief, den sie nach einer halben Stunde zum Druckerwirt brachte. Dann lag das Schreiben vor den Bürgermeistern.

„So die Herren", fing Robert an, „da liegt er. Unterschreiben oder nicht. Wir unterschreiben, alle oder keiner. Wir müssen zusammenhalten."

Der Brief lag in der Mitte des Tisches und wurde von allen angestarrt, wie ein Tatwerkzeug, mit dem gerade ein Mord verübt wurde. Robert nahm den Brief und unterschrieb; danach unterschrieb Ansorge. Fehlten noch weitere fünf Unterschriften, aber allmählich entschieden sich alle dazu. Danach löste sich die Runde auf.

Robert nahm den Brief, ging nach Hause, scannte ihn ein und verschickte ihn per E-Mail an Kittelhaus und setzte das 3D-Druck-Netzwerk, das an KALIBER arbeitete, in Kopie. Das ganze Netzwerk. Noch am selben Abend erhielt Robert von vielen Dank und Zuspruch für die Initiative. Aber er wusste auch, dass er für Kittelhaus und Pfeifer damit der kommende Anführer einer Revolte war. Das würde er bald zu spüren bekommen.

X

„Dreißiger ist dümmer als ich dachte. Zumindest was Kritik betrifft", meinte Hornig zu Wittig drei Wochen später bei einem gemeinsamen Mittagessen in München. „Dem ist die Macht zu Kopf gestiegen."

„Warum genau?", fragte Wittig.

„Na ja: er gibt eine Pressemitteilung heraus, die alles abstreitet und so tut, als wenn das lächerlich wäre. So hätte ich es auch gemacht. Aber im gleichen Moment feuert er seinen Pressechef, widerspricht sich also. Es war also doch nicht alles lächerlich, denn sonst würde man sich in dieser Situation doch nicht von seinem Pressechef trennen. Ich meine: wir wissen es sowieso, aber die Öffentlichkeit..."

„Stimmt. Hast du sonst schon Reaktionen von CIPE auf die Septemberausgabe erhalten?"

„Nein, nichts. Aber meine Quellen sagen, dass CIPE etwas vorbereitet. Wie hat eigentlich der Bericht lokal eingeschlagen? Was gab's bei dir in Cham?", wollte Hornig wissen.

„Also...", begann Wittig, musste aber erst noch den Happen herunterschlucken, den er gerade im Mund hatte, „...in Cham...haben sich einige Bürgermeister mehr oder weniger durch deine Berichte beim Landrat beschwert. Dieser Robert Baumert war auch darunter. Dann gab es eine offizielle Versammlung des Druckernetzwerks, das an KALIBER arbeitet. Was ich gehört habe, wurde der Landrat gebeten, im Namen des Netzwerks bei CIPE eine Beschwerde einzureichen, weil nichts abgerufen wird aber gnadenlos weiterproduziert werden soll. Das hat der Landrat abgelehnt. Pfeifer - das ist der Regionalleiter - hat dann geredet und musste die Leute ziemlich eingeschüchtert haben. Zum Schluss kam es zu keiner einstimmigen Entscheidung über die weitere Vorgehensweise. Schade. Die Angst vor CIPE sitzt tief."

Hornig schüttelte den Kopf: „Das ist doch eine Mafia, oder? Wie lange glaubt der Dreißiger, dass er das mit den Leuten machen kann?"

„Ich schätze mal so lange, bis ihm das Gegenteil bewiesen wird. Das ist unsere Aufgabe."

„Was macht ihr als nächstes?", fragte Hornig.

„Die IG3D wird kommende Woche eine Demo vor der CIPE-Zentrale durchführen. Wir dürfen jetzt nicht mehr nachlassen. CIPE und deren miese

Praxis darf nicht mehr aus der Öffentlichkeit verschwinden, also brauchen wir im Abstand von einigen Wochen immer was Neues. Wie läuft es bei deinen verdeckten Ermittlern?", fragte Wittig.

„Die sind eingeschleust und offiziell Drucker. Das andere Team ist bei den Druckern im Landkreis Cham und sammelt Informationen. Übrigens: die Videoreportagen konnten wir bei zwei TV-Sendern unterbringen. Wird demnächst gesendet. Das sind die verdeckt aufgenommenen Gespräche mit den CIPE-Vertriebsleuten."

„Sehr schön. Weißt du, dass an dem Tag der Demo vor der CIPE-Zentrale der Chamer Landrat Kittelhaus dort zu Besuch ist?"

Hornig lachte: „Ach, wie schön. Ich werde bei der Demo auch dabei sein. Das möchte ich mir ansehen."

XI

Am 07.10.2041, dem Welttag für menschenwürdige Arbeit, versammelten sich etwa tausend Menschen vor der CIPE-Zentrale in München, um gegen die schlechten Arbeitsbedingungen der Drucker zu demonstrieren. Angeprangert wurden: schlechte Bezahlung, Mobbing gegen IG3D-Mitglieder, Kinderarbeit und die Betrugsmasche KALIBER.

Das fand ausgerechnet an dem Tag statt, an dem Landrat Kittelhaus in München war, um mit zwei anderen Kommunalpolitikern und dem bayerischen Ministerpräsidenten die Absichtserklärung (*Memorandum of Understanding*) zu unterschreiben, die bestimmte Landkreise und Regionen zu CIPE-Partnerregionen erklärte. Die CIPE-Strategie dahinter war, noch mehr in die wirtschaftliche Infrastruktur einzugreifen und staatliche Fördergelder abzugreifen.

Kittelhaus, Dreißiger und sein Sohn standen am Fenster und blickten auf die Demonstranten. „So eine Bande. Undankbar sind die", fluchte Dreißiger Senior. „Was meinen Sie dazu, Kittelhaus?"

„Sie haben recht, Herr Dreißiger. Sie tun alles, um die deutsche Wirtschaft wettbewerbsfähig zu halten. Was soll ich sagen? Wo wäre mein Landkreis ohne Sie? Ich wünschte mir auch mehr Demut unter den Druckern."

„So ist es, Kittelhaus. Ich habe gehört, dass sich bei Ihnen Widerstand gegen KALIBER regt?"

„Ach, das war nur die Hysterie wegen dieses *Nero*-Berichts."

„Das will ich hoffen. Sie arbeiten mit Pfeifer gut zusammen, damit die Leute wieder auf Kurs gebracht werden? Ich habe großes mit Ihnen vor, Kittelhaus."

„Herr Dreißiger: Die überwiegende Mehrheit ist Ihnen dankbar, aber die sind halt nicht so aktiv und lautstark, wie die paar Leute, die unzufrieden sind", antwortete Kittelhaus unterwürfig.

„Aber aber, Kittelhaus. Jetzt passen Sie mal auf, was gleich passiert. Auch die Freunde von CIPE können lautstark sein."

Auf einmal tauchte aus einer Seitenstraße eine Gruppe von etwa zweihundert Leuten auf, die Pro-CIPE-Transparente in die Luft hielten und ein Lied nach der Melodie von *Heil Dir im Siegerkranz* sangen:

Dreiß'ger wir danken Dir

Retter der Volkswirtschaft

Dank Dreiß'ger Dir

Mit Mut und großer Kraft

Hast Du uns Brot gebracht

Zukunft und Wohlstand

Dank Dreiß'ger Dir

Damit übertönten die Gegendemonstranten die IG3D-Leute, die sich nun auf dem Platz vor der CI-PE-Zentrale gegenüberstanden. Dreißiger nahm die Szenerie mit Genugtuung war. Natürlich wusste er, dass das gekaufte Statisten waren. Sein neuer Pressechef organisierte diese Gegendemo über eine Münchner Castingagentur. Das war die Form von Aktionismus, die der hyperaktive Dreißiger Senior erwartete. Seinem Sohn war die Aktion nur peinlich. Er warnte seinen Vater noch: „Papa, stell dir vor, einer von diesen Statisten redet. Wie peinlich wäre das? Die Schlagzeile lautet: *Dreißiger heuert Mietfans an*. Heißt: du hast keine echten Freunde. Mach das nicht!"

Dreißiger Senior war jemand, der jeden Widerstand gnadenlos bekämpfte. Damit hatte er bisher Erfolg und so sollte es auch weitergehen. Aber auch die IG3D war nicht komplett unbedarft: Wittig organisierte ebenfalls Profis, nämlich Choreographen von Großveranstaltungen, die die Anweisung hatten, die Unterzeichnung der Absichtserklärung zu verhindern. Etwa zwanzig IG3D-Demonstranten, ebenfalls angeheuert, gingen auf die Gegendemonstranten zu und auf Angriff über, wobei sie es bei Geschubse beließen. Damit lockten sie die etwa fünfzig Polizisten vom Eingang der CIPE-Zentrale weg. Weitere dreißig Aktivisten hatten nun die Aufgabe, die Zentrale zu stürmen. Nicht um wirklich jemanden zu verletzen, aber um Dreißiger eine Peinlichkeit beizubringen. Bäcker und Moritz, die auch auf der Veranstaltung waren, wussten von dieser Aktion nichts und waren völlig überrascht.

Wittigs Söldner waren erfolgreich: Die dreißig Aktivisten gelangten ins Gebäude und es dauerte mehr als eine Stunde, um alle zu finden und herauszubringen, da sie sich geschickt im Haus verteilten. Die Polizei schätzte die Lage deswegen als zu gefährlich ein und die Staatskanzlei sagte den Besuch des Ministerpräsidenten ab. Auch die Dreißigers und Kittelhaus wurden aus dem Gebäude geleitet.

Dreißiger Seniors Stimmung war deswegen auf dem Siedepunkt: „Das gibt es doch nicht. Wie konnten die das schaffen? Wir hatten Polizei und Sicherheitsdienst vor der Tür!"

Im Parkhaus angekommen, meinte sein Sohn zu ihm: „Wir sind jetzt unter uns: ich habe dir schon bei Weinhold gesagt, dass eine Deeskalationsstrategie richtig wäre. Wir müssen die Druckerbewegung umarmen, nicht bekämpfen. Es muss Druck vom Kessel gelassen werden. Trete in Verhandlungen mit den Leuten ein, anstatt auf Frontalangriff zu gehen. Wenn du dich zu einer Hassfigur machen lässt, dann mobilisiert das noch ganz andere Gegner. Unsere Kunden mögen zwar die für sie vorteilhaften unfairen Konditionen, aber wenn es hart auf hart kommt, dann distanzieren die sich von uns. Die Endmonteure haben nämlich keine Lust, ihre wertvollen Marken mit Schmuddelfreunden zu besudeln."

Aber der Senior blieb verstockt: „Junior! Erzähl mir nicht, wie ich mit den Leuten umzugehen habe. Ich habe das hier aufgebaut."

Der Junior schwieg daraufhin und fuhr seinen Vater in seine Villa nach Grünwald. Auf der restlichen Fahrt schwiegen beide. Junior verneinte auch, als sein Vater in bat, mit herein zu kommen und fuhr in seine Wohnung. Der Bruch ging nun auch durch die Familie Dreißiger.

XII

Die IG3D hielt einige Tage nach der Münchner Demo einen Informationsabend in Cham ab. Die Mitglieder des Druckernetzwerks, das an KALIBER arbeitete, wurden gezielt angeschrieben. Die E-Mail-Adressen gab eine der Druckerfamilien heraus, bei denen zwei *Nero*-Reporter gerade wohnten, um ihren Alltag zu beobachten. Somit kamen am Ende mehr als hundert Interessenten zu der Veranstaltung. Die von Hornig produzierten Fernsehreportagen taten ihr übriges, die Drucker zu mobilisieren. Auch Robert Baumert und Ansorge ließen sich dort blicken.

Auch Wittig sprach in Cham. Sein Vortrag begann mit: „Ihr wisst, ich habe damals gutes Geld gemacht mit dem Verkauf meines Geschäfts. Aber ich habe nicht an den Meistbietenden verkauft, sondern an den, der einen fairen Preis und meinen Mitarbeitern auch eine gute Perspektive bieten konnte. Und darüber möchte ich heute reden: über unternehmerische Verantwortung." Wittig redete über Geben und Nehmen, dass nachhaltiges Unternehmertum und wirtschaftlicher Erfolg keine Widersprüche seien, dass CIPE eine rein negative Sichtweise predigen würde, dass also faire Preise zum volkswirtschaftlichen Ruin führen würden und argumentierte mit der Binnennachfrage, die durch gute Gehälter überproportional gesteigert würde. KALIBER bezeichnete er als ein Instrument der Ausbeutung.

Im Anschluss an Wittigs Vortrag kamen kritische Fragen aus dem Publikum - einer fragte: „Wir haben davon gelesen, dass Sie bei der Demo in München die CIPE-Zentrale gestürmt haben. Ist die IG3D eine militante Gruppierung?"

„Die Gegendemonstranten - soweit wir wissen - waren angeheuerte Leute. Zwei oder drei der Gegendemonstranten gaben das bei der Polizei zu, als sie wegen des Handgemenges befragt wurden. CIPE hatte also gezielt durch den Einsatz von Claqueuren provoziert. Letztendlich wurde ja keine Gewalt ausgeübt - es wurde niemand verletzt. Aber es gelang, eine Absichtserklärung zu verhindern, die den absoluten Würgegriff für diese Region bedeutet hätte. Ihr Landrat Kittelhaus wollte es unterzeichnen, ohne sich mit Ihnen darüber abzustimmen", antwortete Bäcker. „Wir haben uns für Ihre Interessen in Gefahr begeben."

Wittig war beeindruckt von Bäckers Antwort. Dafür, dass er von der Aktion nichts wusste und auch nicht wirklich mit ihr einverstanden war, holte er alles aus ihr heraus.

Nach der Frage-und-Antwort-Runde stellte Moritz als letzten Punkt des Abends sein Notfallteam vor: „Guten Abend, liebe Gäste. Mein Name ist Moritz Jäger. Ich bin ehemaliger Bundeswehrsoldat und kehrte vor einigen Monaten nach etwa zehn Jahren in meinen Heimatort Kleinaffing zurück. Manche von Ihnen kennen mich vielleicht sogar, zumindest habe ich einige bekannte Gesichter im Saal entdeckt. Ich war erschrocken über die Art und Weise, wie CIPE mit den Druckern umgeht und ich denke, dass ich als Außenstehender in Sachen 3D-Druck diese Beobachtung vielleicht am besten machen konnte. Die Vogelperspektive und dazu den Kontrast von zehn Jahren Abwesenheit. Was ist mir aufgefallen? Früher wurde auch viel gearbeitet; vor allem die Landwirte. Aber es lief geregelt ab, die meisten waren angestellt, es gab planbare Arbeitszeiten und eben auch planbare Freizeit. Das ist heute alles weg. In den Gaststätten entschuldigen sich viele Leute, wenn sie mal nicht vor ihren Druckmaschinen stehen und einfach mal mit Freunden ein Bier trinken wollen. Wer in den Urlaub fährt, wird schief angesehen. Familien, deren Kinder statt mitzuarbeiten auf dem Spielplatz tollen, gelten entweder als reich oder asozial. Dazwischen gibt es nichts mehr. Dreißiger treibt mit seiner modernen Sklaverei namens CIPE ein perverses Spiel: als die Wirtschaft 2029 völlig am Boden lag, da kam er aus der Sonne wie der Messias und verkaufte den 3D-Druck als Arbeitsbeschaffungsmaßnahme. Die Wirtschaft hat sich mittlerweile erholt, der Exportwahn ist überwunden, aber CIPE ist geblieben. Es hat das ganze Land in eine Arbeitshölle verwandelt. Ganze Dörfer und Landstriche, die aus der Ferne idyllisch aussehen, sind in Wahrheit eine einzige Fabrik, ihre Bewohner lichtscheue Kreaturen. Die IG3D macht sich stark dafür, dass die Plattformökonomie für die Menschen funktioniert und nicht umgekehrt. CIPE, natürlich, arbeitet gegen die IG3D und alle, die sich ihr anschließen und sich organisieren wollen. Aus diesem Grund haben wir uns entschlossen, nicht nur medial aktiv zu werden, sondern sie auch vor Ort zu unterstützen. Ich wurde im Speziellen beauftragt, ein Notrufteam aufzubauen, dass zu Ihnen kommt, wenn CIPE sein Überfallkommando auf Sie hetzt und Sie mit ständigen Betriebs- und Qualitätsprüfungen gängelt, aus welchen Gründen auch immer – wir kennen alle Mobbingmethoden. Das Notrufteam funktioniert so: Sie rufen an, wenn eine unangekündigte Prüfung durch CIPE stattfindet. Wir kommen und helfen Ihnen, die Prüfer wieder vom Hof zu bekommen. Wir sind vom ersten Moment an auch mit der Kamera dabei und das mögen diese Leute überhaupt nicht. Im Team sind auch rechtlich und technisch geschulte Leute, die den CIPE-Schergen Paroli bieten werden. Damit schaffen wir ein ausgeglichenes Kräfteverhältnis und damit kommt CIPE nicht klar, denn die gesamte Organisation ist auf Angst und Demut aufgebaut. Dieser Dienst ist für Sie kostenlos und Sie müssen kein Mitglied sein, um ihn in Anspruch zu nehmen. Natürlich freut sich die IG3D über weitere Mitglieder und Spenden, denn kostenlos ist dieser Notruf für die IG3D nicht. Als ehemaliger Soldat bin ich geschult darin, solche Einsätze zu planen und durchzuführen. Ich war bei unterschiedlichen Friedens- und Sicherungsmissionen im Ausland dabei und hatte es mit bewaffneten Horden der schlimmsten Sorte zu tun. Aber so etwas fieses wie CIPE ist mir bisher nirgendwo begegnet. Gemeinsam aber werden wir auch mit CIPE fertig. Vielen Dank."

Die Rede war gut. Zunächst klatschten nur wenige, weil die Idee des Notrufteams außergewöhnlich war und die meisten nicht so recht wussten, wie sie es aufnehmen sollten, aber dann gab es lautstarken Applaus. Aus dem Publikum kamen natürlich Fragen, wie *Sind Sie bewaffnet bei den Einsätzen?* („Nein"), *Gibt es das Notrufteam in ganz Deutschland?* („Nein, erstmal nur im Landkreis Cham"), *Ist das legal?* („Ja"), *Wie wird CIPE reagieren?* („Verärgert"), *Ab wann ist das Team einsatzbereit?* („Ab sofort"), *Kommt man dann ins Fernsehen oder ins Internet?* („Nur nach Absprache, wenn Sie einverstanden sind") oder *Wie stark ist das Notrufteam?* („Mindestens drei Männer").

Nach der letzten Rede – der von Moritz – gab es noch einen Agendapunkt in eigener Sache: die IG3D stellte ihr neues Logo vor. Es war ein Dreieck, das den Schriftzug IG3D in sich trug.

Bäcker erklärte: „Diese Logo ist einfach und leicht zu merken und zu reproduzieren. Das Dreieck symbolisiert ein Haus und nimmt dabei das Thema *Heimarbeit* auf, denn um die geht es: die Heimarbeiter. Zudem ist das Logo sehr ähnlich dem einer früheren Gewerkschaft im Metallbereich, die zwar nicht mehr existiert, die aber für die Arbeiter viel getan hat. An ihr Erbe wollen wir anknüpfen."

Als der formale Teil der Versammlung beendet war, ging Robert auf Moritz zu: „Das mit deinem Notfallteam wird Ärger geben. Mit Sepp. Du weißt ja, dass Sippenhaft gilt. Und ich werde auch bald massiven Ärger bekommen, aber das ist schon in Ordnung. Ich finde es gut, was du da vorhast. Vielleicht musste jemand von außen kommen, der hier Unruhe reinbringt."

Etwas abseits nahm Bäcker Wittig auf die Seite: „Wir haben in Kleinaffing einen Drucker gefunden, der vielleicht die Klage gegen CIPE macht."

„Sehr gut", sagte Wittig, „können wir uns mit ihm treffen?"

„Ja, aber mach dich auf etwas gefasst. Bei denen geht die Frontlinie quer durch die Familie. Als Moritz und ich bei denen waren, war das wie im Kriegseinsatz. Der alte Hilse wollte uns schon rausschmeißen. Ist ein ehemaliger Polizist."

„Gut, verstehe. Dann mach doch einen Termin und ich komme dann mit dem Anwalt dazu. Schick mir die Adresse."

XIII

Gottlieb Hilse wurde von seiner Frau Luise gepiesackt, weil er nichts machen wollte gegen das miese KALIBER-Spiel, das CIPE trieb. Sie war gut informiert und las den Bericht im *Nero*, der bei ihr die letzten Zweifel ausräumte. Nun saß sie mit ihrem Gottlieb, dessen Vater und Mutter sowie Bäcker, Moritz, Wittig und dem Anwalt im Wohnzimmer. Der Anwalt erklärte Gottlieb, dass seine

Klage dazu dienen würde, die Auftraggeber zu einer Abnahme der bestellten Druckerzeugnisse zu zwingen; weiters wolle man mit der Klage die CIPE-AGB kippen und für die Zinsen, die CIPE für die Vorlage und den Umsatzausfallkredit verlangte, Schadenersatz.

„Aber was sind meine Risiken. CIPE wird mich sperren. Von was leben wir dann? Ich kann nichts anderes. Kfz-Mechaniker brauchen's ja keine mehr, weil bei den Elektroautos viel weniger zu machen is'", wandte Gottlieb ein.

„Leben? Nennst du das leben? Schau dir unser Kind an. Die setzt du regelmäßig vor diese verfluchten Druckerkästen! Da lebt man ja von der Stütze besser", rumpelte Luise los.

„Stütze? Unsere Familie hat noch nie von Almosen gelebt. Niemals darf das passieren", hielt der alte Hilse dagegen.

Bäcker versuchte Mut zu machen: „Herr Wittig ist bereit, Ihnen finanziell unter die Arme zu greifen und wir werden Ihnen im schlimmsten Fall auch helfen, neue Jobs zu bekommen. Aber eine Armee von Druckern wird Ihnen dankbar sein."

„Da sind doch auch nur Almosen", seufzte der alte Hilse.

„Sei doch du mal still! Hast doch auch vom Staat gelebt", fauchte ihn Luise an.

„Ich war Polizist und hab mein Leben für die anständigen Leute in Gefahr gebracht – für wenig

Gehalt. Dafür darf ich doch wenigstens Respekt erwarten", erwiderte dieser.

„Ach du...klingst ja wie der Pfarrer. Wo ist denn die Polizei, wenn es darum geht, die kleinen Leute vor so was wie CIPE zu schützen? Da macht ihr nichts!" Dann wandte sich Luise an den Anwalt: „Wie stehen unsere Chancen?"

„Hundertprozentigkeit kann ich nicht versprechen. Das wäre unseriös. Aber sie stehen gut. CIPE kam bisher einfach durch, weil sich niemand zu klagen traute und nicht, weil sie absolut im Recht sind. Gleichzeitig wird die IG3D versuchen, aus ihrer Klage eine Art Musterklage zu machen, indem wir Heimunternehmer zu Verbrauchern erklären", meinte der Münchner Anwalt. „Aber dieses Konstrukt ist sehr komplex und schwierig. Wir argumentieren hier damit, dass die Drucker auf CIPE meistens unerfahren in der Selbständigkeit sind und man sie Verbrauchern damit gleichstellen kann. Dann ist die Musterklage möglich und wir können allen Heimunternehmern helfen."

„Gottlieb. Mach das nicht. Am Ende stehen wir mit leeren Händen da", mahnte der alte Hilse seinen Sohn. „Gegen die Großen hat noch niemand gewonnen."

Wittig schaltete sich nun ein: „Das stimmt so nicht. In der Vergangenheit konnten sich Verbraucher oder Kleinunternehmer immer wieder gegen vermeintliche Riesen durchsetzen und wir haben eine der bekanntesten Anwaltskanzleien in

Deutschland beauftragt. Sie tragen keine Kosten des Verfahrenes – das bekommen Sie schriftlich."

Im Hintergrund klagte der alte Hilse weiter (*Almosen, Almosen*), wofür er von seiner Schwiegertochter Luise immer wieder angefaucht wurde. Die bedrängte ihren Gottlieb (*Mach es, sonst mach ich es!*) und hielt dann eine Ansprache: „Diese 3D-Druckerei ist ein Höllengeschäft. Man kommt sich vor wie ein Sklave. Das Kind kommt kaum vor die Tür. Und obwohl wir praktisch pausenlos drucken, weiß ich oft nicht, wie ich die Rechnungen bezahlen und genügend Essen herbeischaffen soll. Was ist das für ein Leben? Ich hatte schon eine Fehlgeburt wegen des Kummers. Wenn sich alle Drucker nur organisieren würden und gemeinsam ihre Forderungen stellten! Mindestlöhne, Urlaub, Rente. Aber dann schauen Sie sich doch hier in dem Raum um: der Schwiegervater redet wie ein Hofprediger und hofft auf eine glückliche Fügung, die nie kommen wird."

„Ich helfe Ihnen gerne über die Runden. Hier ist ein Scheck über 25.000 Mark." Wittig gab den Scheck Mielchen, der Tochter von Gottlieb und Luise. „Da, bring ihn der Mama." Die Kleine begriff nicht ganz, was hier vor sich ging, aber sie spürte, dass es wichtig war, denn der Blick ihrer Mutter hing an dem Scheck wie der des Hungernden an einem Stück Brot.

Der alte Hilse stand auf, beziehungsweise versuchte es, denn er hing an einem Sauerstofftherаpiegerät. „Gib den Scheck zurück! Den nehmen wir nicht“, hustete er.

Luise sah ihren Schwiegervater an und sprach mit der ruhigen Stimme eines Profikillers kurz vor dem Abschluss: „Setz dich wieder hin...oder ich schalt dir dein Gerät ab. Mielchen, bring den Scheck. Vielen Dank, Herr Wittig. Und du Gottlieb, du wirst diese Klage einreichen. Allerdings erwarten wir Garantien, Herr Wittig. Wenn wir uns für ihre Offensive hergeben, auch wenn es letztlich für uns ist, müssen wir abgesichert sein.“

Der Anwalt sagte: „Herr Wittig ersetzt Ihnen den nachweislichen Schaden, der Ihnen durch die Klage entstanden ist und übernimmt alle anwaltlichen Kosten, die Ihnen entstehen, um Ihre Rechte in diesem Zusammenhang durchzusetzen. Sie kriegen von mir entsprechende Erklärungen. Ich benötige sowieso einige Unterschriften von Ihnen, damit ich für Sie die Klage einreichen und Sie anwaltlich vertreten darf.“

Wittig sah Gottlieb und Luise an: „Sind wir uns einig? Die 25.000 Mark sind übrigens geschenkt.“

Der alte Hilse wollte nicht aufhören: „Gottlieb, nicht!“ Seine Frau, Gottliebs Mutter, schwieg die ganze Zeit.

Aber nun fuhr Gottlieb dazwischen: „Vater, hör auf bitte. Wir müssen jetzt was machen. Luise hat recht. Wir sind auch so bald ruiniert. Das ist jetzt die Chance.“

Der alte Hilse lies seinen Kopf sinken – er fiel kraftlos in sich zusammen.

Luise klopfte ihrem Mann auf die Schulter: „Gut so. So ist es richtig. Und jetzt gehe ich auf die Bank und zahle den Scheck ein. Mach du den Schriftkram mit dem Anwalt. Komm Mielchen, wir ziehen uns an und dann gehen wir gleich einkaufen. Wird Zeit, dass endlich mal wieder etwas Anständiges auf den Tisch kommt."

Bäcker und Moritz erklärten Gottlieb dann das Notrufteam, denn Pfeifer, Neumann und die anderen Häscher würden bestimmt bald auftauchen und die Familie unter Druck setzen. Wittig meinte, dass er vielleicht auch Reporter vom *Nero* hier platzieren könnte – die Anwesenheit der Medien sei ja auch ein wirksamer Schutz. Gottlieb Hilse meinte, dass das Luise entscheiden solle und die würde fragen, was sie dafür bekäme, die Reporter hier auszuhalten. Wittig meinte dazu, dass der Inhaber des *Nero* sicherlich etwas bezahlen werde. Der Anwalt bereitete während dieser Gespräche die Vollmachten und Erklärungen vor und druckte sie an seinem mobilen Drucker aus, den er im Auto hatte. Er kehrte mit einem ganzen Stapel an Papieren zurück und ging diese am Esstisch mit Gottlieb durch. Bäcker und Moritz blieben im Wohnzimmer sitzen, während Wittig sich langsam auf den Weg zurück nach Cham machte.

Beim Hinausgehen lief Wittig Luise entgegen, die mit Mielchen vom Einkauf zurückkehrte. Voller Bewunderung sagte sie zu Wittig: „Mein Gott.

Sie sind wirklich ein Engel. Ich habe schon fast die Hoffnung aufgegeben, dass da mal jemand kommt und diesem Dreißiger die Stirn bietet. Ihr Scheck war ehrlich gesagt unsere letzte Rettung. Vielen Dank nochmal."

„Ach, das habe ich doch gerne gemacht. Mein Respekt gilt Ihnen. Sie sollten bei der IG3D aktiv werden. Die brauchen aktive Frauen. Und Sie haben die Energie und können reden. Und Sie sind eine Druckersfrau und Mutter. Sie stehen symbolisch für das Schicksal so vieler."

„Meinen Sie?"

„Na hören Sie! Ich konnte doch Ihren Auftritt gerade miterleben. Sie haben, ohne es zu wissen, die Ziele der IG3D zitiert. Denken Sie mal darüber nach. Ich rede mit Bäcker darüber. Übrigens, ich telefoniere gleich mit einem Verleger. Der bringt Sie groß raus. Wenn Sie gestatten, dass er hier zwei Reporter unterbringt, dann haben Sie hier auch den Schutz der Medien. Den brauchen Sie auch, wenn der Sheriff von Nottingham seine Hunde auf Sie hetzt."

„Der wer?"

„Ich meine Pfeifer. Von CIPE. Der wird Druck machen."

„Ach so. Ja...wie viel Druck denn?"

„Sehr viel. Der wird versuchen, Sie aus CIPE rauszuschmeißen. Aber das wissen Sie bereits. Sie kennen ja Bäckers Schicksal."

„Ja. Aber meinen Sie, die würden uns etwas antun?“

„Nein. Sicherlich kein Killerkommando. Außerdem wird Moritz Jäger über Sie wachen. Wir haben doch den Selbstschutz für bedrängte Drucker aufgebaut.“

„Herr Wittig. Sie sind wirklich der Rächer der Unterdrückten.“

„Jetzt schmeicheln Sie mir aber. Und wegen der Reporter: ich werde Hornig, so heißt der Verleger, sagen, dass er Ihnen eine ordentliche Unkostenpauschale geben soll, solange die Reporter bei Ihnen wohnen. Aber das wird im Geheimen stattfinden. Sagen Sie niemandem, dass die Reporter kommen. Und wenn die Reporter aus Ihrer Geschichte etwas machen können, was es in das Magazin und in das Fernsehen schafft, dann bekommen Sie noch eine Prämie.“

„Ach, das wäre schön.“

„Machen Sie es gut. Sie können mich über den Anwalt erreichen, sollte irgendwas sein. Ansonsten halten Sie sich an Herrn Jäger, wenn Sie Hilfe brauchen. Und machen Sie Ihrem Mann weiter Dampf. Nicht nachlassen!“

„Das verspreche ich Ihnen, Herr Wittig.“ Luise machte fast einen Knicks und sah Wittig lange nach, wie er in seinen Mercedes stieg und vom Hof fuhr.

„Ha, Mielchen? Des ist ein fescher Mann!“

„Ja, Mama. So einen Mann möchte ich mal heiraten“, sagte Mielchen.

XIV

Robert und Maria saßen gerade in der Wohnküche bei einem Kaffee und unterhielten sich über Dies und Das. Aus dem Fenster sah Maria, dass Sepp und zwei andere auf ihr Haus zugingen: „Da schau her; wir kriegen Besuch. Der Sepp und ich glaub' der Neumann. Den Dritten kenne ich nicht.“

Robert schaute nun selbst aus dem Fenster und erkannte den Dritten: „Öha, der Pfeifer. Was die wohl wollen? Wahrscheinlich, weil der Ansorge und ich letztens bei der IG3D waren.“

Kurz darauf klingelte es an der Tür und Robert ließ die Besucher herein und führte sie in die Küche, wo er seine Frau vorstellte, die Pfeifer noch nicht kannte.

„Was gibt es?“, fragte Robert.

„Pfeifer möchte mit dir darüber reden, dass es hier einige unschöne Tendenzen gibt und Kleinaffing scheint ein Hotspot zu sein“, führte sein Bruder ein.

„Richtig, Herr Baumert. Ihr Cousin Moritz Jäger, Bäcker, Sie bei der IG3D in Cham, Kreisrat Reimann, mit dem Sie sich gut verstehen, der Brief an Landrat Kittelhaus...was ist hier los?“, fragte Pfeifer.

Robert musste sich zusammenreißen. Was erlaubten diese Leute sich? „Ich frage mich gerade, was ich antworten soll. Momentan tendiere ich dazu, euch alle gleich wieder rauszuwerfen“, antwortete Robert.

Pfeifer lehnte sich nach vorne: „Wir wollen wissen, was Sie vorhaben. Findet hier eine Revolte gegen KALIBER statt?“

Sepp fühlte sich äußerst unwohl in der Situation: „Robert. Wenn du ein Problem mit KALIBER hast, dann bringe es jetzt auf den Tisch.“

„Pfeifer und Neumann wissen genau, was das Problem ist. Wir produzieren, es wird nichts abgerufen, die Zinsen für die Vorlage und den Umsatzausfallkredit fressen uns auf. Wie oft noch?“

„Und ich habe Ihnen und Ihren anderen Bürgermeisterkollegen schon gesagt, dass das Geschäft konform mit unseren AGB geht. Die Auftraggeber dürfen die Auslieferung verzögern. Sie haben mit KALIBER einen Auftrag, der Sie über Jahre auslastet. Was ist Ihr Problem?“, wollte Pfeifer wissen.

„Die Frage ist, ob Ihre AGB konform mit dem Gesetz gehen. Sie haben doch den Bericht im *Nero* gelesen. Ihre Vertriebsleute gehen ja auch von einer Grauzone aus“, warf Maria ein.

„Wollen Sie es auf eine juristische Kraftprobe ankommen lassen?“, fragte Pfeifer mit einem aggressiven Ton.

„*Schluss!* Sie machen meiner Frau keine Angst. Gehen Sie. Sofort!“ Robert wurde laut.

„Das solltest du nicht tun, Robert. Ich würde nämlich gerne mit dir einen Termin für die Betriebsprüfung vereinbaren. Nach den AGB dürfen wir auch unangemeldet kommen“, sagte Neumann.

„Gut, dann mach die Betriebsprüfung. Mir doch egal. Herr Pfeifer, Neumann. Da ist die Tür.“ Robert machte eine Geste die eindeutig ausdrückte: *Raus!*

„Wir gehen. Aber ich weiß jetzt, wo das Widerstandsnest ist“, zischte Pfeifer und ging mit Neumann hinaus, begleitet und überwacht von Robert. Sepp blieb schweißgebadet in der Küche sitzen.

Als Robert wieder zurück kam, fragte er: „Sepp, was sollte das gerade?“

„Das weißt du ganz genau. Die haben mir mit Rauswurf gedroht. Wegen euch! Ich habe dann gesagt, dass wir erst zu dir gehen sollten, um das aufzuklären, aber das lief ja fantastisch.“

„Was erwartest du denn? Dass ich mich vor Pfeifer in den Staub werfe? Bleib du jetzt mal hier. Ich rufe Moritz an, der soll herkommen. Wir müssen als Familie da zusammenstehen.“

Moritz war nach etwa einer Stunde da und ließ sich erzählen, was passiert war. Für ihn war das nicht überraschend, waren die Methoden von CIPE doch berüchtigt.

Sepp war mit den Nerven am Ende: „Alles, seitdem du da bist. Warum musstest du zurückkommen und Ärger machen. Wir leben von CIPE."

„Ach hör auf Sepp. Du funktionierst doch nur in dem Laden. Was ist mit den Leuten, die CIPE fertig gemacht hat? Die sind dir doch Wurscht. Jetzt siehst du mal, wie das ist. CIPE ist ein totalitäres System. *Sippenhaft*: wo leben wir denn!?", antwortete Moritz.

„Sorry, Sepp, aber ich stimme Moritz zu", ergriff Robert nun Partei. „Wir Drucker, und deine Frau gehört auch dazu, kommen mit KALIBER unter die Räder. Und dieses Gelaber von wegen *CIPE hat Deutschland gerettet* kann ich nicht mehr hören. Der Dreißiger hat damals eine Situation ausgenutzt und missbraucht jetzt seinen Retter-Mythos, um alles und jeden auszubeuten. Und ich bin auch schuldig, weil ich mich von Kittelhaus habe bequatschen lassen. *Kittelhaus.* Der sonnt sich doch in einer angeblichen Freundschaft mit Dreißiger, als ob der irgendwas auf einen gschissigen Landrat gibt. Wir müssen das jetzt angehen. KALIBER muss neu verhandelt werden. Fertig. Such dir einen Anwalt, wenn CIPE dich mobbt oder sogar rauswirft. Da müssen wir jetzt durch. Wir sind lange von CIPE verschont geblieben, aber jetzt sind wir im Blick dieser Verbrecher. Irgendwann musste es kommen."

Moritz klopfte seinem Cousin auf die Schulter: „Sepp. Der Wittig hilft dir. Soll ich ihn fragen?"

Sepp wischte Moritz' Hand energisch von der Schulter: „Ach hört doch auf. Wegen eurer Minirevolution bin ich bald arbeitslos. Und meine Frau auch. Ich geh jetzt."

Maria wollte Sepp noch abhalten, aber der staubte zur Tür hinaus und ließ Robert und Moritz zurück.

Moritz sah Robert an: „Denkst du auch, es ist alles meine Schuld?"

„Nein! Wir alle sind schuld. Wir haben es geschehen lassen und immer brav mitgemacht. Der Sepp ist auch nicht ganz uneigennützig. Dem geht es jetzt um *seine* Haut. Der hat eine gut bezahlte Anstellung bei CIPE, also den Sechser im Lotto. Die Felle sieht er jetzt davon schwimmen und schlägt wild um sich. Das werde ich ihm demnächst mal vorhalten, wenn er wieder ankommt. Als sie Bäcker und andere bei CIPE rausgeschmissen haben, da hat sich Sepp nicht so stark gemacht, obwohl die damit auch ihre Existenzgrundlage verloren haben. Aber dennoch solltest du aufpassen, inwiefern du andere mit in die Sache reinziehst."

Moritz nickte und sagte: „Da kommt bald noch mehr. Einer aus dem Dorf wird gegen CIPE klagen. Dann wird sich die ganze Wut Dreißigers gegen dieses Dorf richten."

„Na wunderbar", reagierte Robert und schlug die Hände über dem Kopf zusammen. „Schau Maria: du wolltest, dass was passiert. Zufrieden?"

„Ich sehe das nicht so dramatisch. Was kann denn passieren? Wir verlieren KALIBER? O.K. Dann ruiniert sich ein anderer mit dem Auftrag. Aber wenn die Klage durchgeht, dann profitieren wir alle", antwortete Maria.

Robert winkte ab: „Du und der Moritz, ihr könnt euch zusammentun. Ich gehe jetzt wieder zu meinen Maschinen."

„Ich pack's auch wieder", sagte Moritz. „Ich muss heute noch was erledigen." Er schüttelte Robert zum Abschied die Hand, drückte Maria und fuhr davon.

XV

Einen Tag später trafen sich Wittig, Bäcker und Moritz beim Druckerwirt. „Habt ihr das schon von dem Brandanschlag auf das Büro von Pfeifer gehört? Das ist doch auch in Cham, oder?", fragte Bäcker.

„Ja. Da hat gestern Nacht einer einen Brandsatz durchs Fenster geworfen. Ein guter alter Molotowcocktail. Gelobt gehören die...oder der", sagte Moritz. „Das blöde Gesicht von Pfeifer war heute in der Zeitung. Kittelhaus natürlich ganz entrüstet und solidarisch. Der will Pfeifer ein Ersatzbüro im Landratsamt geben. Passt ja auch. Der Pfeifer ist doch eh der wahre Landrat."

„Wisst ihr, wer das war?", wollte Wittig wissen. Aber Bäcker und Moritz schüttelten den Kopf.

„Es gibt genügend, die einen Grund haben", bemerkte Moritz und erzählte, was gestern Nachmittag bei Robert Baumert los war.

„Da müssen wir aufpassen, dass jetzt hier keine blindwütigen Aktionen passieren. Wir müssen das ganz genau planen, wann und wo etwas passiert. Also wenn ihr doch eine Ahnung habt, wer das gemacht hat, dann sagt den Leuten, dass sie das unterlassen sollen. Wir wollen ja die Sympathien der Bevölkerung für die Drucker gewinnen", mahnte Wittig und fuhr fort: „Übrigens: Hornig schickt heute Abend zwei Reporter zu den Hilses. Ist alles geklärt. Die bleiben dort jetzt und dokumentieren alles. Ist aber geheim. Also nicht herumerzählen. Die Klage von Hilse gegen CIPE wird bald an das zuständige Gericht geschickt, was heißt, dass die Hölle demnächst über denen ausbrechen wird. Also: haltet euch bereit."

XVI

Und so kam es auch. Wenige Tage nachdem die Klage eingereicht wurde, etwa Mitte November 2041, standen frühmorgens Pfeifer, Neumann sowie die Qualitätsprüfer Förster und Kutscher vor der Tür der Hilses. Die Reporter waren im zweiten Stock und beobachteten die Vorgänge über die versteckt platzierten Kameras, die sowohl innen als auch außen angebracht waren. Die Reporter rechneten anfänglich sowohl mit einem Besuch der Prüfer, aber auch mit Sabotage, wie Farbbeutelwürfe oder andere Hauswandbeschmierungen, die CIPE in Auftrag geben würde. Diesen Leuten traute man mittlerweile alles zu. Die Außenkameras sollten genau das aufzeichnen. Nun zeichneten sie aber den offiziellen *Dawn Raid* der CIPE-Mitarbeiter auf, wie man polizeiliche Durchsuchungen im Morgengrauen im Anwaltsjargon nannte – es versprach interessant zu werden. Gut verwertbar waren zum Beispiel Pfeifers markige Sprüche wie *Wir haben verstanden, dass ihr nicht mehr für CIPE arbeiten wollt. Jetzt klären wir erstmal die Konten* oder *Ihr wolltet es ja nicht anders.* Mit seinem schwarzen Ledermantel sah er aus, wie ein Bösewicht aus einem Hollywood-Film. Die Reporter rieben sich die Hände. Luise Hilse rief den jägerlichen Notruf und Moritz sagte sein sofortiges Kommen zu. Sie bat Pfeifer und die anderen ins Haus, damit die Nachbarn nicht zu viel mitbekamen. Die Reporter stellten die Mikrofone im Hausinneren an, um die Gespräche aufzuzeichnen.

Pfeifer war so anmaßend, wie man es von einer CIPE-Führungskraft erwarten konnte – er legte jetzt richtig los: „Ihr habt uns doch erwartet, oder? Tut doch nicht so überrascht. Der gute Herr Dreißiger gibt euch Arbeit und ihr kleinen Fische verklagt ihn. Seid ihr wahnsinnig?"

Die Gruppe bewegte sich ins Wohnzimmer, wo der alte Hilse auf der Couch saß, seine Sauerstoffmaske auf dem Gesicht tragend. Er erschrak bei Pfeifers Anblick.

Pfeifer sah ihn und sagte: „*Da*. So seht ihr auch bald aus, wenn wir mit euch fertig sind. Jetzt holt mal alle Akten raus, damit wir euch eure miesen Machenschaften nachweisen können. Ihr habt keine Chance. Wir machen euch fertig."

Der alte Hilse bekam das mit und japste: „Ich… ich hab's dir gesagt. Gottlieb. Ich hab's dir gesagt."

„Ist gut, Vater. Wir haben gute Anwälte", antwortete Gottlieb.

Pfeifer drehte sich um: „Ha, *gute Anwälte*. CIPE hat immer bessere. Wir löschen euch aus! Ihr bekommt nirgendwo mehr Arbeit! Dann könnt ihr im Container wohnen, mit den Asylanten! Die freuen sich schon auf euch!"

Das war zu viel für den alten Hilse. Er griff sich an die Brust und krümmte sich zusammen. Er stöhnte noch: „…fünfzig…fünfzig Jahre Polizist… und das…ich…“ Dann war es zu Ende.

Gottlieb rief den Notruf und versuchte erste Hilfe zu leisten: „Er hat's am Herz! Gehen Sie raus.“

Aber Pfeifer blieb eiskalt: „Wir machen hier unsere Arbeit. Sie können ja das Elend hier verwalten. Weitermachen, Männer!“

Die kleine Mielchen war wie erstarrt: „Was… was ist mit dem Opa?“

Luise nahm sie zur Seite: „Der Opa muss zum Arzt. Da wird alles gut. Komm, mir gehen in die Küche.“

Währenddessen versuchte Gottlieb seinen Vater zu retten. Die Mutter war beim Semmelnholen und bekam die Szene Gott sei Dank nicht mit.

Die Reporter nahmen das alles auf: besser ging es nicht. Das wahre Leben schrieb noch immer die unglaublichsten Geschichten. Und es sollte noch besser werden, denn auf dem Hof erschien ein Auto mit drei Männern, darunter Moritz Jäger. Es war das Notfallteam! Sie klopften an die Türe und wurden von Luise eingelassen und informiert. Dann ging Moritz mit den anderen - einer hatte eine Kamera in der Hand - ins Wohnzimmer, wo Pfeifer, Neumann und die beiden Qualitätsprüfer waren.

Neumann klärte Pfeifer auf, wer das war, und Pfeifer sagte: „Ah, Sie sind also das schwarze Schaf im Dorf. Der Herr Jäger."

Moritz antwortete: „Richtig. Ich bin der Jäger, der kommt, und Sie sind der Pfeifer, der geht. Sie haben doch verstanden, dass hier ein medizinischer Notfall vorliegt und Sie behindern die Ersthilfe und verweigern eigene Hilfeleistungen. Wir werden Anzeige erstatten. Und jetzt gehen Sie, wie es der Hausherr gesagt hat, oder müssen wir nachhelfen?"

Pfeifer plusterte sich auf: „Starke Worte von einem Zivilversager."

„Sie weigern sich also zu gehen?"

„Ich gehe, wenn wir fertig sind."

„Gut. Dann mache ich Sie darauf aufmerksam, dass Sie gerade Hausfriedensbruch und andere Straftaten begehen und meine Männer und ich werden Sie jetzt hinausgeleiten. Thomas, ruf bitte die Polizei", wies Moritz einen seiner Mitarbeiter an.

Als der den Anruf getätigt hatte, kamen mittlerweile auch der Krankenwagen und der Notarzt. Das Wohnzimmer wurde zu eng – es ging zu wie auf einem Bahnhof. Moritz und seine Leute schritten zur Tat und zerrten Pfeifer zur Haustüre und warfen ihn hinaus. Pfeifers Mitarbeiter verließen das Haus freiwillig. Danach hinderten sie die CIPE-Leute an der Abfahrt, indem sie das Fahrzeug blockierten unter dem Hinweis, dass zunächst die Polizei kommen solle, damit die Anzeigen aufgenommen werden konnten.

Pfeifer beschwerte sich fürchterlich: „*Sie wagen es!?* Ich bin ein Vertrauter Herrn Dreißigers!"

Die Polizei kam nach einiger Zeit und nahm die Sachverhalte auf. Pfeifer war nun sehr freundlich, wie verwandelt, als die Beamten auftauchten.

Moritz erklärte den beiden Polizisten den Vorfall aus seiner Sicht und fügte noch hinzu: „Wissen Sie: dieser Pfeifer und seine Leute haben den armen Großvater Hilse ziemlich provoziert. Wussten Sie, dass er ein ehemaliger Polizist ist?"

Die Mienen der Beamten verzogen sich - sie hörten es nicht gerne, dass hier ein Ex-Polizist bedrängt wurde und ermahnten Pfeifer und seine Leute, die Familie in Ruhe zu lassen, sonst gäbe es großen Ärger. Nach der Vernehmung fuhren Pfeifer und seine Leute wie beleidigte Schuljungen davon – sie waren Widerspruch und Belehrung nicht gewohnt.

Der Krankenwagen brachte den alten Hilse ins Krankenhaus; Gottlieb fuhr mit. Mitten in die Szene kam Oma Hilse: sie war konsterniert, als sie auf dem Hof ein fremdes Autos, einen Streifen-, einen Notarzt- und einen Krankenkraftwagen sah. *Ich war doch nur eine kurz weg gewesen,* dachte sie sich. Luise nahm sie zur Seite und erklärte ihr alles. Die Oma musste sich daraufhin setzen und konnte das alles gar nicht fassen.

Als die CIPE-Leute, die Polizisten und die Sanitäter weg waren, kehrte wieder Ruhe auf dem Hof ein. Moritz blieb mit seinem Notrufteam noch einige Stunden vor Ort.

Die Reporter kamen aus dem zweiten Stock und sagten: „Wir haben alles auf Band. Das überlebt Pfeifer nicht." Dann begannen sie, Luise und Moritz zu interviewen. Am Nachmittag riefen sie Hornig an und erzählten auch ihm von den Vorkommnissen.

„Lebt der alte Hilse?", fragte Hornig seine Reporter.

„Nein. Er ist auf dem Weg ins Krankenhaus gestorben."

„Sehr gut. *CIPE nötigt unschuldige Druckerfamilie zu Tode* - das ist die Schlagzeile! Das muss an die DPA raus. Ihr bereitet das Material auf, sodass wir daraus eine gute Story für die Sonderedition haben." Hornig war zufrieden. Er entschloss sich, nicht mehr abzuwarten. Eine solche Geschichte musste heiß serviert werden und noch in die Dezemberausgabe.

Parallel dazu telefonierte Moritz mit Wittig und Bäcker. Wittig informierte daraufhin sofort den Anwalt, damit dieser in Absprache mit der Familie Hilse die notwendigen Schritte gegen CIPE und Pfeifer einleitete, denn der alte Hilse war offensichtlich zu Tode genötigt worden; Wittig bot außerdem an, die Begräbniskosten zu übernehmen. Gegen Abend verließ Moritz den Hof und traf sich mit einigen aus seinem Team. Für ihn war die Sache noch nicht erledigt.

XVII

Wittig wachte am nächsten Morgen gegen 09:00 Uhr auf und nahm eine lange Dusche. Wenn sein Haus Luxus hatte, dann war es das Bad. Es hatte einen großen Duschbereich, in dessen Mitte ein Podest war, auf dem man sich hinlegen konnte, um sich auszustrecken und sich von der Regendusche berieseln zu lassen. Das war seine Entspannung.

Danach ging er in die Küche und machte sich einen Espresso. Während er diesen zubereitete, stellte er den Fernseher an und ließ die Lokalnachrichten laufen – zuerst nahm er das Gemurmel gar nicht zur Kenntnis, aber dann hörte er genauer hin: *...CIPE-Büro. Die beiden Personen wurden schwer verletzt in das örtliche Krankenhaus eingeliefert. Zu den Tätern gibt es noch keine Spur.*

Was war da los? Die Worte *CIPE* und *verprügelt* in einem Satz machten Wittig neugierig. Er nahm sein Notebook und gab die Worte in eine Suchmaschine ein – unter Lokalnachrichten fand er die Meldung: *Cham. Zwei Mitarbeiter von CIPE, darunter der Leiter des Regionalbüros, wurden gestern Abend von Vermummten schwer verletzt. Ob ein Zusammenhang mit den Vorwürfen gegen die beiden Mitarbeiter wegen des gestrigen Hausfriedensbruchs besteht, ist un-*

klar. Beide Personen befinden sich derzeit auf der Intensivstation. Die Pressestelle von CIPE hatte die Angriffe scharf verurteilt, wollte aber ansonsten die Ermittlungen der Polizei abwarten.

Wittigs erste Eingebung war, Moritz anzurufen: „Moritz?"

„Ja."

„Hast du die Nachrichten gehört?"

„Weswegen?"

„Na komm. Halte mich nicht für dumm."

„Hör mal. Ich habe bis jetzt geschlafen. Was ist los?"

„Zwei CIPE-Mitarbeiter wurden gestern in Cham vermöbelt. Einer davon ist der Beschreibung nach Pfeifer. Sei mir nicht böse, dass ich dabei gleich an dich denke."

„Kein Kommentar."

„Moritz: wir müssen aufpassen! Das habe ich dir schon mal gesagt. Keine Aktionen gegen Leib und Leben. Die IG3D muss seriös bleiben, wenn sie den Zugang zu Politikern haben will. Das ist das Ziel."

„Wittig! Die Liste der Leute, die ein Motiv haben, ist endlos. Pfeifer hat gestern einen alten Mann zu Tode gemobbt. Wenn der miese Typ abkratzt, dann kräht danach kein Hahn."

„Moritz, warst *du* das?"

„Kein Kommentar. Ich rufe dich später an: ich fahre jetzt zu den Hilses, weil die Polizei dort sicherlich nachfragen wird, wo Gottlieb war. Der hat am meisten Grund."

„Ja...mach das", verabschiedete sich Wittig. Danach rief er Bäcker an und bat ihn, nach Cham zu kommen. Er musste mit ihm über Moritz reden. Der schien außer Kontrolle zu geraten. Die Überfälle auf CIPE-Transporter, der Brandanschlag, der Angriff auf Pfeifer und Neumann... demnächst würde es Tote geben. Zugegeben, die Aktion in der CIPE-Zentrale war auch nicht vollkommen legal, aber es wurde nichts beschädigt und niemand verletzt. Wittigs Mission war, CIPE zu demaskieren, dessen wahre, hässliche Fratze zu entlarven. Dabei durfte man sich aber nicht auf ihr Niveau herablassen. Bäcker verstand das und schlug ein Treffen mit Moritz und seinem Notfallteam vor, damit man diese entsprechend sensibilisieren konnte. Die Gewalt hatte aufzuhören, aber leider befanden sich in Moritz' Team Leute, die schon früher durch Gewalttätigkeit auffielen. Die IG3D hatte nur keine Alternativen und musste die Männer nehmen, die sie kriegen konnte. Und manche nutzten das Notfallteam dazu, Revolution zu spielen, Moritz eingeschlossen. Wittig und Bäcker mussten ihnen den Kopf waschen, bevor es ausartete.

XVIII

Es vergingen einige Wochen. Moritz und sein Team rissen sich zusammen, auch wenn sie die Angriffe nie zugaben. Pfeifer und Neumann erholten sich von den Verletzungen, flogen aber dennoch bei CIPE raus, als *Nero* erstes Videomaterial von ihrem Auftritt bei den Hilses ins Internet stellte. Die IG3D selbst professionalisierte sich mit der Unterstützung Wittigs und Hornigs zunehmend und gewann neue Mitglieder - übliche Aktionen waren Demos vor den CIPE-Regionalbüros, Einsatz von Notfallteams, die es nun auch in anderen Regionen gab, Infoabende und den organisatorisch-rechtlichen Beistand für die Mitglieder. Mit großem Interesse verfolgte das Chamer Druckernetzwerk den Prozess der Hilses gegen CIPE, produzierten aber ansonsten pflichtbewusst weiter. Wittig setzte außerdem die Einrichtung einer Programmkommission ein, die die IG3D auf eine theoretisch-konzeptionell solide Basis stellen sollte. In dieser Kommission wurde er selbst als externer Berater Mitglied.

Die große Rache von CIPE für die Septemberausgabe des *Nero* und die Demo in München blieb bisher aus. Aber Hornig warnte davor, dass dies die Ruhe vor dem Sturm sein konnte, denn CIPE musste sich in dieser Beziehung neu erfinden, also den Umgang mit Widerstand lernen. Den gab es bisher nicht und daher kannte CIPE nur die *Methode Dampfhammer* im Umgang mit unbequemen

Menschen und wusste auf den Guerilla-Krieg, den Wittig, Hornig und die IG3D führten, noch nicht so recht zu antworten. Aber das würde noch kommen, denn CIPE heuerte Spezialisten aus den Bereichen Recht, Medien und Politikberatung an. Geld dafür war genug da.

Sepp verlor seinen Job bei CIPE nicht und auch Robert machte ungehindert weiter, da CIPE durch die Prügelattacke regional nur eingeschränkt handlungsfähig war. Das Unternehmen tat sich schwer, Nachfolger für Pfeifer und Neumann zu finden, da die meisten Kandidaten Angst hatten – wenn die Gewalt gegen CIPE etwas Gutes hatte, dann war es das. Kittelhaus musste sich bei Dreißiger persönlich erklären, was da in Cham los war. Dreißiger war sehr enttäuscht über das Verhalten des Chamer Druckernetzwerks, das an KALIBER arbeitete und dessen Undankbarkeit für diesen *großartigen Auftrag*. Die Absichtserklärung mit dem Ministerpräsidenten wurde nicht mehr unterzeichnet, was Dreißiger natürlich Kittelhaus und den Chamer Druckern in die Schuhe schob, aber der wahre Grund war ein anderer: die negative Presse, vor allem die durch *Nero*, ließ viele Politiker für eine Weile auf Abstand zu CIPE gehen. Sie wollten sehen, wie sich die Sache entwickelte und genau das war Wittigs und Hornigs Ziel, CIPE zum Schmuddelkind zu machen, mit dem sich niemand mehr sehen lassen mochte. Die Marke verlor an Wert und Dreißiger Senior musste sich eingestehen, dass sein Junior in diesem Punkt recht hatte, was er aber nie offen zugab.

Anfang Dezember 2041 kam die *Nero*-Sonderausgabe heraus, an der Hornig so intensiv gearbeitet hatte. Bei den Redaktionssitzungen war Wittig anwesend, der die Inhalte auch mit Bäcker abstimmte, sodass sie die Argumentation der IG3D unterstützten. Die Ausgabe war ein Knaller und wurde in einem Monat über eine Million Mal verkauft. Theoretisch besaß also fast jeder Drucker eine Ausgabe. Die Sonderausgabe enthielt folgende Berichte:

- *Das Leben der Druckerfamilien – Nero war vor Ort*
- *Die Geschichte vom alten Hilse: von CIPE-Mitarbeitern zu Tode gemobbt*
- *CIPE und Kinderarbeit: wie schlimm es wirklich ist*
- *Eine Masche namens KALIBER – ein Insider packt aus*
- *Was ein Drucker verdient*
- *Wie funktioniert CIPE*

Vor der Veröffentlichung wurde der Inhalt von einer Anwaltskanzlei geprüft, um zu vermeiden, dass CIPE den Verkauf gerichtlich untersagen konnte. *Eine Masche namens KALIBER* hieß anfänglich *Ein Betrug namens KALIBER,* aber die Juristen meinten, dass der Betrug noch nicht nachgewiesen war und die Klage Hilses gegen CIPE ja noch laufe, also könne man nicht jetzt schon behaupten, dass tatsächlich ein Betrug vorlag.

Besonders viele Leserreaktionen gab es auf die stark emotional gefärbten Berichte über den Tod des alten Hilse und das Thema Kinderarbeit. Besonders bewegend war ein Fall, bei dem ein neunjähriger Junge in der Schule ohnmächtig geworden war, weil er Nächte davor durcharbeiten musste. Die Bundesministerin für Jugend und Familie kündigte - getrieben durch die Sonderausgabe - Untersuchungen zum Thema Kinderarbeit an, obwohl das Problem bereits bekannt war, wie geleakte Dokumente bewiesen. Entsprechend eine Twitter-Meldung der *Nero*-Redaktion: *Ministerin kündigt Untersuchungen an. Aha!? Liegt ihr doch schon vor. Wikileaks veröffentlichte vor zwei Jahren ein internes Memorandum aus dem Ministerium, das zahlreiche Meldungen aus den Jugendämtern zitierte. Thema Fehlentwicklungen und massive Schulschwänzereien unter Kindern aus Druckerfamilien. Danke Frau Ministerin, aber veräppeln können wir uns selbst.*

Aber auch die Undercoverdrucker wussten Interessantes zu berichten, nämlich über die Dominanz CIPE's unter den Plattformen. Über die anderen Plattformen, auf denen sich die Reporter registrierten, waren so gut wie keine Aufträge zu ergattern, weil es einfach wenig Nachfrage gab und die AGB nicht viel besser, manchmal sogar schlechter waren als die von CIPE. Zudem gingen viele der Plattformen finanziell nicht in Vorlage, womit man also die Vorfinanzierung der Druckaufträge selbst organisieren musste. Utopisch für die meisten Drucker. Zudem bestach CIPE durch die Einfachheit des Einstiegs, das gesamte Serviceangebot für Drucker (beispielsweise Buchhaltung und Steuerberatung) und die Ausbildungsmöglichkeiten sowie Rabatte auf Druckmaschinen. So gesehen war CIPE das beste, was es gab.

Das *Nero*-Magazin warnte davor, dass die niedriglohnbasierte 3D-Druck-Heimarbeit die nächste Beschäftigungsblase sei, die in spätestens zehn Jahren platzen würde, wortwörtlich: *War die Exportweltmeisterschaft der wirtschaftspolitische Fetisch der 2010er und 2020er, so ist es die 3D-Druck-Heimarbeit seit den 2030ern. Die Regierung steuert das Land wirtschaftlich wie ein Autofahrer, der nur Energieanzeige und Drehzahlmesser im Blick hat, sich aber um Schmierstoff, Reifendruck und Bremsen kein bisschen schert, bis man irgendwo in der Pampa mit einem kaputten Auto steht. Was die Analogie aussagen soll: Historisch bedingt fokussiert sich die Regierung auf die Kennzahlen Arbeitslosigkeit und Preisstabilität, während andere Kennzahlen ignoriert werden, wie zum Beispiel das Median-Nettovermögen, die Armutsquote oder die Steuerbelastung des Mittelstandes. Deutschland ist zwar weiterhin das reichste zugleich aber auch das ärmste Land Europas, denn nirgendwo haben die Mensch im Median weniger Vermögen als hier. Dass heute trotz Vollbeschäftigung die Armutsquote bei mehr als einem Drittel liegt, sollte eigentlich die Menschen auf die Barrikaden treiben, aber bei einer Einhundert-*

Stunden-Woche unter den Druckern hat keiner Zeit zu protestieren. Insofern geht die Strategie der Regierung auf: wer dauernd schuftet hat keine Zeit nachzudenken. Und an anderer Stelle: *Die Regierung und die Spitzen der deutschen Wirtschaft haben aus der Exportkrise wieder nichts gelernt. Mithilfe der CIPEschen Niedriglohndruckerei arbeiten Politik und Wirtschaft wieder kräftig darauf hin, ihre Endprodukte ins Ausland zu verkaufen. Schon jetzt gehen die 3D-Drucke wieder vermehrt an die Montageplätze deutscher Endmonteure, um sie als Dumping-Ware ins Ausland zu verkaufen. Das Ziel des 3D-Drucks, regional abgeschlossene Märkte zu etablieren, wird wieder untergraben.*

Das Leserecho war zu neunzig Prozent dankbar für die Enthüllung der Missstände, wenn es auch scheinbar Drucker gab, die nichts auf Dreißiger kommen lassen wollten. Dieser Mann zehrte immer noch von seiner Legende als *Retter der Volkswirtschaft*, oder waren die Zuschriften gekauft wie damals die Gegendemonstranten? Man wusste es nicht.

Dreißiger reagierte öffentlich und verurteilte das *Nero*-Magazin, das zu einem Kampfblatt der IG3D geworden sei – die Berichte seien *parteiisch* und *entstellend*. Die Antwort des *Nero*-Magazins auf Twitter: *Wenn Dreißiger meint, unsere Berichte seien falsch, dann kann er sie ja faktisch widerlegen, was ihm aber nicht gelingen wird. Wir haben sauber recherchiert. Typische Wut-Reaktion von einem großen Trotzkind, das von der Politik viel zu lange verhätschelt wurde. Anstatt zu geifern, sollte er sich der Missstände annehmen und CIPE zu einem Instrument machen, das dem Allgemeinwohl dient und den Wohlstand aller fördert. Die Mittel dazu hätte er.*

XIX

Hornig, Bäcker und Moritz waren einige Wochen nach der Veröffentlichung der Sonderausgabe bei Wittig zu Besuch, um den Erfolg des Magazins zu feiern. Es wurde eine kleine aber dafür feuchtfröhliche Weihnachtsfeier.

„Hornig, das Magazin ist wirklich spitze. Die Stammtische reden nur darüber. Ich bekomme das bei meinen Außeneinsätzen zu hören", lobte Moritz.

Und Bäcker stimmte ein: „Jawohl, das war ein Volltreffer. Mit der Ausgabe können wir praktisch jeden Infoabend füttern."

Wittig nickte andächtig: „Ich bin ganz bei euch. Das war gute Arbeit."

Hornig wehrte ab: „Leute, Leute. Der Dank geht an Dreißiger. Wir hatten es noch nie so einfach, belastendes Material zu sammeln. Dieses Riesenmonster CIPE produziert so viel Abfall – man muss nur hineingreifen."

„Dann gehört dir der Dank, dass du in den Mist hineingegriffen hast", sagte Wittig.

„Akzeptiert", antwortete Hornig. „Aber ein anderes Thema: Bei mir hat sich mein Kontakt von Anonymous gemeldet. Die möchten gerne losschlagen. Die öffentliche Empörung über CIPE ist da und deswegen wäre der Moment gerade günstig."

„Was meint ihr", fragte Wittig Bäcker und Moritz.

„Was genau wollen die Hacker denn jetzt machen?", fragte Moritz.

„Also: Sie sind bereits in das Auftragsmanagementsystemen von CIPE und auch der Auftraggeber vorgedrungen. Die Hacker würden dem CIPE-System fingierte Abrufe der Auftraggeber zukommen lassen. Das heißt: alle Bestände für KALIBER, die momentan bei den Chamer Druckern stehen, würden abgerufen werden. Damit erhalten die Drucker auch eine Umsatzgutschrift für fast ein Jahr Arbeit. Die Leute werden ihr Glück kaum fassen können", erklärte Wittig. „Das wäre ein schönes Weihnachtsgeschenk."

„Aber merken die bei CIPE das nicht und stoppen es?", fragte Bäcker.

„Das Belastungs- und Gutschriftsverfahren läuft bei CIPE vollautomatisch. Kommen die Abrufe der Auftraggeber rein, werden elektronisch die Auftraggeber belastet – auf beiden Seiten gibt es Freigabecodes, die die Hacker haben. Wahrscheinlich merken die Auftraggeber und CIPE den Schwindel erst, wenn die Ware bei den Endmonteuren eingeht. Und auch dann wird es einige Tage dauern, denn die Hacker haben die Abrufe sehr gut fingiert, das heißt man findet in den Programmen der beteiligten Unternehmen genau die Datensätze, die man für einen gewöhnlichen Abruf braucht. Man muss also, um den Schwindel nachvollziehen zu können, sehr misstrauisch sein. Mein Tipp: es wird beiläufig auffallen, weil sich zwei Leute unterhalten und beide eine Ahnung entwickeln und dann die richtigen Fragen stellen. Ich gebe der Sache eine Woche, plus/minus."

Wittig pflichtete Hornig bei: „Es wird wohl rasch auffallen, auch wenn die Hacker ganze Arbeit leisten, denn sobald die Informationen den Computer verlassen und in die Köpfe von Menschen gelangen, kommt der gesunde Menschenverstand oder der sechste Sinn hinzu. Und dann war es das. Aber das ist egal, denn dann haben die Drucker ihre Gutschriften erhalten, leben nicht mehr von den CIPE-Krediten und sind die Zinsen los. Dann beginnt die Arbeit der IG3D: ihr müsst den Druckern helfen, wenn CIPE und die Auftraggeber das Geld zurückwollen und die Ware zurückschicken. Dagegen müssen sich die Drucker wehren. Die IG3D muss Infoveranstaltungen, Webinare und Newsletter zu dem Thema herausgeben. Bäcker, geh du zu dem Anwalt, der auch Hilse vertritt. Er soll euch sagen, was man gegen solche Rückforderungen machen kann und ihr musst daraus Informationsschriften für die Drucker machen."

„Verstanden", sagte Bäcker.

„Aber noch nicht jetzt. Jetzt heißt es Funkstille. Wenn die Polizei wegen der Hackerei ermittelt und ihr schon vor dem eigentlichen Angriff mit den Anwälten darüber redet, dann bringt uns das in Schwierigkeiten, denn dann ist es klar, dass ihr Mittäter oder zumindest Mitwisser seid. Ihr geht auf die Anwälte zu, sobald die Sache in den Medien ist oder CIPE mit Forderungen auf die Drucker zukommt. Was davon früher passiert, ist euer Trigger. Davor tut ihr so unwissend, wie die Drucker es sind", mahnte Wittig.

„Ja, ist in Ordnung", sagten Bäcker und Moritz im Chor.

„Gut, dann sind wir uns einig. Ich gebe Anonymous grünes Licht", fasste Hornig das Gespräch zusammen. Noch am selben Abend schickte er über einen sicheren Chat die Angriffsfreigabe an die Hacker mitsamt abgestimmter Erklärung, die Anonymous veröffentlichen würde, sobald der Angriff bemerkt worden war.

XX

Einige Tage später kehrte Robert abends von einem Termin im Landratsamt zurück nach Hause – heute ging es ausnahmsweise einmal nicht um das Drucken. Maria überwachte die Druckmaschinen im Stall und die Kinder waren im Haus und sahen fern – sie hatte sehr, sehr gute Laune. Als Robert den Stall betrat, um seine Frau zu begrüßen, konnte sie es kaum erwarten, ihm die Neuigkeit zu verraten: „Du wirst nicht glauben, was heute passiert ist!“

Maria umarmend fragte Robert: „Was denn?“

„Du kannst dein Lager räumen!“

„Was?“

„Ja! Heute kamen die Abrufe rein. Der gesamte Bestand wurde abgerufen.“

Robert sah Maria voller Überraschung an: „Das gibt es nicht! Das kam heute rein?“

„Ja. Komm, wir gehen rein und schauen ins System. Morgen kommt die Spedition – die haben schon angerufen. Wegen der riesigen Menge kann es nicht der Regeltransport mitnehmen. Ich habe schon Hieber und Meinl gebeten rüber zu kommen, um beim Verladen zu helfen.“

Maria und Robert gingen ins Haus und sahen sich die letzten Buchungen im System an. Tatsächlich: der Abruf kam letzte Nacht und die Spedition kündigte die Abholung gegen Mittag für den nächsten Tag an. Endlich! Das schon überfüllte Hub konnte leergeräumt werden. Und das Konto zeigte an, dass die Umsatzgutschriften auch schon gebucht wurden. Somit lebten die Baumerts nicht mehr von den Umsatzausfallkrediten und die Zinsbelastungen für diese und die Vorlagen endeten hiermit.

Am nächsten Morgen erschienen die Nachbarn Hieber und Meinl, um Robert bei der Beladung der LKWs zu helfen. Ein großer Teil der Scheune war voll mit Druckerzeugnissen für KALIBER. Robert hatte noch einen halbwegs funktionierenden Traktor mit Palettengabel, sodass eine rasche Beladung möglich war. Gegen 09:00 Uhr war der erste LKW da und die Räumung des Lagers begann.

Zufällig kam Sepp vorbei und sah den LKW in Roberts Hofeinfahrt. Das unerwartete Bild lockte ihn an. Er hielt an und ging zu Robert, um zu erfahren, was hier vor sich ging. Robert erzählte ihm von dem unerwarteten Abruf des gesamten Lagerbestandes.

Sepp – er war eigentlich für eine andere Region zuständig – rief daraufhin die beiden zuständigen Qualitätsprüfer Förster und Kutscher an, ob ihnen der Abruf bekannt sei. Normalerweise war bei einem solchen Abruf die Qualitätsprüfung vor Ort, um Stichproben zu nehmen, vor allem wenn die Ware schon längere Zeit lagerte, gerade weil Roberts Scheune nicht gerade die optimalen Lagerbedingungen bot: Ungeziefer, fehlende Klimatisierung, kaum Zutrittsbarrieren. Förster war einigermaßen überrascht über den Abruf der Ware und dass er nicht um eine Inspektion gebeten worden war. Also telefonierte auch er innerhalb der CIPE-Organisation – dort wurde bestätigt, dass ein Abruf der Auftraggeber vorläge, aber man würde mit den Auftraggebern sprechen, warum keine Qualitätsprüfung angefordert wurde.

Nach weiteren zwei Tagen flog der Hack auf, ausgehend von einem der Auftraggeber, der Teil von KALIBER war. Der dortige Leiter der Qualitätsprüfung gab keine Ruhe, warum bei solchen Mengen keine Qualitätsprüfungsanforderung bei ihm einging und beschwerte sich bei der Logistik, womit der Vorgang bei dem Logistiker landete, der angeblich den Abruf veranlasste. Der wusste nichts von einem Abruf und teilte dies CIPE mit. Danach übernahmen die IT-Sicherheitsleute den Fall und hatten rasch das Gefühl, dass entweder ein gewaltiger Systemfehler vorlag, oder sie Opfer eines Hackerangriffs wurden. Am Weihnachtstag 2041 erhielt Dreißiger Kenntnis über den Vorgang.

Für Sepp war dies die ultimative Rehabilitierung. Wegen der Belastung durch seine kritischen Verwandten stand seine Weiterbeschäftigung auf der Kippe, aber jetzt hatte er durch sein schnelles Schalten wieder Pluspunkte gesammelt. Er wurde belobigt und er konnte auch nicht damit zurückhalten. Kurz nach der Entdeckung erschien er bei Robert und Maria und verkündete die Nachricht während einer gemeinsamen Brotzeit: „Ich verstehe, dass ihr euch über den Abruf gefreut habt. Leider muss ich euch sagen, dass dieser wahrscheinlich ein Fehler war. Man weiß es noch nicht genau."

Maria war wie vom Schlag getroffen: „Was? Soll das heißen, die wollen das wieder rückgängig machen und wir kriegen die Ware wieder zurückgeschickt? Niemals!"

Sepp antwortete bedächtig: „Ich weiß nicht, wie das ausgeht. Aber im Vertrauen gesprochen, macht euch darauf gefasst, dass dieser Abruf ein Bumerang ist, der bald zurückkommt."

Maria sah Robert fragend an. Der antwortete zynisch: „Ich habe es geahnt. Bei diesem Drecksauftrag kann nichts Gutes passieren. Es war auch zu schön, um wahr zu sein. Aber wie seid *ihr* darauf gekommen, dass es ein Fehler war?"

„Es gab keine Qualitätsprüfungen. Normalerweise - und vor allem bei solchen Mengen - wäre bei einem solchen Abruf ein Qualitätsprüfer dabei gewesen und hätte Stichproben genommen und die Verladung dokumentiert. Aber die Qualitätsabteilung wurde komplett ignoriert. Wir haben dann herumtelefoniert und am Ende kam heraus, dass die Personen, die die Abrufe angeblich getätigt haben, nichts wussten. Dann wurde auch die IT misstrauisch und man geht jetzt von einem Systemfehler oder einem Hackerangriff aus", antwortete Sepp.

„Hättet ihr nicht eure Klappe halten und es einfach laufen lassen können?", fragte Robert seinen Bruder. Der verkniff sich eine Antwort.

XXI

Der fehlerhafte Abruf der KALIBER-Produktion und des vermutlichen Hackerangriffs ließ sich nicht lange geheim halten. Die Gerüchte drangen rasch zur Presse vor. Dreißiger reagierte und die Pressekonferenz im Januar 2042 war eine Machtdemonstration, denn mit dabei waren Vertreter des Bayerischen Landeskriminalamtes: LKA-Chef Heide und der Chef der LKA-Sonderkommission Kutsche. Die Herren saßen aus der Perspektive der Pressevertreter rechts außen, wie Handlanger von CIPE. In der Mitte saßen Dreißiger Senior und Junior; links außen der CIPE-Sonderbeauftragte Färber, Dreißigers Mann fürs Grobe.

Einen Tag vor der Pressekonferenz veröffentlichte Anonymous auf allen Videoportalen die Stellungnahme zu dem Angriff auf CIPE, die eine Person mit Guy-Fawkes-Maske und Kapuzenpullover verlas. Damit war die Katze endgültig aus dem Sack. In dieser Stellungnahme hieß es unter anderem: *Die Digitalisierung soll den Menschen nutzen und nicht schaden. Einige Plattformen, im Speziellen CIPE, nutzen jedoch ihre Macht zum Schaden der Allgemeinheit. Anonymous hat sich entschieden, den Kampf gegen CIPE aufzunehmen. Mit dem Angriff im Dezember haben wir dafür gesorgt, dass die Chamer Drucker endlich die Entlohnung für ihre Arbeit erhalten und die Auftraggeber die Waren abnehmen und bezahlen, die sie haben drucken lassen. Wir wollen den 3D-Druck und die Heimarbeit nicht abschaffen, aber wir wollen, dass sie auf der Grundlage einer gerechten Entlohnung und fairer Arbeitsbedingungen stattfindet. KALIBER ist ein Machtkartell, das mit CIPE gemeinsame Sache macht, um die Drucker auszubeuten. KALI-*

BER bestellt, ohne die Ware abzunehmen, und lagert damit das Beständerisiko auf die Drucker aus. CIPE verdient daran Millionen, weil sie für die Vorlage und die Umsatzausfallkredite von den Druckern Zinsen verlangt. KALIBER ist eine Verschwörung gegen die Drucker. Aber noch schwerer wiegt die Schuld, die auf CIPE lastet, für Kinderarbeit verantwortlich zu sein. Dies war nicht unsere letzte Aktion, sondern erst der Anfang.

Dreißiger wies die Anonymous-Anschuldigungen in ähnlicher Weise zurück, wie er es auch mit den Rechercheergebnissen des *Nero* tat, ohne sie jedoch zu widerlegen. Er kündigte einen *radikalen Kampf gegen die Saboteure und Feinde des Wohlstands* unter Führung von Herrn Färber an. Die Maßnahmen würden mit dem LKA eng abgestimmt sein. Die LKA-Vertreter gaben bekannt, dass die SoKo von Herrn Kutsche die digitalen, physischen und medialen Angriffe gegen CIPE konzentriert untersuchen werde.

Eine Reporterin hakte genauer nach: „Herr Dreißiger Senior: wie genau wollen Sie auf den Angriff der Hacker genau reagieren?"

„Erstens: es geht nicht nur um die Angriffe der Hacker. Es geht um die gegen CIPE gerichteten Umtriebe im Allgemeinen. Zweitens: aus offensichtlichen Gründen werde ich Ihnen unsere Reaktion nicht detaillieren, denn das würde unseren Gegnern nur die Chance geben, sich vorzubereiten."

„Wenn Sie *Umtriebe* sagen, was meinen Sie damit genau?"

„Es wurden Mitarbeiter von CIPE körperlich angegriffen; bestimmte Medien betreiben eine Hetzkampagne gegen uns; wir sind das Opfer von Cyber-Kriminalität geworden; es gibt Hinweise auf kriminelle Vereinigungen unter den Druckern; denken Sie auch an die Überfälle auf unsere Transporte. Das sind nur einige Beispiele."

„Wird Herr Färber diese Reaktion leiten und welche Aufgabe hat er. Wer ist er, also könnte er sich uns vorstellen?"

Dreißiger Senior antwortete: „Herr Färber wird heute keine Stellungnahme abgeben. Er wird sich zu einem anderen Zeitpunkt vorstellen und über die Maßnahmen berichten. Herr Färber ist ein langjähriger Mitarbeiter des Unternehmens und genießt das vollste Vertrauen von Aufsichtsrat und Vorstand. Er wird sehr eng mit dem LKA zusammenarbeiten. Den Kriminellen, die CIPE und das wirtschaftliche Wohl dieses Landes gefährden, können wir nur eines sagen: *merken Sie sich sein Gesicht.*"

Kapitel 5 - Schlagabtausch

I

Die IG3D wollte dem Programm von CIPE - der Verwandlung Deutschlands in eine einzige große 3D-Druck-Fabrik - ein Gegenprogramm entgegenstellen. Ohne Programm war schließlich keine politische Arbeit möglich. Im Januar des Jahres 2042 präsentierte die von Wittig initiierte IG3D-Programmkommission der Presse das ihre. Dessen zentralen Forderungen waren:

- *Stärkung und Förderung der Heim- und Telearbeit*
- *Wiedereinführung des Heimarbeitsgesetzes (unter Einschluss der Telearbeit)*

Damit diese Regeln nicht untergraben werden, benötigt es eine staatliche Kontrolle, weswegen wir weiterhin fordern:

- *Stärkung der digitalen Gewerbeaufsicht*

Zusätzlich fordern wir:

- *Stärkung und Förderung digitalen Fernunterrichts*
- *Steuerliche Förderung der Shareconomy*

Wittig war zufrieden mit dem Programm. Einige Mitglieder der Programmkommission wollten auch die *Aufspaltung monopolistischer Plattformen* fordern, aber das wirkte Wittigs Shareconomy-Idee entgegen, denn dezentrale Plattformen bräuchten dann wieder eine Meta-Plattform, damit der Nutzer nicht ständig zwischen Plattformen hin und her springen musste, um das optimale Tauschgeschäft zu finden. Dezentrale Datenbestände zerstörten das Potential der Digitalisierung, auch wenn er die Angst Vieler vor dem Datenkraken verstand. Für den Schutz der Daten war aber die Verstaatlichung einer zentralen Plattform viel eher geeignet, wofür sich vor allem Wittig in der Programmkommission einsetzte. Sein Vorschlag setzte sich aber nicht durch.

Wittig verfolgte in der Kommission weiter sein geheimes Ziel, den digitalen Kommunismus zu realisieren. Dafür brauchte es eine zentralistische, digitale Plattform, denn nur so konnten die Schwächen früherer Planwirtschaften überwunden werden. An der Vorhersage des Bedarfes scheiterten die analogen Planungsbemühungen sozialistischer Bürokratien aus der Zeit vor 1990 – ihr Versagen war durch leere Regale überall nachgewiesen. Aber mit der Digitalisierung und *Big Data* war alles möglich. Nur konnte er das so nicht sagen, also gab er seinen roten Träumen einen grünen Tarnanstrich und nannte es *Ressourceneffizienz*, also die Vermeidung von Falsch- und Überproduktion.

Die Presse und viele Parteien nahmen das verabschiedete Programm wohlwollend auf. Erwartungsgemäß gab es von konservativer und wirtschaftsliberaler Seite Bedenken, dass das Heimarbeitsgesetz die Beschäftigung senken werde, aber das kannte man schon von früheren Debatten wie zum Beispiel der Einführung des Mindestlohns. Wittig und andere ökonomisch geschulte Mitglieder der IG3D argumentierten über die sozialen Medien dagegen: *Wir verstehen die Angst vor fairen Löhnen nicht. Ein Wirtschaftskreislauf kommt nur zustande, wenn die Menschen auch Geld haben, das sie ausgeben können. Man sehe sich die Volkswirtschaften an, die einen hohen Gini-Koeffizienten haben – diese würgen sich selbst ab, weil einige wenige Superreiche das Geld aus dem Wirtschaftskreislauf herausziehen und bei (ausländischen) Investmentbanken bunkern, wo es nur noch seiner selbst wegen existiert. Dabei erwarten sie in ihrer Gier auch noch Zinsen! Woher sollen die denn kommen, wenn nichts mehr konsumiert wird, wenn nichts mehr wächst? Sie entziehen dem Körper das Blut und wollen, dass er weiterlebt und gedeiht. Das Verhältnis des modernen Kapitalismus zum Geld als Selbstzweck kann man vergleichen mit der Alchemie, einer Pseudowissenschaft, aus nichts etwas zu machen. Trotz der Misserfolge in Form von Wirtschaftskrisen und geplatzten Blasen machen sie weiter, weil sie immer wieder mächtige Groupies finden, die an ihre blödsinnige Lehre glauben. Sind die Kritiker auch Groupies der Alchemisten aus Frankfurt und London?*

II

Beim Druckerwirt in Kleinaffing kam zur gleichen Zeit die Dorfprominenz zusammen. Neben den üblichen Verdächtigen saßen nun auch Moritz und Bäcker am Tisch, was fast schon eine Revolution war. Die IG3D hatte durch die allgemeine Berichterstattung – nicht nur des *Nero*-Magazins – an Popularität gewonnen. Die Drucker erkannten, dass sie sich gegen CIPE organisieren mussten. Der Hackerangriff, den die meisten natürlich mit der IG3D in Verbindung brachten, verschaffte ihr den Ruf eines modernen *Robin Hood*. Wurden Moritz und Bäcker früher oft gemieden, vor allem aus Angst vor CIPE's Rache, so wurden sie jetzt an den Stammtisch gebeten und dadurch anerkannte Mitglieder der Dorfgemeinschaft. Und so saßen die beiden nun inmitten von Bürgermeistern, Vereinsvorständen und Handwerksmeistern und erzählten über das neue Programm der IG3D und wie es weitergehen sollte. Der einzige, den das ärgerte, war Sepp: er konnte es nicht ertragen, dass die Feinde seines allmächtigen Arbeitgebers langsam salonfähig wurden.

„Klingt vernünftig, was ihr da fordert", meinte der Fußballtrainer und die anderen pflichteten bei.

Robert fragte im Anschluss, wie die IG3D das durchsetzen wolle, worauf Bäcker antwortete: „Das geht nur über die Politik. CIPE wird nicht freiwillig auf seine hohen Profite verzichten und die Endmonteure bauen gerade neue Exportgeschäftsmodelle auf der billigen Produktion durch die Heimarbeiter auf. Da wird es massiven Widerstand gegen die Mindestentgelte geben. Aber der Kampf muss geführt werden. Momentan reden wir gerade mit den Parteien im Bundestag und suchen Partner, die sich unsere Forderungen auf die Fahnen schreiben; im Gegenzug würden wir Wahlempfehlungen aussprechen."

Mitten in der Diskussion hörten alle hastiges, schweres Trampeln im Eingangsbereich. Es musste eine große Gruppe in die Gastwirtschaft gekommen sein. Alle schwiegen und sahen auf den Eingang zur Gaststube, die sich nun mit Schwung öffnete: Es waren Polizisten in Uniform und in zivil, die suchend durch den Raum blickten. Als sie den Stammtisch erblickten, taxierten sie die Gesichter genau – als die Blicke bei Moritz ankamen, veränderten sich die Gesichtszüge der Polizisten merklich.

Einer der Zivilpolizisten ging auf den Tisch zu: „Herr Moritz Jäger?"

„Ja", antwortete Moritz.

„Würden Sie bitte mitkommen? Wir hätten einige Fragen. Nehmen Sie bitte Ihre Sachen mit."

Moritz stand wortlos auf und ging mit den Polizisten vor die Tür – Bäcker folgte ihm. Beide kamen an diesem Abend nicht mehr zurück. Der Stammtisch versuchte sich einen Reim auf das eben Geschehene zu machen: Eine Festnahme beim Druckerwirt - das gab's zuletzt in der Hochzeit der Wilderei, also vor dem Ersten Weltkrieg. Das wusste Welzel zu berichten.

Aber Sepp wunderte sich über die naive Diskussion: „Wann begreift ihr das? CIPE ist allmächtig. Ihr könnt nicht gegen CIPE arbeiten, sonst holen sie euch auch ab."

„Was meinst du damit?", frage Robert. „Weißt du, was los ist?"

„Der Färber ist in Cham und räumt auf. Und die Polizei macht, was er sagt. Zieht euch warm an."

„Wer ist Färber?", wollten alle wissen.

„Das ist dem Dreißiger sein Killer. Der wird überall dort eingesetzt, wo sich Widerstand gegen CIPE regt und er zerschlägt diesen", erklärte Sepp.

Die Mienen der Stammtischler verzogen sich; lange wirkte CIPE und Dreißiger passiv; an allen Fronten waren die IG3D und die Drucker auf dem Vormarsch. Aber jetzt fühlte es sich an, als hätte man mehrere hundert Meter entlang einen großen Hund hinter dem Zaun geärgert und nun war man am Ende des Zauns angekommen - und das war offen.

III

Und genau so sah Färber auch aus – wie *Spike* aus der Tom-und-Jerry-Zeichentrickserie. Er hatte die Drucker zum Fressen gerne: ob roh, gebraten oder gekocht. Robert und die anderen Chamer Drucker bekamen ihn das erste Mal persönlich zu Gesicht, als Landrat Kittelhaus eine Netzwerkversammlung einberief. *Neben diesem Färber sieht Kittelhaus wie eine Provinzwitzfigur aus,* dachte sich Robert. Und es redete nur einer: Färber. Kittelhaus saß daneben wie ein Schoßhündchen – aus Färber und Kittelhaus wurden *Spike und Tyke*.

Färber fing an mit einer Frage: „Hat hier in diesem Raum jemand ein Problem mit KALIBER?" Er sah sich demonstrativ im Raum um und blickte vielen mitten in die Augen. Niemand sagte etwas, aber Robert bemerkte, dass einige der Drucker ihn ansahen und dabei die Erwartung ausdrückten, dass er doch bitte sprechen möge. Aber was ermächtigte ihn dazu, für alle zu sprechen? Der Netzwerksprecher war ein anderer, nur der sagte nichts, denn das war Kittelhaus. „Niemand?", rief Färber in die Runde. „Das ist ja eigenartig. Man hört doch, dass die IG3D hier im Chamer Land ihre Hochburg hat. Zwei ganz aktive Mitglieder kommen aus…Kleinaffing. Warum eigentlich ausgerechnet aus diesem Ort?" Damit provozierte Färber Robert ganz persönlich. „Vielleicht sollte ich dieses Dorf bald besuchen und mich dort bei den Druckern etwas umsehen?"

Nun hatte Robert genug. Er stand auf und sagte: „Gerne! Ich bin der Bürgermeister dieser schönen Ortschaft. Dann kann ich Ihnen auch näher schildern, wo die Probleme mit KALIBER liegen. Da ich sowohl Bürgermeister als auch Drucker bin, kenne ich diese aus persönlicher Erfahrung, aber auch durch meine Bürger, die ich vertrete."

Färber sah Robert scharf an – jemand wagte es, ihm gegenüber schneidig aufzutreten. Das taten nur Leute, die ihn noch nicht kannten. Aber das würde er rasch ändern. Kittelhaus warf Robert ebenfalls einen bösen bis besorgten Blick zu – scheinbar war es ihm peinlich, dass einer seiner *Untertanen* gegenüber dem Statthalter Dreißigers mutig auftrat. Dafür musste er sich schließlich wieder etwas anhören von Färber, was für ein schwacher Landkreisfürst er doch war.

Färber antwortete: „Die Einladung nehme ich gerne an. Aber nun zum heutigen Hauptthema: Wie Sie wissen, gab es einen Computerfehler, der sich als Hackerangriff entpuppte; dieser führte dazu, dass Waren fälschlicherweise abgerufen wurden und sie dafür Umsatzgutschriften erhielten. Das machen wir wieder rückgängig. Was die Rücksendung der Druckerzeugnisse in Ihre Lager betrifft, sind wir gerade in Gesprächen mit den Auftraggebern. Kundenzufriedenheit steht an erster Stelle. Des Weiteren werden wir bei allen Druckern ihres Netzwerks eine gründliche Betriebsprüfung durchführen. Hierfür steht ein Team von zwanzig Betriebsprüfern bereit, das projektweise sein Büro hier in Cham bezogen hat. Dies ist notwendig, vor allem um die Schäden aus der fehlerhaften Umsatzgutschrift prüfen zu können und ob es in der Vergangenheit schon ähnliche Vorfälle gegeben hat. Bis zum Abschluss der Prüfungen, die mindestens sechs Monate dauern werden, können Sie nicht mehr als Drucker über CIPE arbeiten – sie sind gesperrt."

Ein Raunen und Murmeln ging durch den Raum. Einer der Drucker rief: „Von was sollen wir denn leben?" Robert war ebenfalls fassungslos. Was hatten die Leute denn verbrochen? Dem ganzen Landkreis war die Existenzgrundlage entzogen, hingen doch so viele vom Drucken ab. Auch Kittelhaus war sichtlich überrascht über diese Ankündigung. Das riss auch ein Loch in seine Landkreisfinanzen.

„Ich sehe", sprach Färber weiter, „die Botschaft ist angekommen. Sie alle sind erwachsene Menschen und wissen: *Die Hand, die einen füttert, beißt man nicht.* Das haben Sie leider nicht beherzigt. Sie haben die Aktion der Hacker geduldet und viele von Ihnen haben sie sogar gut geheißen. Das können wir nicht akzeptieren."

„Was hätten *wir* den gegen die Hacker tun sollen?", plärrte einer der Drucker nach vorne zu Färber. „Es ist doch nicht unsere Schuld!"

Aber der antwortete eiskalt: „Es ist ihre Haltung, liebe Drucker. Sie müssen die richtige Haltung zeigen. Es kommt nicht darauf an, was Sie getan haben, sondern was Sie alle nicht getan haben. Es hätte einen *Aufschrei* unter Ihnen geben müssen; spontane Demonstrationen gegen Anonymous hätte es geben müssen. Stattdessen haben sie sich klammheimlich gefreut!"

Färber verließ nach diesen Worten die Versammlung und zurück blieben Entrüstung und Sprachlosigkeit.

IV

Robert fuhr nach Hause und ärgerte sich über diesen Färber: *Sechs Monate keine Arbeit.* Und alle anderen Plattformen waren ein Witz. Wahrscheinlich waren diese eine Scheinkonkurrenz, die CIPE aufbaute. Das hatte er schon öfter gehört, dass hinter den anderen Plattformen CIPEsche Strohfirmen standen.

Als er zuhause ankam, erzählte er Maria von der Druckersitzung in Cham und Färbers Ansprache. Auch sie rang um Fassung: „Die drehen uns einfach mal so den Hahn zu?"

„Die wollen ein Exempel statuieren. Ich glaube, dass sie vor allem wollen, dass die Drucker auf Distanz zur IG3D gehen. Die spalten die Menschen, wo es nur geht. Die Drucker müssen so in Angst vor Strafmaßnahmen sein, dass sie die IG3D für ihre Aktionen hassen. CIPE wendet Techniken wie aus dem Mittelalter an: Sippenhaft und Dörfer niederbrennen. Und wir sind die Dorftölpel, auf denen dauernd herumgehackt wird", antwortete Robert.

„Erst wird Moritz festgenommen. Dann das. Wie wollt ihr darauf reagieren?", fragte Maria.

„Noch gar nicht. Aber auf der Fahrt hierher ging mir einiges durch den Kopf. Wittig wollte mich doch damals als den Sprecher der Chamer Drucker gewinnen. Ich habe das Gefühl, dass ich jetzt selbst an einem Punkt bin, an dem es kein Unentschiedensein mehr geben darf. Jetzt ist massiver Widerstand gefragt."

Maria sah Robert erstaunt an: „Willst du gewalttätig werden?"

„Nein. Aber wir - die Chamer Drucker - müssen uns wehren. Mit legalen Mitteln. Mit Anwälten und den Medien."

„Willst du Wittigs Angebot doch noch annehmen?"

„Ich werde ihn jetzt anrufen, ob sein Angebot noch steht. Dann werde ich danach mit den Chamer Druckern sprechen. Ich hatte heute den Eindruck gewonnen, das viele von mir erwarten, das zu tun, was Wittig vorschlug."

Maria sah Robert zwar etwas besorgt, aber auch zustimmend an. Es stand zwar kein leichter Weg vor ihnen, aber irgendwie ging es auch nicht anders. Robert nahm sein Handy und rief Wittig an.

„Hallo?", sagte Wittig.

„Herr Wittig. Robert Baumert hier. Entschuldigung, wenn ich abends noch störe."

„Kein Problem. Wie kann ich helfen?"

„Sie haben sicherlich schon von dem heutigen Meeting mit diesem Färber gehört?"

„Ja. Ist mir schon zugetragen worden."

„Alle Chamer Drucker bekommen eine sechsmonatige Auftragssperre. Das ist für viele der Ruin. Ich habe über unser Gespräch nachgedacht, als sie mir anboten, gemeinsam für die Drucker etwas zu tun. Damals habe ich abgelehnt, aber jetzt ist die Sache anders."

„Verstehe. Sie möchten also jetzt aktiver gegen Dreißiger werden?"

„So sieht es aus. Ich muss mich aber erst von den Druckern ermächtigen lassen. Daher werde ich demnächst ein Treffen des Netzwerkes einberufen. Wahrscheinlich die nächsten Tage beim Druckerwirt hier in Kleinaffing. Der hat einen Saal für mehr als hundert Leute. Etwa einhundert Drucker decken mehr als 90% des Auftragsvolumens von KALIBER ab. Die müssen wir gewinnen. Die Frage ist: was kann ich denen anbieten? Wir brauchen definitiv anwaltliche Unterstützung und wir müssen an die Öffentlichkeit gehen."

Wittig hielt kurz inne und sprach dann: „Lassen Sie mich einige Telefonate führen. Dann rufe ich

Sie zurück und wir besprechen die genaue Vorgehensweise."

„Gut. Übrigens: wissen Sie, was mit Moritz los ist? Ich konnte Bäcker nicht erreichen", fragte Robert nach.

„Moritz ist in Untersuchungshaft. Ich habe ihm einen Anwalt vermittelt. Es geht um den Brandanschlag auf das Regionalbüro von CIPE und die Körperverletzungen gegen Pfeifer und Neumann. Beides wirft man Moritz und zwei anderen seines Notfallteams vor. Jemand muss ihn verpetzt haben. Außerdem scheinen sie ihn auch wegen der Überfälle auf die Transporter zu verdächtigen."

„Das ist ja schlimm" antwortete Robert und hielt kurz inne. „Gut, wir sprechen uns dann später, wenn Sie Ihre Telefonate geführt haben."

V

Robert schrieb alle Chamer Drucker per E-Mail an und organisierte im Festsaal des Druckerwirts eine geschlossene Gesellschaft. Robert wollte es Färber erschweren, einen Spitzel einzuschleusen. Aber Robert war Realist: jeder konnte jederzeit zum Verräter werden, daran bestand kein Zweifel. Färber würde kurz- bis mittelfristig alles über dieses Treffen erfahren.

Ende Februar 2042 kamen nahezu alle eingeladenen Drucker nach Kleinaffing. Die Eintrittskontrolle war streng: Ansorge übernahm sie und prüfte genau, dass nur Drucker Zutritt bekamen, die im Chamer Netzwerk an KALIBER arbeiteten. Dann wurde die Türe geschlossen. Robert schritt nach vorne ans Rednerpult und fing an. Als Bürgermeister war er es gewohnt, vor großen Ansammlungen zu sprechen und das kam ihm jetzt zugute. Er sprach über Färbers Auftritt vor einigen Tagen, dass er von Kittelhaus als dem eigentlichen Sprecher des Netzwerks enttäuscht sei, dass ihn aber am meisten das Arbeitsverbot von sechs Monaten schockierte: „Dieses Berufsverbot, ausgesprochen durch einen Monopolisten, ist die Vernichtung unserer Existenzgrundlage. Und das weiß CIPE. Keiner von uns hat den Hackerangriff durchgeführt und es ist nicht unsere Aufgabe, die IT-Sicherheit von CIPE zu verantworten. Einer von uns – Hilse – hat vor einiger Zeit den mutigen Schritt gewagt, sich zu wehren. Er klagt gegen CIPE und dafür musste er viel ertragen. Ich bin heute an einem Punkt, dass ich das auch tun möchte. Ich will mich wehren, denn das Berufsverbot ist inakzeptabel. Mithilfe der IG3D und ihrer Anwälte werde ich mich auch zur Wehr setzen, aber alleine macht das keinen Sinn. Wir müssen uns geschlossen zeigen. Und deswegen habe ich euch eingeladen, weil ich über diesen Widerstand sprechen möchte. Der Anwalt Hilses würde auch uns vertreten. Der Plan ist, dass die Chamer Drucker sich vereinsmäßig zusammenschließen und sich gesamtheitlich vertreten lassen – Chancen und Risiken sind damit geteilt. Am Ausgang liegen Unterschriftenblätter, auf denen ihr euch als Interessenten eintragt, wenn ihr mitmachen wollt. Ansorge und ich agieren als eine Art Organisationskomitee und sind eure Ansprechpartner. Die, die sich eintragen, werden von uns kontaktiert. Habt ihr Fragen?“

„Seit ihr jetzt bei der IG3D und müssen wir auch Mitglieder werden?“, fragte einer aus der hinteren Reihe.

„Nein“, antwortete Robert, „aber die IG3D freut sich natürlich über mehr Mitglieder. Ansorge und ich sind keine IG3D-Mitglieder, obwohl ich für mich nicht ausschließen kann, es zu werden. Diese Aktion betrifft nur die Chamer Drucker. Wir werden aber von der IG3D unterstützt werden.“

„Wirst du Sprecher sein, Robert?“, fragte ein anderer.

„Das wird durch die Vereinsmitglieder beschlossen werden. Da kann sich jeder als Kandidat auf den Sprecherposten bewerben. Ich werde das auch tun.“

„Gegen was soll genau geklagt werden?“, war eine weitere Frage.

„Gegen die CIPE-AGB, also im Wesentlichen die Nichtabnahme unserer Druckerzeugnisse. Zudem gegen das Berufsverbot, wie ich es nenne.“

Robert beantwortete noch einige Fragen und nach etwa zwei Stunden löste sich die Versammlung langsam auf. Die letzten gingen aber erst gegen kurz vor Mitternacht und waren bis zum Schluss in intensive Diskussionen verwickelt.

Als Ansorge mit den Unterschriftenblättern vom Ausgang kam, sah er zufrieden aus: „Robert! Fast alle haben unterschrieben. Von hundertzehn eingeladenen Druckern kamen achtundneunzig und von denen haben zweiundneunzig unterschrieben. Das ist erstmal ein Achtungserfolg."

Robert sah das auch so. Auf dieser Basis konnte man aufbauen.

VI

Wittig, Bäcker, der aus der Versenkung wieder aufgetaucht war, und der Anwalt besuchten Robert in seinem Haus und auch Ansorge kam dazu. Alle Interessenten der Liste wurden angeschrieben und am Ende hatten sich etwa achtzig Drucker der Klage angeschlossen und stimmten auch der Gründung eines Vereins der Chamer Drucker zu, deren Vorstandschef und Sprecher Robert Baumert wurde. Der Verein repräsentierte fast achtzig Prozent des KALIBER-Auftragsvolumens. Hilse war nun nicht mehr allein, dessen Prozess nur schleppend lief. Der Anwalt meinte, dass CIPE und die Auftraggeberanwälte auf Zeit spielen würden – immer neue Anträge und Fristverlängerungen wurden eingereicht und vom Gericht auch gewährt. CIPE machte hinter verschlossenen Türen politisch Druck auf die Justiz. Beweisen konnte man das leider nicht, aber Hornig und sein *Nero*-Magazin berichteten entsprechend.

Von Moritz gab es nichts Neues – er saß weiterhin in Untersuchungshaft und die Beschwerden gegen diese wurden alle abgelehnt. Wer der Maulwurf war, der ihn dorthin brachte, wusste keiner. Aber die Hinweise des Maulwurfs waren wohl so präzise und schwerwiegend, dass Moritz inhaftiert blieb, wegen Flucht- und Verdunkelungsgefahr. Moritz' Anwalt glaubte, dass der Maulwurf aus dem inneren Kreis stammte, also im Chamer Umfeld zu suchen war. Das war schlimm, aber nicht überraschend. Es war nicht zu vermeiden, dass CIPE Spione oder *Agents Provocateurs* in die IG3D einschleuste. Vielleicht war Moritz ja selbst einer, der für Dreißigers Geld etwas Illegales im Namen der IG3D machte, um deren Ruf zu schaden. Datenlecks musste es auf jeden Fall geben, da CIPE immer genau zu wissen schien, wer IG3D-Mitglied war und wer nicht.

Robert hatte keine Zeit, sich mit solchen Spekulationen zu beschäftigen: Nun ging es um den Aufbau der Internetseite der Chamer Drucker, ein Interview im *Nero* und die Formulierung einer Forderung an CIPE und deren Auftraggeber. Das Programm der Chamer Drucker würde sich im Wesentlichen mit dem der IG3D decken, aber viele wollten einfach nicht zur *roten* IG3D. In der hiesigen konservativen Umgebung, hatten Gewerkschaften und gewerkschaftsähnliche Bewegungen immer noch einen schlechten Ruf. Also war der Chamer Druckerverein die weißblaue Miniausgabe der IG3D. Dennoch war Bäcker nicht wenig und vor allem positiv überrascht, dass auch viele der Chamer Drucker der IG3D beigetreten waren und zwar wenige Tage nach dem Treffen beim Druckerwirt.

Wittig bot außerdem Hornigs Hilfe bei der Produktion eines Imagevideos für den Chamer Druckerverein an. In diesem sollten Robert und andere Drucker zur Sprache kommen und die Gründe für ihr Engagement erklären. Robert und Ansorge willigten ein. Der Aktionsplan für die kommenden Wochen stand.

VII

Sepp saß in Roberts Wohnküche und redete auf Maria ein: „Seid ihr wahnsinnig? Ich habe ja schon den Moritz als schwarzes Schaf in der Familie und jetzt Robert und dieser komische Chamer Druckerverein? Der Färber hat mich schon antanzen lassen und wollte wissen, was der Robert für ein Typ sei. Der wollte alles wissen. Und dann hat er mich gefragt, *ob ich meinen Job mag*. Ihr könnt euch doch nicht mit solchen Leuten anlegen."

„Weißt du, Sepp. Im Gegensatz zu dir sind wir keine Angestellten bei CIPE. Du weißt ganz genau, welches miese Spiel man mit uns treibt. Der KALIBER-Betrug ist aufgedeckt - du hast doch das *Nero*-Magazin auch gelesen. Du stellst dich hier hin und sagst, dass wir die Bösen sind. Nein! *Wir sind die Opfer*. Und langsam muss ich mich fragen, ob du hier nicht der Nestbeschmutzer bist."

„Das ist ja eine Frechheit...", wollte Sepp antworten.

Aber er wurde sofort von Maria unterbrochen: „Hör bloß auf. Ich kann deine Loblieder auf Dreißiger und CIPE nicht mehr hören. Du denkst nur an dich selbst und an deine saubere Anstellung. Deswegen willst du, dass wir die Klappe halten. Aber damit ist jetzt Schluss. Ich stehe hinter Robert. Und jetzt erst recht, nachdem dieser Unmensch Färber dieses Berufsverbot angekündigt hat. Was können wir denn für den Hackerangriff - selber Schuld, wenn eure Technik so schlecht ist."

„Komisch nur, dass sich meine Frau nicht beschwert. Die ist - wie du weißt - selbst Druckerin und arbeitet auch an KALIBER. Da kommt kein Murren mehr."

„Mei bist du naiv! Die beschwert sich nicht wegen *dir*. Um dich nicht zu gefährden und außerdem weiß sie, dass es keinen Sinn macht, mit dir darüber zu reden."

„Vielleicht hat sie einfach erkannt, dass Widerstand zwecklos ist? Ich kenne diesen CIPE-Laden von innen – ihr habt keine Chance. Macht es auch so, wie meine Frau. Haltet den Mund und tut, was man euch sagt", mahnte Sepp.

„Hättest du gerne, was? Geh jetzt bitte, bevor ich mich vergesse." Maria warf Sepp hinaus und der ging, ohne sich zu verabschieden.

Maria rief danach Robert an, um ihn über den bizarren Auftritt seines Bruders zu informieren. Robert war erzürnt. Versuchte Sepp etwa, seine eigene Familie von ihm abzuspalten, Maria gegen ihn aufzuhetzen? Er musste mit ihm reden. Momentan war er bei einer Coaching-Spezialistin in München, die ihm Wittig vermittelte und auch finanzierte. Sie sollte ihn auf öffentliche Auftritte vorbereiten und vor allem auf solche, bei denen es massiven Gegenwind gab, also Störer. Aber abends, auf dem Rückweg, würde er kurz bei Sepp vorbeisehen.

Das Coaching verlief sehr gut. Die Spezialistin hatte namhafte Kunden aus Politik und Wirtschaft und beriet Robert in Bezug auf Körpersprache, Aussehen und Rhetorik und wie man aus der Sprachlosigkeit wieder herausfand ohne übertölpelt zu wirken. Auch die *schwarze Rhetorik* lernte Robert kennen, also rhetorische Angriffstechniken wie das *argumentum ad personam:* Wenn der Gegner argumentativ überlegen war, dann war das die Technik der Wahl, um doch noch zu gewinnen. Dabei galt es, die Diskussion von der Sach- auf die persönliche Ebene zu herunterzuziehen und den Gegner zu disqualifizieren. Die Extremistenkeulen à la *Kommunist* oder *Nazi* gehörten zu diesem rhetorischen Kniff, denn war der Redner persönlich diskreditiert, dann mit ihm auch seine Argumente, so richtig sie sein mochten. Und der Coach warnte Robert, dass vor allem Wittig selbst seine Achillesferse war, denn Dreißiger und andere CIPE-Mitarbeiter würden ihn damit angreifen, dass er sich von einem reichen Kommunisten, einem roten Romantiker, unterstützen ließ. Außerdem werde er sich die kriminellen Akte von Moritz ankreiden lassen müssen. Das waren zwar bis jetzt nur unbewiesene Beschuldigungen, aber das würde reichen, um Robert zu beschädigen. Außerdem werde Dreißiger versuchen, eine Verbindung zwischen Anonymous, der IG3D und damit ihm zu konstruieren – der Angriff käme aus heiterem Himmel und würde so lauten: *Und das sagt jemand, der aus einer kriminellen Familie stammt und mit Cybergangstern zusammenarbeitet.*

„Herr Baumert, Sie müssen sich auf diese Angriffe vorbereiten. Die kommen und noch viel schlimmere. Und Sie müssen die Antwort parat haben, ohne eine Pause zu machen“, sagte die Frau sehr eindringlich. „Sobald die ersten Auftritte in Talkshows kommen, dann muss das sitzen.“

„Aber nichts davon ist wahr?“, entgegnete Robert. „Die Hacker haben doch nicht im Auftrag der IG3D gehandelt, oder?“

„Nein“, antwortete der Coach, „aber das ist egal. Die Anschuldigungen werden gesagt und stehen im Raum. Natürlich können Sie dagegen juristisch vorgehen und eine Gegendarstellung einklagen, aber der Vorwurf wird auch danach weiter an Ihnen haften bleiben, auch wenn Sie ihn zehnmal widerlegt haben. Schmutzkampagnen haben exakt dieses Ziel: es geht nur darum, Sie mit Dreck zu bewerfen und Ihnen die weiße Weste zu nehmen. Ob zu recht und unrecht, ist dem Gegner gleich. Und egal wie gut sie waschen, die Weste wird nie wieder ganz weiß werden, denn das Gedächtnis der Menschen für Skandale und Gerüchte ist außerordentlich gut."

Am Ende des Tages dröhnte Robert der Schädel – so eine intensive Kritik hatte er noch nie erlebt. An so etwas musste man sich erst gewöhnen, dass jede Geste und Mimik kommentiert wurde. Dennoch hatte er viel gelernt und war dankbar dafür, denn er fühlte sich der Aufgabe, einen überzeugenden Fernsehauftritt hinzulegen, gewachsener denn je.

Nun machte sich Robert auf den Weg zurück nach Kleinaffing, der zunächst zu seinem Bruder führte. Sepp wohnte ein paar Straßen von Robert entfernt. Er hatte sich einen Neubau geleistet, ein Einfamilienhaus. Vor dem Haus angekommen – das Licht brannte im Inneren – wollte Robert schon aussteigen, bemerkte dann aber in der Straße ein Auto, das nicht hierher gehörte. Robert war sich sicher: es war das Auto von Färber. In diesem sah Robert ihn vor einiger Zeit in Cham von der Netzwerkversammlung wegfahren. Robert blieb im Wagen sitzen, um zu beobachten, was da los war.

Er wollte Färber aus dem Haus seines Bruders herauskommen sehen. Und das passierte auch, etwa fünfzehn Minuten später. Sepps Gesichtsausdruck war nicht angespannt, also ging Robert davon aus, dass Färber nicht kam, um Sepp unter Druck zu setzen.

Er schrieb eine SMS an Sepp: *Wenn du mit dem Meeting mit deinem Freund Färber fertig bist, ruf mich doch bitte an*. Robert hoffte, dass er Sepp damit erschrecken konnte.

Die Antwort von Sepp kam rasch: *Mach ihn lieber auch zu deinem Freund, solange du noch kannst*.

VIII

Robert wusste bald, was Sepp meinte, denn Färbers Großangriff auf die Chamer Drucker, der bereits Mitte Februar begann, nahm an Intensität immer weiter zu. Färbers Leute marschierten überall auf und kämmten Drucker für Drucker durch – es wurde die Buchhaltung und die Druckerausstattung geprüft. Kleinste Verstöße hatten sofort Abmahnungen und weitere Auftragssperren zur Folge. Ein fehlender Beleg für die Büro- und Geschäftsausstattung über ein paar hundert Mark – drei Monate Auftragssperre. Eine Druckmaschine, die nicht ordentlich gewartet war oder vielleicht nicht mehr schön aussah, das gleiche. Mehrfache Verstöße bedeuteten eine Vertragsstrafe oder sogar den dauerhaften Ausschluss von CIPE. Allein in den ersten Wochen wurden mehr als zehn Drucker dauerhaft gesperrt und es kamen immer mehr dazu.

Manche berichteten, dass sich die Betriebsprüfer mit dem lapidaren Kommentar verabschiedeten: „Bedankt euch bei Baumert und Ansorge."

Robert erhielt tatsächlich E-Mails mit bösen Kommentaren von einigen Druckerkollegen. Und nicht nur das: kurz nach der offiziellen Gründung des Chamer Druckervereins kam Post von CIPE in der stand: *Den Chamer Druckerverein e.V. müssen wir aufgrund vorliegender Informationen als eine Organisation werten, die zur verbotenen Preis- und Konditionenabsprache dient. Das widerspricht den Werten von CIPE und auch den Allgemeinen Geschäftsbedingungen. Aus diesem Grund schließen wir alle Mitglieder dieses Vereins dauerhaft von der Teilnahme an CIPE aus. Weitere rechtliche Schritte behalten wir uns vor.*

Dieser Brief schlug ein. Ansorge und Robert bekamen wütende Anrufe der Vereinsmitglieder, die alle wissen wollten, was nun sei. Natürlich wunderte sich Robert über die aufgeschreckten Reaktionen, denn die Leute mussten doch wissen, dass CIPE die Gründung eines solchen Vereins nicht einfach hinnehmen würde. Es war also nur eine Frage der Zeit, bis so ein Brief erschien. Aber egal – Robert informierte die Mitglieder: *Liebe Chamer Drucker, der Brief von CIPE, der unsere dauerhafte Sperre auf CIPE verkündete, darf uns nicht überraschen. So geht CIPE mit Leuten um, die sich nicht her-*

umschubsen lassen. Durch diesen Brief ändert sich für euch eigentlich nichts, denn wir sind ohnehin noch für Monate wegen des Hackerangriffs gesperrt, mit dem uns CIPE ohne Begründung in Verbindung bringt, unabhängig von der Gründung des Chamer Druckervereins. Unser Anwalt wird auch gegen diese Maßnahme von CIPE vorgehen – die Vorbereitungen laufen schon. Wir werden die Öffentlichkeit über diesen Brief informieren und dagegen protestieren. Viele Grüße, Eure Kollegen Ansorge und Baumert.

Robert war ohnehin etwas enttäuscht von den Vereinsmitgliedern. Niemand wollte in dem Imagevideo auftreten, also blieb es an ihm und Ansorge hängen. Er fürchtete, dass die Öffentlichkeit den Eindruck gewinnen konnte, dass der Chamer Druckerverein eine Zwei-Mann-Show war. Just in diesem Moment erhielt er eine E-Mail von Wittig: *Hallo Herr Baumert, habe gerade eine Nachricht von Herrn Hornig erhalten: die ARD fand Ihr Interview im Nero-Magazin interessant und möchte Sie in eine Talkshow einladen. Und jetzt kommt es: Dreißiger wird dabei sein. Sie treten also im Fernsehen gegen Herrn Dreißiger an - direkt. Ihr Coach Frau Weber, Herr Hornig und ich werden Sie vorbereiten. Ich hoffe, Sie nehmen die Einladung an. Sendetermin ist Mitte April. Wir haben also noch etwa drei Wochen, um Sie vorzubereiten. LG, Wittig.*

IX

„Mach es!“, sagten die meisten der Drucker, als sie von der Einladung ins Fernsehen hörten. Aber noch wichtiger war Robert, dass auch Maria einverstanden war, denn als seine Frau bekam sie das öffentliche Scheinwerferlicht ungefiltert ab, im Guten wie im Schlechten. Robert hatte eine intensive Vorbereitung hinter sich, da ihn Frau Weber, Hornig und Wittig immer wieder in die Mangel nahmen, mit teilweise miesesten Gegenargumenten. Aber nur so hatte Robert eine Chance, gegen Dreißiger zu bestehen. Frau Weber sagte treffend voraus, wie sich Dreißiger präsentieren würde, nämlich als einer von ganz unten, der sich nach oben arbeitete. Er würde versuchen, sich bei den erzürnten Druckern als einer von ihnen zu präsentieren und sagen: *Mit harter Arbeit schafft ihr es. Auch ich bin mit vierzig mit nichts dagestanden. Dann werdet auch ihr Milliardäre. Klagt nicht, sondern nutzt die Chance, die ich euch biete*. Fast genau diese Worte benutzte Dreißiger, also ob Frau Weber hellseherische Fähigkeiten besaß.

Die Talkshow wurde live übertragen und es waren vier Gäste dabei, nämlich Dreißiger, Robert, ein Wirtschaftshistoriker und ein liberaler Politiker. Geredet haben aber eigentlich nur der Moderator, Dreißiger und Robert. Dreißiger konnte bestechen mit der *sexiness* des Erfolgs, die ihn wie eine glänzende Aura umgab, auch wenn er gerade einmal nichts sagte. Gekleidet war er mit Stoffhose, Hemd, Pullover und Sakko und seine Ausstatter achteten darauf, dass er keine Bonzen-Accessoires trug, wie eine teure Uhr oder edle Schuhe, um das Image eines bodenständig gebliebenen Selfmade-Milliardärs zu pflegen. Dreißiger sah nicht unattraktiv aus – er war nicht dick, aber auch nicht schlank, etwa 1,85 Meter groß, hatte gewaltige Geheimratsecken und angegraute Haare. Er wirkte nicht wie ein Fastrentner. Man merkte aber schon, dass es ihm schwerfiel, sich mit den anderen Gästen auf eine Kommunikationsstufe zu stellen und nicht arrogant zu wirken. Wer wie Dreißiger in den Gefilden der Toppolitiker und Weltkonzernchefs agierte, für den war der Kontakt mit den Allerweltsmenschen ein Banalitätsschock und die Neigung, die Umgebung wie Bedienstete zu behandeln, war immer spürbar; dieser Kontakt mit der Basis war daher auch eine Herausforderung für Dreißiger, denn die meisten Konzernbosse umgaben sich mit Jasagern, die alles toll fanden, was sie von sich gaben, auch wenn es der größte Schwachsinn aller Zeiten war. Widerspruch waren sie also nicht gewohnt und konnte sie rasch ins Straucheln bringen - und das war der Rat von Coach Weber an Robert: *Keinen Respekt zeigen, sondern Dreißiger aus der Fassung bringen. Aber das mit Niveau, damit sich die anständigen Leute mit Ihnen solidarisieren.*

Die Sendung trug den Titel *Droht der Druckeraufstand?* und daher wurden einige Einspieler gezeigt, die auch die Enthüllungen des *Nero*-Magazins sowie das Imagevideo des Chamer Druckervereins erwähnten und ausschnittweise zitierten.

Die Einspieler versuchten, den drohenden Druckeraufstand zu verdeutlichen, aber das erste Wort ging an Dreißiger, der sagte: „Wissen Sie, man kann es nie allen recht machen. CIPE hat den 3D-Druck industrialisiert. Wir haben den 3D-Druck massentauglich gemacht und ihn zu einer Volksbeschäftigung gemacht. Wir haben die Industrieproduktion, die seit den 1970ern nach Asien abgewandert ist, nach Deutschland zurückgeholt. Und Billigarbeit und Arbeiterstrich haben wir nicht erfunden. Seit der Agenda 2010, vor allem aber unter der Regierung Merkel, hat sich auch mit der Freizügigkeit ein Billigarbeitsmarkt entwickelt, der wiederum den Exportboom anheizte, weil durch vergleichsweise geringe Lohnkosten und einer günstigen Währung sehr gute und gleichzeitig erschwingliche Produkte im Angebot waren, bis die Exportblase platzte. 2029 war die Armutsquote in Deutschland bei fast 40% angelangt. Nach dem Ruin von 2029 kam mit dem 3D-Druck wieder eine Chance auf: Die Armutsquote und die steuerliche Belastung durch die Bankenrettungen sind wieder rückläufig und die Politik arbeitet daran, den wieder eingeführten Solidaritätszuschlag bald wieder abzuschaffen. CIPE zum Sündenbock für alles zu machen, ist einfach, aber nicht gerecht. Dass die goldenen Jahre vorbei sind, liegt daran, dass die goldenen Jahre gepumpt waren. Sie waren nie echt. Man muss sich Deutschland und ganz Europa als eine Familie vorstellen, in der jetzt alle dafür arbeiten, die Schulden der Vergangenheit abzubauen. Dazu gehört auch, dass man sehr viel arbeiten muss, um einen auskömmlichen Lebensunterhalt zu haben. Das Einkommen ist nicht zu niedrig oder unfair - es ist endlich realistisch."

Robert entgegnete: „Auch ich bin Drucker und sehe daher CIPE nicht feindlich, aber kritisch. Es geht der Druckerbewegung nicht darum, CIPE abzuschaffen, aber sie auf faire, soziale Füße zu stellen. Dass die niedrigen Verdienste der Drucker realistisch seien, ist nicht korrekt: Endmonteure und CIPE verzeichnen Gewinnmargen von weit über zehn Prozent. Diese sind möglich, weil CIPE die Konkurrenz unter den Druckern massiv anheizt und streiten sich die Drucker, freuen sich CIPE und seine Auftraggeber."

„Muss ich mir jetzt vorwerfen lassen, dass ich Leuten Arbeit beschaffe?", antwortete Dreißiger und sah sich um Zustimmung suchend im Aufnahmestudio um. Einige Zuschauer im Publikum klatschten wie auf Kommando. Auch vor gekauften Claqueuren hatte Coach Weber gewarnt. Davon dürfe er, Robert, sich aber nicht verunsichern lassen.

„Bleiben wir sachlich, Herr Dreißiger", antwortet Robert. „Ihre 3D-Druck-Arbeitsbeschaffung ist vergleichbar mit dem Logistikboom der 2000er. Die Logistikbranche nahm viele Arbeitnehmer auf, die aufgrund der Abwanderung der Industrie ins Ausland arbeitslos wurden, natürlich zu viel schlechteren Konditionen. Das war möglich durch die Deregulierung im Speditions- und Frachtrecht. Die Arbeitgeber fanden im Logistiksektor ein herrliches Betätigungsfeld: schwache Gewerkschaften und niedrigste Markteintrittsbarrieren. Jeder der einen Führerschein hatte, konnte Frachtführer und damit Unternehmer werden. So einfach war das. Das Resultat war aber die Paketsklavendebatte in den 2010ern. Heute haben wir die Druckersklavendebatte. Was wir wollen ist nur eine faire Verteilung der Gewinne auf alle am 3D-Druck beteiligten Stakeholder, denn eine ausbeutende Beschäftigung ist keine Beschäftigung, sondern Sklaverei. Moderne Sklaverei. Dagegen gibt es ein Mittel: die Wiedereinführung des Heimarbeitsgesetzes. Sie haben selbst gesagt, dass es sich nur um eine vorübergehende Aussetzung dieses Gesetzes handeln sollte, aber nun sind es schon mehr als zehn Jahre. Es wird nicht eingeführt, weil mächtige Wirtschaftsführer wie Sie Angst um die Profite haben, die Ihnen dadurch entgehen könnten."

Das Wort erging dann an den Politiker, der aber nur mit schwachen Allgemeinplätzen argumentierte, dass man ja immer abwägen müsse zwischen Entlohnung und Beschäftigungszielen, aber faires Einkommen sei natürlich wichtig.

Dann griff Dreißiger ein: „Die Wiedereinführung des Heimarbeitsgesetzes würde die Beschäftigung reduzieren. Es gäbe weniger Druckaufträge und das wäre ungerecht gegenüber denjenigen, die auf eine Chance warten, Drucker zu werden. Das muss nicht auf ewig so sein, aber wir sehen die 3D-Druck-Heimarbeit noch nicht ausreichend stabilisiert."

Der Wirtschaftshistoriker pflichtete Dreißiger bei: „Die ökonomischen Berechnungsmodelle zeigen an, dass die Beschäftigung dann zurückgehen würde."

Robert schüttelte den Kopf – auch auf dieses Argument bereiteten ihn Weber, Wittig und Hornig vor: „Welche Beschäftigung geht zurück? Die bei den Druckern oder insgesamt? Haben Sie auch den Effekt gesteigerter Kaufkraft unter den Druckern und den Anstieg des Konsums eingerechnet?"

„Nein, nur die Beschäftigung von Druckern. Konsumsteigerungen sind nicht berücksichtigt", antwortete der Wirtschaftshistoriker hastig.

Robert setzte nach: „Herr Professor, wo waren Ihre volkswirtschaftlichen Berechnungsmodelle, als es darum ging, die Wirtschaftskrisen der Vergangenheit vorherzusagen und zu verhindern: die Krise von 2007/2008, die Euro-Krise Anfang der 2010er, die Bankenbankrotte und Währungskrisen in den 2020ern und das Platzen der Exportblase 2029. Seien Sie mir nicht böse, aber Ihre Modelle haben in der Vergangenheit versagt und sie versagen auch hier. Sie haben noch nie irgendwas richtig vorhergesagt."

Nun ging Dreißiger auf die persönliche Angriffsebene über: „Sie plappern die Pamphlete der

IG3D und dieses Salonkommunisten Wittig nach. Sie sind nur eine Marionette von Extremisten und sie bauen vor diesen Leuten mit ihrem Chamer Verein eine bürgerliche Kulisse auf. Der Herr Wittig hat auch gut reden. Sitzt auf Millionen und spielt den Moralisten."

Auch darauf war Robert vorbereitet: „Leider ist es in unserem Land so, dass man für die Verkündung unbequemer Wahrheiten besser finanziell abgesichert ist. Es herrscht zwar gesetzliche Meinungsfreiheit, faktisch wird man aber im Zivilleben abgekanzelt und gemieden, wenn man sie ausspricht. Man verliert Aufträge, Arbeitsplatz und Leumund, obwohl man nichts Ungesetzliches getan hat – in unserem Land ist die Meinungspolizei schon lange vom Staat auf gesellschaftliche Eliten übergegangen. Diese soziale Kontrolle wirkt genauso effektiv wie eine Diktatur, die Dissidenten mit Schlapphutträgern verfolgt. Am Ende sind sie in beiden Systemen ruiniert. CIPE macht das vor: nachdem wir den Chamer Druckerverein gründeten, erhielten wir eine Mitteilung, dass uns CIPE lebenslang von der Plattform ausschließt."

„Herr Baumert. Was für Sie eine Wahrheit ist, muss für andere noch lange keine sein", merkte der Moderator an.

„Stimmt", antwortete Robert, „nur dann sollte man argumentieren und nicht ächten. Es findet ja kaum eine Diskussion statt, aber das sollte sie öfters. Dann könnte man gemeinsam einen Diskurs führen, an dessen Ende eine Einsicht steht, der sich die meisten anschließen könnten."

„Die Diskussion findet doch gerade statt, Herr Baumert. Warum beschweren Sie sich?", fragte der Moderator.

Gott sei Dank sah Hornig diese Antwort auch vorher und präparierte Robert entsprechend: „Leider bestätigt diese Ausnahme – die heutige Sendung – die Regel. Das Thema Druckerbewegung oder Ausbeutung der Drucker wurde bisher kaum thematisiert, obwohl schon Anfang der 2030er das Aufkommen der Kinderarbeit in Druckerfamilien im Jugend- und Familienministerium aktenkundig wurde. Wir haben uns mal die wichtigsten Talkshows in den öffentlich-rechtlichen Fernsehsendern angesehen. Seit 2031, also elf Jahre nun, ist dieses Problem bisher nur ein einziges Mal thematisiert worden - und zwar genau heute. Für einen sozialen Missstand dieser Tragweite ist das eine sehr schlechte Bilanz für die Medien." Robert merkte, wie der Moderator sich auf das konzentrierte, was er über den Knopf im Ohr aus der Redaktion hereinbekam. Hornig verriet, dass die Talkmaster während der Sendung Fragen, Anregungen und Fakten über ein Mikro im Ohr eingesagt bekamen, um ihre Gäste besser braten zu können.

Der Moderator antwortete etwas nervös: „Wir…ich kann diese Analyse nicht bestätigen, aber wir werden uns das ansehen. Bleiben wir aber bei der IG3D. Herr Dreißiger: Wie geht es Ihrer Firma nach dem Hackerangriff?"

„Das war ein krimineller Akt, der die Existenzgrundlage aller Drucker gefährdete. Aber wir werden darauf reagieren", antwortete Dreißiger.

Robert sah den Moderator entgeistert an und sagte: „Mir gefällt nicht, wie Sie die Frage formuliert haben. Das suggeriert doch, dass es zwischen der IG3D und Hackern eine bewiesene Komplizenschaft gibt. Tut es aber nicht."

„*Bisher noch nicht*, Herr Baumert!", grätschte Dreißiger dazwischen. „Wir haben eigene Privatermittler beauftragt, um die Cyberattacke aufzuklären. Deren Bericht ging heute an die Staatsanwaltschaft in München. Darin befindet sich die eidesstattliche Zeugenaussage eines Insiders der IG3D, der bestätigt, dass Herr Hornig, der Herausgeber des *Nero*-Magazins und Herr Wittig, Anonymous mit diesem Angriff beauftragten."

Robert reagierte abwehrend: „Das ist doch eine Schmutzkampagne. Bleiben Sie doch mal bei den Sachargumenten."

Aber Dreißiger blieb bei seinem Text: „Herr Hornig fungierte als Vermittler zwischen Wittig, der IG3D und dem Anonymous-Netzwerk. Und nicht nur das: die tätlichen Angriffe gegen Mitarbeiter von CIPE gehen auf das Konto eines Prügelkommandos der IG3D. Und wer war dessen Anführer? Herrn Baumerts Cousin, der Ex-Soldat Moritz Jäger. Herr Baumert hat sich mit einer kriminellen Vereinigung verbündet, die den Chamer Druckerverein finanziert. Deswegen ist und bleibt er auch von CIPE ausgeschlossen. Und vielleicht noch das zum Abschluss: Herr Baumert will eine Sachdiskussion. Die würde ich auch gerne führen, aber ist er der richtige Ansprechpartner dafür? Einer, der mit Gewalttätern und Kriminellen paktiert? Arbeiten die vielleicht mit Sachargumenten?"

Hornig, Wittig und Frau Weber, der Coach, sahen sich die Talkshow gemeinsam in den *Nero*-Redaktionsräumen an. Sie verfolgten *live*, wie Dreißiger die Bombe platzen ließ und der von ihnen gemeinsam aufgebaute Robert Baumert wieder demontiert wurde. In der Sendung ging es jetzt nur noch um Dreißigers Enthüllung. Sie dauerte noch fünfzehn Minuten und Robert war in der Defensive. Er machte bis zu diesem Zeitpunkt eigentlich eine gute Figur, aber mit Dreißigers Kronzeugen-Enthüllung zum Hackerangriff war es aus. Die einzigen Fragen, die Robert noch gestellt wurden, waren *Wussten Sie von der Verstrickung der IG3D mit kriminellen Hackern?* oder *Distanzieren Sie sich von Ihrem Cousin?* Robert wusste ehrlicherweise nichts davon, dass der Anonymous-Angriff auf CIPE von Wittig und Hornig beauftragt war. Und er war auch der ehrlichen Meinung, dass Moritz zu unrecht für die Gewalttaten beschuldigt wurde.

Hornig und Wittig sahen sich mit großen Fragezeichen in den Augen an: *Wer konnte der Zeuge sein?* Nur ganz wenige wussten von Hornigs Anonymous-Kontakten. Außer Hornig eigentlich nur Wittig, Moritz und Bäcker. Sie waren die Eingeweihten und sonst niemand.

Frau Weber stand auf und fragte die beiden Männer energisch: „Stimmt das?“

Hornig und Wittig schwiegen, aber das genügte Frau Weber, um ihre Sachen zu packen und zu gehen: „Meine Herren, die Zusammenarbeit ist beendet.“

Nur weitere fünf Minuten später rief der Pförtner bei Hornig an und sagte: „Herr Hornig, die Polizei ist da und möchte mit Ihnen und Herrn Wittig persönlich sprechen.“

Zur gleichen Zeit - die Sendung war gerade vorbei - ging Robert rasch aus dem Sendergebäude. Wie konnten sie Dreißiger nur so unterschätzen? Darüber grübelte der gedemütigte Bürgermeister nach. *Natürlich* hatte Dreißiger die große Sensation vorbereitet. Dieser Mann würde sich niemals vor einem Millionenpublikum so exponiert haben, hätte er nicht den großen Coup vorbereitet. Robert lehnte jede Gesprächsanfrage der Journalisten ab, die schon auf den Gängen wie die Geier warteten. Aber kaum war dieser Spießrutenlauf beendet, lief er dem *Endgegner* in die Arme, der vor dem Gebäude wartete: Färber.

Im Trenchcoat lehnte dieser an einer Betonsäule und rauchte ein Zigarillo. „Abend Herr Baumert. Wie geht es Ihnen?“, fragte er Robert lässig.

Robert hasste diesen Menschen abgrundtief: „Das wissen Sie ganz genau. Außerdem interessiert Sie das nicht wirklich."

„Doch! Ich will ja wissen, wie sehr ich Ihnen den Boden unter den Füßen wegziehen konnte."

„Lassen Sie mich in Ruhe, Färber. Wälzen Sie sich doch einfach weiter im Dreck – da fühlen Sie sich am wohlsten."

Spike lachte. Anfänger wie Robert waren für ihn nicht mehr als Übungsopfer. Da gab es ganz andere. Aber jetzt musste sich Färber um die Vernichtung von Hornig und Wittig kümmern und darüber mit Dreißiger reden, der noch auf der After-Show-Party des Senders war. „Viel Glück, Herr Baumert. Das werden Sie jetzt brauchen", rief er dem wortlos davoneilenden Robert hinterher.

Bevor Robert mit seinem Auto Richtung Kleinaffing losfuhr, telefonierte er kurz mit Maria und Ansorge. Ein paar SMS erhielt er von seinen Vereinsbrüdern, die sehr gemischt waren: aufmunternd, kritisierend, anerkennend, aber auch anklagend. Robert fühlte sich wie Ikarus: wer ins Licht strebte, konnte darin verbrennen – genau das war gerade passiert. Als seine Telefonate beendet waren, schaltete er das Handy und das Radio aus. Robert wollte auf der Fahrt nichts mehr hören.

X

Die Reaktionen auf das Fernsehduell waren nicht ganz so vernichtend, wie Robert befürchtete. Vielmehr stand Robert als eine Art Bauernopfer im Kampf Millionär (Wittig) gegen Milliardär (Dreißiger) da und seine Frau Maria meinte: *Lieber ein Depp als ein Krimineller.* Trotzdem war die Gesamtsituation für Robert enttäuschend. Die Kinder fanden es natürlich toll, dass er im Fernsehen war, aber das änderte sich rasch als die anderen Kinder anfingen, über ihren Vater zu lästern, ganz ihre Eltern nachplappernd. Er ließ sich auch zu einem Interview mit einer größeren Tageszeitung hinreißen, um sich zu erklären, wollte aber danach seine Ruhe vor der Öffentlichkeit.

Robert versuchte tagelang erfolglos Wittig und Hornig zu erreichen. Vor allem Wittig wollte er zur Rede stellen, was es mit der Enthüllung Dreißigers auf sich hatte und sich dafür Bedanken, dass er ihn vor aller Welt bloß stellte. Auch Bäcker war - wieder einmal - wie vom Erdboden verschluckt.

Vielleicht wusste Coach Weber wo Wittig war? Die war über Roberts Anruf mittelmäßig begeistert und meinte, dass sie nicht mehr für eine Beratung zur Verfügung stünde.

„Das ist mir egal, weil ich mit meiner Rolle als Sprecher der Drucker erledigt bin. Ich habe bereits dutzende Austrittserklärungen aus dem Chamer Druckerverein in meiner Mailbox. Ich muss Wittig erreichen, weil ich mir ehrlich gesagt *verarscht* vorkomme."

„Mir geht es nicht anders, Herr Baumert. Ich kann Ihnen nur soviel sagen, dass die Herren Hornig und Wittig noch während der Sendung in der *Nero*-Redaktion verhaftet wurden. Das ist mein letzter Informationsstand. Rufen Sie doch mal den Anwalt an, der auch Sie vertritt. Der weiß es bestimmt."

Robert folgte diesem Rat und der Anwalt konnte Robert die Auskunft geben, dass Hornig und Wittig beide in Untersuchungshaft waren. Es war das gleiche Untersuchungsgefängnis wie das, in dem Moritz saß.

„Dann kann ich ja mehrere Fliegen mit einer Klappe schlagen", meinte Robert.

Aber der Anwalt wiegelte ab: „Nein, Sie werden keinen Besuchstermin bekommen. Es gibt nur eine begrenzte Anzahl an Besuchsterminen und die sind den nächsten Angehörigen vorbehalten. Wenn Sie Fragen haben, dann stellen Sie die mir und ich rede mit Wittig, weil ich dort jederzeit Zugang habe und auch vertraulich sprechen darf. Wenn Sie ihn besuchen, dann wird das überwacht."

„Ich hätte gerne gewusst, ob das wahr ist, was Dreißiger ihm vorwirft. Außerdem wie er sich die weitere Arbeit vorstellt und wie es mit Ihrer Finanzierung weitergeht. Wittig zahlt ja auch Ihre Rechnungen, um uns Drucker zu vertreten."

„Ist gut. Ich rede mit Wittig und rufe Sie dann an. Gehen Sie aber nicht davon aus, dass Sie ein offizielles Geständnis und Entschuldigung von ihm bekommen. Was das Geld betrifft, bin ich zuversichtlicher, dass ich gute Nachrichten für Sie haben werde."

Nach dem Telefonat mit dem Anwalt ging Robert zum Druckerwirt. Ihm war nach Betrinken zumute.

Welzel hieß Robert willkommen: „Da kommt ja der Fernsehstar!"

Robert winkte ab: „Davon habe ich genug. Gib mir doch bitte gleich mal ein Weißbier."

Die Gaststube war recht leer und so konnte er sich mit Welzel in Ruhe unterhalten. Der verriet ihm etwas Interessantes: „Die Betriebsprüfer, die hier momentan unterwegs sind, fahren eine neue Taktik. Sie gehen zu den Druckern und fordern sie auf, sich von der IG3D und dem Chamer Druckerverein sowie deren leitenden Persönlichkeiten loszusagen. Sprich von Dir und Ansorge. Sie müssen etwas unterschreiben und garantieren, nie wieder mit diesen zusammenzuarbeiten und auszutreten. Sie müssen dann an einem Compliance-Programm teilnehmen und danach würden sie bei CIPE wieder zugelassen und könnten weiterarbeiten."

Robert nahm einen kräftigen Schluck und antwortete dann: „Das erklärt einiges. Der Chamer Druckerverein ist nahezu am Ende. Die Hälfte der

Mitglieder ist schon ausgetreten. Gib mir noch eines."

Welzel ging an den Tresen, zapfte noch ein Bier und sagte dabei: „Robert, die Leute kriegen kalte Füße. Und dein Fernsehauftritt hat doch gezeigt, was passiert, wenn man sich mit denen anlegt. Die haben euch eine gewisse Zeit machen lassen, im Hintergrund die Antwort vorbereitet und auf den richtigen Zeitpunkt gewartet, euch vor aller Augen bloß zu stellen. Sind halt Profis."

„Genau. Und ich bin keiner. Ich bin der Bauer Robert und der Dorfbürgermeister. Nicht mehr, nicht weniger."

Welzel sah Robert mitleidig an, als wenn er ihm noch etwas sagen wollte, es sich aber doch verkniff. Also lenkte er auf ein anderes Thema ab und trank ein Bier mit Robert gemeinsam, denn der brauchte jetzt etwas Aufmunterung. Fußball war immer ein gutes Thema: über das konnte man fachsimpeln und dabei die restliche Welt vergessen. Nach dem dritten Bier musste Robert mal auf die Toilette. Gedankenverloren und ohne an etwas Böses zu denken, verließ er die Gaststube und bekam einen halben Herzinfarkt: Färber kam ihm auf dem Gang entgegen. Er war in einem der anderen Gasträume und aß dort mit einigen Mitarbeitern zu Abend. Das hätte Welzel doch sagen können.

„Hallo Herr Baumert!", sagte dieser ganz neutral, als er Robert wahrnahm.

„Herr Färber! Planen Sie den nächsten Tiefschlag gegen mich?“

Färber lachte: „Wissen Sie was? Ich bin gar nicht so schlimm, wie Sie denken. Ich trete keine Leute, die schon am Boden liegen. Das überlasse ich anderen; Ihren Vereinskollegen und Mitbürgern zum Beispiel. Die werden das für mich machen.“

Mit einem breiten Grinsen verschwand Färber in einem der Gasträume und ließ Robert alleine im Gang stehen.

XI

Was Färber damit meinte und Welzel ihm noch nicht offenbaren wollte, erkannte Robert in der nächsten Gemeinderatssitzung. Das versammelte Gremium legte Robert nahe, auf sein Bürgermeisteramt zu verzichten. Der Druck von CIPE sei zu stark. CIPE war bereit, die Zusammenarbeit mit den Chamer Druckern auf eine neue Grundlage zu stellen, wenn man sich von Rädelsführern wie Wittig, Hornig, Bäcker und Moritz und auch ihm, Robert, lossagen würde. Der Verein müsse aufgelöst und die IG3D-Mitgliedschaften abgelegt werden – Rädelsführer in politischen Ämtern waren ebenfalls nicht akzeptabel. Das waren die Kernbotschaften des Gemeinderats an Robert.

Eines der Gemeinderatsmitglieder wurde deswegen sehr eindringlich: „Robert. Hör freiwillig auf, damit das hier nicht schmutzig wird. Wir brauchen einen Neuanfang. Du hast dich für die Drucker eingesetzt und bist auf die falschen Leute hereingefallen. Das kann passieren. Aber es muss weitergehen. Wenn du nicht gehst, dann haben wir hier alle keine Existenzgrundlage."

Momentan hatte Robert keine Antwort darauf. Er stand jetzt vor der Entscheidung: Kampf oder Rückzug. Ohne die Unterstützung von Hornig und Wittig war es aussichtslos. Robert musste nachdenken: „Ich überlege es mir und teile euch meine Entscheidung bald mit."

Gleich nach der Gemeinderatssitzung rief Robert Ansorge an: „Hat dir dein Gemeinderat auch gerade den Rücktritt nahegelegt?"

„Noch nicht offiziell. Aber inoffiziell. Wie ist es bei dir?"

„Offiziell. Gerade eben. Einstimmig bis auf eine Enthaltung. Und das war Sepp, mein Bruder."

„Robert", meinte Ansorge deprimiert, „ich bin kein Kämpfer. Ich hatte immer ein mieses Gefühl bei dieser Aktion. Du hast dich von Wittig auch einwickeln lassen. Aber schau uns an: Moritz und unsere wichtigsten Unterstützer im Knast und wir geächtet - das hat so keinen Wert. Unsere Sache ist gerecht, aber die Drucker hier in unserem Landkreis und auch woanders sind nicht entschlossen genug. Die kämpfen erst bis aufs Blut, wenn es gar nicht mehr anders geht. Soweit sind die noch nicht. Es geht uns zu gut - *noch.*"

„Ja, du hast wahrscheinlich recht. Dieser Färber ist ein Höllenhund und ich möchte nicht wissen, welche Register der zieht, wenn er uns wirklich erledigen will."

„Ich traue dem alles zu, Robert. Wir müssen aufpassen."

„Wenn wir aufhören, dann aber geregelt. Wir werden für den Chamer Druckerverein eine Mitgliederversammlung einberufen und dann über den weiteren Weg beraten. Der Anwalt soll dazu kommen."

„Machen wir. Aber ich sage dir gleich, dass ich demnächst auch austreten werde."

„Passt schon. Ich meine: wir sind keine Sekte. Wenn es keinen Sinn mehr macht, dann darf man die Sache auch auflösen. Wer weitermachen will, der soll sich halt der IG3D anschließen."

„Genau so ist es", pflichtete Ansorge bei.

Als Robert nach Hause kam, erzählte er Maria von dem Ultimatum im Gemeinderat und dass er deren Begehren wohl nachkommen werde.

„Die lassen dich jetzt eiskalt im Regen stehen, oder?", fragte sie bestürzt.

„Ja. In der Bedrängnis weißt du, wer deine Freunde sind. Noch keine einzige Person aus der

Gemeinde hat sich ganz offen auf meine Seite gestellt. Die wollen jetzt, dass ich mich opfere."

„Und das willst du machen?"

„Maria: weder ich tauge zum Revolutionsführer noch unsere Dörfler zur Revolution. Die wollen ihr berechenbares Leben zurück, auch wenn es berechenbar schlecht ist. Hauptsache berechenbar. Bitteschön: dann sollen sie es haben."

„Ja, aber was machen wir jetzt? Ohne deine Bürgermeisterentschädigung fehlt jedes geregelte Einkommen", fragte Maria.

„Keine Ahnung. Aber für diese Leute den Bürgermeister machen? Darauf habe ich keine Lust mehr."

Robert stand von der Eckbank auf und ging ins Büro. Er musste die Einladung zur Mitgliederversammlung schreiben, was ihm absolut lächerlich vorkam, aber es musste sein. Auch das Ende brauchte seine Ordnung. Aber das mit dem Geld war ein Punkt, da hatte Maria recht. Hier musste er sich etwas einfallen lassen. Die Idee kam rasch und er schrieb an alle Gemeinderatsmitglieder eine E-Mail: *Liebe Gemeinderäte, wenn ihr wollt, dass ich zurücktrete, dann fordert mich schriftlich auf. Die Mehrheit von euch muss unterschreiben. In der Aufforderung möchte ich die Begründung nachlesen können, die ihr mir heute geliefert habt. Wir müssen festhalten, dass CIPE sich in die Politik einmischt und gegen Lokalpolitiker Stimmung macht. Gruß, Robert Baumert.*

Robert hatte zwar wirklich keine Lust mehr Bürgermeister zu sein, aber das Einkommen brauchte er trotzdem. Also musste er seinen Rücktritt hinauszögern. Die nächste Wahl war ja erst 2044, das hieß noch zwei Jahre Entschädigung. Mal sehen, ob die Dörfler mutig genug waren, die Revolution gegen *ihn* zu wagen. Aber eines war klar: die nächsten Stammtische würden zum Spießrutenlauf werden – die Bürger würden ihn schneiden und durch ihn hindurchsehen. Und die armen Kinder erst, die sich in der Schule mobben lassen durften. Und Maria! Die würde es beim Einkaufen abbekommen. So schön familiär es im Dorf sein konnte – hier gab es kein Untertauchen in der Anonymität wie in der Stadt.

XII

Eine Woche später kam es zur traurigen letzten Sitzung des Chamer Druckervereins. Die letzten elf Mitglieder - inklusive Ansorge und Robert - traten zusammen und beschlossen die Auflösung des Vereins. Alle anderen Mitglieder hatten ihre Mitgliedschaft und auch ihre Klagen gegen CIPE bereits zurückgezogen und die IG3D verlor nahezu alle ihre Mitglieder im Landkreis. Übrig blieben bei der IG3D nur die schwarzen Schafe, also Drucker, die zurecht von CIPE gesperrt wurden, womit sie jede Akzeptanz unter den Druckern verlor.

Die anwesenden Restmitglieder berichteten von den mündlichen Angeboten, die sie von CIPE erhielten: keine Aktivitäten mehr gegen CIPE und Klagen zurückziehen im Gegenzug für eine Art Amnestie. Sie machten allesamt klar, dass sie ihre Klagen zurückziehen werden - auch Ansorge.

Nur Robert, der nun völlig isoliert war, wollte die Klage gegen CIPE weiterlaufen lassen, denn ihm hatte man auch keine Amnestie angeboten. Der Anwalt, der auf der Sitzung ebenfalls anwesend war, berichtete über den Stand der Dinge. Gottfried Hilse, der einsame Kämpfer, war einverstanden, dass auch über seinen Fall offen geredet wurde.

Der Anwalt meinte: „Ich will nicht sagen, dass wir keine Chance hätten. Die einstweilige Verfügung, dass Hilse nicht von CIPE ausgeschlossen werden darf, ging durch. Somit kann er sich an Ausschreibungen beteiligen. Aber CIPE rückt ihm natürlich bei jeder Gelegenheit auf die Pelle und macht ihm das Leben schwer - auch dagegen habe ich Beschwerde eingelegt, weil das schon den Tatbestand der Nötigung erfüllt. Die Klage gegen die Nichtabnahme pausiert derzeit, weil CIPE den Umsatz aus dem Hackerangriff noch nicht zurückgefordert hat - zumindest nicht von Hilse. Für den Richter stellt sich der Fall also so dar, dass die Ware abgenommen wurde und der Grund für die Klage weggefallen ist. Aber auch das ist nur ein taktisches Spiel, denn CIPE könnte jederzeit aus der Sonne kommen und den Umsatz aus dem Hackerangriff wieder zurückfordern. Dann müsste die Klage wieder eingereicht werden."

„Hilse ist also nicht mehr auf CIPE gesperrt. Sehr gut. Wie sieht es bei uns aus?", fragte Robert.

„Der Antrag auf einstweilige Verfügung wurde in ihren Fällen abgelehnt, solange nicht geklärt ist, ob der Chamer Druckerverein oder einzelne seiner Mitglieder in die kriminellen Handlungen wie dem Hackerangriff oder die Prügelattacken involviert waren. Leider erweist sich die Verbindung zu Moritz Jäger, Hornig und Wittig hier als schwere Hypothek", antwortete der Anwalt. „Aber nachdem Sie das einzige Mitglied des Chamer Druckervereins sind, dem keine Amnestie angeboten wurde, sind Sie auch der einzige, für den ich in Zukunft noch arbeiten werde."

Robert wollte vom Anwalt wissen, wie es mit Hornig und Wittig weiterging - der antwortete: „Hornig und Wittig sind angeklagt wegen Bildung einer kriminellen Vereinigung und anderer Straftaten. Wegen Verdunkelungsgefahr bleiben sie in Untersuchungshaft. Wittig würde mich weiter finanzieren, um sie, Herr Baumert, zu vertreten, kann aber sonst keine Unterstützung mehr anbieten. Hornig und das *Nero*-Magazin sind ebenfalls außer Gefecht gesetzt, weil die Ermittler bei der Durchsuchung der Redaktionsräume fast alles beschlagnahmt haben, was man braucht, um die Zeitung zu betreiben."

Robert erläuterte seinen Standpunkt: „Also: ich bin ehrlich, was die weitere Arbeit betrifft. Sie haben eben mitbekommen, dass sich der Chamer Druckerverein aufgelöst hat. Wer jetzt noch kämpfen will, muss zur IG3D gehen, mit allem, was das mit sich bringt. Ich bin persönlich nicht mehr bereit, mich auf gemeinsame Aktionen mit Wittig einzulassen, da ich etwas enttäuscht bin. Er hat mich schließlich vor aller Öffentlichkeit ins Messer laufen lassen, wenn ich ihm auch generell dankbar bin, dass er sich für die Drucker so einsetzt. Das können Sie ihm auch gerne so mitteilen. Ansonsten ist mir auch nicht klar, was gerade bei der IG3D los ist. Bäcker ist weiter von der Bildfläche verschwunden und die IG3D steht wegen der Anschuldigungen selbst unter Anklage. Die sind wohl gerade mit sich selbst beschäftigt. Der Kampf liegt momentan danieder und ich bin nicht blöd oder mutig genug, ihn alleine zu führen."

Der Anwalt stimmte zu: „Das kann ich nachvollziehen, aber es ist auch richtig, dass Sie wenigstens juristisch weiterkämpfen. Vielleicht bietet Ihnen CIPE doch noch etwas an."

XIII

Einige Tage später waren Robert und Maria bei Sepp und seiner Frau Theresa zu Besuch. Robert wollte Sepps Einladung eigentlich ausschlagen, aber Maria drängte ihn, sie anzunehmen.

Als alle fertig gegessen und die Kinder zum Spielen in Fritz' Zimmer verschwunden waren, fing Sepp an über das Geschäftliche zu reden: „Ich habe dich gewarnt, Robert, dass der Kampf gegen CIPE keine Erfolgschance hat. Ihr habt gemeint, dass ich nur aus Angst um meinen Job so auf euch eingeredet habe, aber das stimmt nur teilweise. Sicherlich hatte ich auch Angst vor der Sippenhaft, aber es macht mir auch keine Freude, euch untergehen zu sehen. Daher habe ich auch gute Nachrichten, denn ich konnte mit Färber sprechen. Maria: du darfst auf CIPE weitermachen, als Druckerin. Ich habe mich persönlich dafür stark gemacht. Der Färber drückt ein Auge zu. Aber du musst jetzt alle Schulungen machen, die der Robert schon hat und von vorne anfangen. Euer Druckerbetrieb läuft nur noch auf dich. Und offiziell darf Robert nicht mitarbeiten, also...ihr wisst schon. Die Theresa kauft dir über den CIPE-Marktplatz eure bisher produzierten Teile für KALIBER ab und übernimmt auch eure Verpflichtungen aus diesem Auftrag. Du bist dann frei für andere Aufträge. Robert, du musst die Klage gegen CIPE zurückziehen und deinen Bürgermeisterjob aufgeben, ohne das Thema an die Öffentlichkeit zu bringen. Du trittst zurück. Ich lasse mich für die Bürgermeisterwahl aufstellen. Ich weiß, dass euch dann das Geld aus der Entschädigung fehlt. Der Wiegand wird dir eine Anstellung in seinem Betrieb geben. Das Gehalt entspricht ungefähr der Bürgermeisterentschädigung. Wenn du das alles annimmst, verzichte ich auch darauf, dass du mich weiter für den Hof auszahlst. Ich steige zum Nachfolger von Pfeifer als Regionalleiter auf und verdiene genug. Kommt ihr jetzt erstmal wieder auf die Beine."

Roberts Emotionen in diesem Moment zu beschreiben, war schier unmöglich. Es war alles dabei: Rührung, Enttäuschung, Wut, Neid – und Scham, dass sein jüngerer Bruder ihn so aus der Zwickmühle helfen musste. Sein Stolz befahl: *Hau ihm auf die Fresse. Jetzt sofort.* Während er kurz davor war, einen großen Fehler zu begehen, spürte er Marias Hand auf seiner und riss damit Robert aus seiner Wutstarre. Robert war wieder bei Sinnen und fragte Sepp: „Hast du gewusst, dass der Wittig den Hackerangriff befohlen hat? Und was hast du mit Färber gegen mich ausgeheckt?"

„Von Wittig weiß ich nichts. Aber ich habe mit Färber viel über dich und die Dörfler gesprochen und versucht zu verhindern, dass er euch alle kaputt macht. Die Amnestieidee habe ich mit Kittelhaus ausgearbeitet und mit Färber vereinbart. Und ja: du bist der Preis. Du musst dich opfern. Aber du kommst vergleichsweise gut davon, wenn man bedenkt, mit wem du dich in aller Öffentlichkeit angelegt hast", antwortete Sepp. In diesem Moment wurde Robert klar, dass sich Sepp als der würdigere, intelligentere und flexiblere erwiesen hat. Das tat weh, war aber die Wahrheit. Ihn jetzt zu verhauen, wozu Robert in der Lage war, wäre eine peinliche Aktion gewesen.

Dann zupfte ihn Maria am Ärmel: „Komm, wir gehen kurz auf die Terrasse."

Maria stand nun vor ihm und Robert erkannte, dass sie alles hinter seinem Rücken vorbereitet hatte: „Bist du in dieses Komplott gegen mich verwickelt?“, fragte Robert.

„Du hast doch die letzte Zeit weder ein noch aus gewusst. Diese Lösung wäre dir doch im Traum nicht eingefallen, vor allem, weil du zu stolz bist. Das haben die Theresa und ich besprochen und du machst das jetzt bitte so, wie das der Sepp vorgeschlagen hat. Ich bin stolz auf dich, dass du dich gegen CIPE gewehrt hast, aber du siehst doch selbst, dass die einfach zu stark sind.“

Robert konnte Maria nichts ausschlagen, vor allem, weil er wusste, dass sie in allem richtig lag. Das war momentan die beste Lösung und Robert hatte selbst keine bessere Idee. Das reichte schon, um Sepps Vorschlag annehmen zu müssen. Immerhin hatte er eine Familie zu versorgen.

Robert und Maria gingen zurück ins Esszimmer und Robert sagte schweren Herzens zu Sepp: „Dann machen wir es so, wie du es vorgeschlagen hast.“

XIV

Einige Zeit später war Josef „Sepp“ Baumert der neue Bürgermeister von Kleinaffing und auch der neue Regionalleiter von CIPE. Gemeinsam mit Kittelhaus präsentierte er sich als Retter in der Not, der die Amnestie für die Chamer Drucker verkündete. Färber war auch da und überwachte, dass alle Drucker auch schön lächelten. Robert fuhr nicht nach Cham – Maria war alleine auf der Versammlung der Drucker und erzählte ihm danach alles. Die Stelle bei Wiegand, ein Großbauer, Holz- und Bauunternehmer aus der Gegend, trat Robert an. Gott sei Dank war es eine Stelle, bei der er alleine arbeiten konnte. Er fuhr den Holzlaster und andere Baufahrzeuge und musste sich nicht dauernd die blöden Sprüche der Kollegen anhören, wie *Na, ist die Hollywoodkarriere vorbei? Schadenfreude* war ein deutsches Wort – sogar die Engländer übernahmen dieses Wort in ihre Sprache, weil sie selbst keines dafür hatten.

Dass er bei Wiegand landete, war auch irgendwie Schicksal. Er hatte eine Historie mit der Familie Baumert: an ihn verkauften Robert und Sepp die Äcker und Waldflächen, als sie die Landwirtschaft der Eltern aufgaben. Das war ein deprimierendes Ende: Als Angestellter in dem Wald zu arbeiten, der einst seiner Familie gehörte. Konnte er noch tiefer sinken? Wenigstens ließen ihn die Zeitungen in Ruhe – das fehlte ihm gerade noch, dass die seinen Niedergang auch noch öffentlich dokumentierten. Das Schicksal hatte Robert eine Lektion erteilt – er wurde gewogen und für zu leicht befunden.

Ähnlich erging es Moritz, der auf Anraten des Anwalts ein Geständnis ablegte, weil einige seiner Mittäter alles zugaben: der Brandanschlag auf das

Regionalbüro und auch die Prügelattacken auf Pfeifer und Neumann gingen auf sein Konto. Die Überfälle auf die Transporter konnte man ihm aber nicht nachweisen. Er musste für einige Jahre ins Gefängnis, wie ein Gericht bald urteilen sollte.

Wittig und Hornig gingen außergerichtliche Vereinbarungen mit CIPE ein, deren Inhalte geheim blieben. Dreißigers Anwälte zogen die Anzeigen zurück, sie wurden aus der Untersuchungshaft entlassen und die Staatsanwaltschaft stellte das Verfahren gegen die beiden gegen Auflage ein. Reiche hackten anderen Reichen kein Auge aus und die Milliardäre beziehungsweise Millionäre Dreißiger, Hornig und Wittig legten ihren Streit so bei, wie es in deren Kreisen eben üblich war: diskret. Hornig verkaufte seine Zeitung und Wittig zog sich vollkommen ins Privatleben zurück und beendete jegliche politische Aktivität.

Die IG3D blieb bestehen, war aber ohne die monetäre und professionelle Hilfe von Hornig und Wittig ein armes Häuflein. Nachdem Exempel, das CIPE mit dem Zwergenaufstand der Chamer Drucker statuierte, galt man als verrückt, wenn man sich der IG3D anschloss. Entsprechend war die IG3D wieder eine Ansammlung Aussätziger, mit der niemand etwas zu tun haben wollte. Bäcker war auch nicht mehr bei der IG3D und keiner wusste dort, was er jetzt machte und wo er war. Er war komplett abgetaucht.

Robert lief Färber leider noch einmal über den Weg, bevor dieser sich von Kleinaffing aufmachte, den nächsten Aufstand niederzuschlagen.

„Herr Baumert. Sie haben wirklich Glück, dass Ihr Bruder so umsichtig und diplomatisch ist. Sonst hätte ich Sie zertreten wir einen Mistkäfer. Lernen Sie daraus“, sagte Färber.

Robert musste die Wut in sich kontrollieren. Aber sich wegzuducken, war auch nicht sein Ding, also gab er Kontra: „Herr Färber, ich mache diesen Job für meine Familie. Weil ich muss. Aber eines weiß ich sicher: irgendwann wird ein Aufstand gegen CIPE gelingen. Ewig werden Sie mit dieser Tour keinen Erfolg haben. Ich bin kein Revolutionsführer, aber ein anderer wird es sein. Der ist schon da draußen irgendwo und ich drücke ihm die Daumen.“

„Vielleicht ist es so, Herr Baumert. Mir soll es recht sein, denn ich lebe von solchen Leuten. Auf Wiedersehen“, sagte Färber und fuhr in seinem Wagen davon.

Hoffentlich nicht, dachte sich Robert und ging weiter.

XV

Seinen letzten Termin hatte Färber an diesem Tag mit einer anderen Figur, deren wahre Rolle in dem ganzen Spiel bisher geheim gehalten werden konnte, und das war gut so. Färber traf sich mit Bäcker an einem Parkplatz an der A92.

„Gute Arbeit, Bäcker. Hier ist Ihr restliches Geld.“

Bäcker nahm den dicken Umschlag von Färber entgegen, in dem sich etwa 150.000 Mark befanden, prüfte ihn und nickte dankend. Das Geld war für Bäckers Insiderinformationen, mit denen er Moritz, Hornig und Wittig ausschaltete. Er war der ominöse Zeuge, von dem Dreißiger sprach. Er hatte sich bereits zu Pfeifers Zeiten verpflichtet, innerhalb der IG3D für CIPE zu spionieren. Bäcker entschloss sich zu diesem Schritt, als er wegen seiner IG3D-Mitgliedschaft von CIPE ausgeschlossen wurde und sich niemand im Dorf mit ihm solidarisierte. Obwohl er sich für sie einsetzte, pfiffen die Drucker auf ihn oder mieden ihn aus Angst vor CIPE. Dieser Ausschluss aus der Dorf- und Druckergemeinschaft war eine Erfahrung, die in ihm einen Schalter umlegte. Er fühlte nur noch Wut.

„Wie fühlt sich das an, das eigene Dorf zu verraten?“, wollte Färber wissen.

„Total super, wenn der Preis stimmt. Vor allem da ich weiß, dass jeder dieser Provinzler das gleiche an meiner Stelle gemacht hätte. Sie sehen doch, wie die mit Robert Baumert umgegangen sind. Der setzt sich für sie ein und die lassen ihn fallen wie eine heiße Kartoffel. Ich hasse und verachte dieses

Dorf mit allem, was darin lebt. Das sind nämlich alles Feiglinge und Heuchler."

„Klare Ansage. Sie wissen, was Sie wollen. Jetzt wissen Sie auch, warum CIPE funktioniert. Nicht CIPE ist korrupt und mies, sondern die Leute sind es. Meine Taktiken funktionieren, weil sie auf die niedrigsten Instinkte der Menschen perfekt abgestimmt sind. Wie geht es bei Ihnen eigentlich weiter?", wollte Färber wissen.

„Ich gehe jetzt ins Ausland. Von dem Geld kann ich lange dort leben und einen Plan aushecken, wie es langfristig weitergeht."

„Vielleicht wollen Sie in meinem Team arbeiten? Ich brauche skrupellose Leute, die die richtige Portion Hass und Verachtung in sich tragen", schlug Färber vor und meinte es durchaus ernst.

„Solange wir beide wissen, dass ich käuflich bin und bleibe, können wir über alles reden", war Bäckers trockene Antwort.

„Eben deswegen. Ich melde mich bei Ihnen. Bleiben Sie erreichbar."

Kapitel 6 - Auf Umwegen

I

Dreißiger empfing am nächsten Abend Färber in seiner Villa in Grünwald. Gemeinsam sahen sie sich ein Fußballspiel im Fernsehen an und tranken dabei etwas. Zwischen beiden bestand eine Freundschaft, die vor allem darauf aufbaute, dass sie CIPE gemeinsam aufbauten, als viele die Geschäftsidee noch belächelten. In den Anfangsjahren war Färber zuständig, Menschen mit 3D-Druckmaschinen für die Teilnahme an der CIPE-Plattform zu gewinnen. Dafür qualifizierte er sich, weil er vor seiner Zeit bei CIPE einen vergleichbaren Job bei einem Logistikdienstleister machte, einem Paketdienst. Bei diesem hielt er Paketsklaven bei Laune, die praktisch in ihren Lieferwägen vegetierten. *Subunternehmermanagement* hieß das.

Immer war Färber Dreißigers Vertrauter für Spezialaufgaben, zuverlässiger Geheimnisträger und nicht umsonst der bestverdienende Angestellte bei CIPE. Später baute er mit Dreißigers Genehmigung eine Sonderabteilung auf, die *Vorstandsprojekte* hieß: Diese Abteilung kümmerte sich um die Zersetzung von Gegnern - ganz einfach. Wo auch immer jemand auftauchte, der CIPE gefährlich wurde, war Färber schon da. Die Mittel waren dabei immer legal bis maximal Grauzone, aber fraglos unethisch und anrüchig. Das kümmerte Dreißiger jedoch nicht, denn die Aura des Wirtschaftsmessias machte ihn öffentlich nahezu unangreifbar.

Dreißiger ließ sich von Färber alles über die Mission in Cham berichten, in allen Einzelheiten. Und er genoss es. Das war die richtige Einstimmung, um einige Tage in den Alpen zu verbringen. Es war Mitte Juni, das Wetter passte und für Dreißiger waren einsame Wanderschaften enorm wichtig, um nachdenken zu können. Färber war bereits wieder aufgebrochen, da schrieb er seinem Sohn eine SMS: *Hallo Junior. Färber war bei mir. In Cham ist alles wieder gut. Ich melde mich für einige Tage ab. Gehe in den Alpen wandern. Gruß, Papa.*

Sein Sohn, der in der CIPE-Zentrale von einem Termin zum anderen hetzte, las die SMS und wünschte viel Spaß. Anders als sein Vater mochte er Färber nicht, weil dieser für eine Geschäftspraxis stand, die er nicht abkonnte, aber er durfte seinem Vater nicht hineinreden, denn der hatte einfach das beste Argument: *Er baute die Firma auf.* Wenn sein Sohn Vorschläge machte, die in Richtung einer Humanisierung der Methoden ging, dann hieß es immer, dass CIPE so niemals groß geworden wäre. Was konnte man dagegen schon sagen? *Nichts*. Außer diesem: eine Firma aufzubauen war das eine, sie zu erhalten das andere. Aber wen interessierte schon das Gerede eines Mittzwanzigers.

Dreißigers Stammwandergebiet war in der Nähe von Mittenwald, wobei er immer in einem schönen Hotel in Elmau wohnte. Das, in dem er sein ganz eigenes, exklusives Zimmer hatte. Dort erwartete man ihn bereits und bereitete alles nach seinen Wünschen vor. Der Chef des Hotels begrüßte ihn bei seiner Ankunft persönlich, sein Lieblingsessen wurde serviert - deftiges Essen mit Knödel, Braten, Blaukraut und einem guten Bier - und traditionell beendete er seinen ersten Tag mit einem Aufenthalt im Wellnessbereich. Dreißiger freute sich auf die nächsten Tage, denn es gab nichts Schöneres als zu entspannen und sich dabei über die kleinen und großen Siege zu erfreuen, so wie den Erfolg gegen die Chamer Drucker, den Möchtegernrevolutionär Wittig und dessen Verlegerfreund Hornig. Der bisher ernsteste Aufstand gegen CIPE war niedergeschlagen.

II

„Guten Morgen Herr Dreißiger", begrüßte ihn am nächsten Morgen die Servierdame im Frühstücksraum, „haben Sie gut geschlafen?"

„Äh…ja…sehr gut. Bitte bringen Sie mir gleich einen starken Kaffee und dann das amerikanische Frühstück. Ich gehe heute auf eine lange Wanderung."

Eigentlich musste die Servierdame erkannt haben, dass Dreißiger nicht gut geschlafen hatte, denn die dunklen Augenringe waren unübersehbar. Das war nicht normal, denn er verfügte über einen gesegneten Schlaf – erklären konnte er es sich nicht. Alles war doch bestens! Er wusste nur, dass er mehrmals in der Nacht aufwachte und dass er einmal im Halbschlaf von einem Insekt träumte, das ihn immer wieder traktierte und am Einschlafen hinderte. Als er aufwachte, um nachzusehen, war da aber nichts. Es war noch zu kühl für Mücken oder Wespen. Ja! Eine Wespe war es! Und die saß ihm immer wieder im Nacken, erinnerte er sich. Einen so dummen Traum hatte er noch nie.

„Ach“, murmelte Dreißiger mit sich selbst sprechend, „alles Quatsch“. Gut, dass er ganz alleine saß, denn sonst hätten ihn die anderen Gäste bei Selbstgesprächen beobachten können. Das konnte sich der *Retter der Volkswirtschaft* nicht erlauben, als seniler alter Mann in den Klatsch-und-Tratsch-Blättern zu landen.

Als er mit dem Frühstück fertig war, ließ Dreißiger den Tisch abräumen und sich noch einen doppelten Espresso bringen. Er fing an, die Wanderkarte zu studieren, die er mit an den Frühstückstisch nahm. Seine heutige Wanderung sollte ihn zum Zirbelkopf führen, einem fast zweitausend Meter hohen Berg. Die Wanderung enthielt eine Warnung: *oft weglos mit einfachen Kletterstellen; anspruchsvolles Gelände; steile Schrofen; apere Glet-*

scher und Firnfelder mit Ausrutschgefahr. Nur für erfahrene Alpinwanderer.

„Wird schon nicht so schlimm sein“, sprach Dreißiger weiter mit sich selbst. Er hatte sich noch eine andere, leichtere Tour ausgesucht, aber irgendetwas zog ihn zu der schweren, denn er wollte wissen, was er als Wanderer leisten konnte. Das Wetter war ausgezeichnet: Sonnenschein und kein Regen für die nächsten Tage. Perfekte Voraussetzungen also.

Die Servierdame brachte nun die Brotzeittasche mit Getränken, die die Küche für Dreißiger vorbereitete und wünschte ihm viel Spaß und Erfolg auf seiner heutigen Tour. Dreißiger bedankte sich mit einem kleinen Trinkgeld und machte sich auf den Weg.

Der Weg zum Zirbelkopf führte ihn nach Südosten, wo es zunächst durch einen Wald ging. Die frische Bergluft und die Bewegung ließen bei Dreißiger nach der seltsamen Nacht die Lebensgeister wieder zurückkehren. Es war ein voller Genuss: Kaum andere Wanderer störten und ließen Dreißiger eins mit der Umgebung werden. Die Gedanken schweiften ab und Dreißiger musste irgendwie an sein Lebenswerk denken und wie es mit diesem wohl weiterging, jetzt, da sein Sohn immer mehr Verantwortung übernahm. Aber er hatte vollstes Vertrauen in ihn, auch wenn er das oft nicht zeigte. *Vielleicht sollte ich das öfters tun, um ihm mehr Selbstvertrauen zu geben,* dachte sich Dreißiger.

Als Dreißiger nach etwa zwei Stunden und sieben Kilometern eine Sitzbank mit einem abgesägten Baumstamm als Tisch entdeckte, machte er seine erste Pause: er kramte in seinem Rucksack herum, um sich überraschen zu lassen, was die Küche für ihn einpackte.

„Ah, Leberkäse, Rohpolnische, Käse und frische Brezn und…Bier. Das lob ich mir! Hehe, das reimt sich sogar", freute sich Dreißiger.

Er nahm sich eine Wurst, öffnete die erste Flasche Bier und genoss die Idylle. Der Bergwald mit dem Ausblick auf beeindruckende Gipfel gefiel ihm am besten. Dort hielt Dreißiger sich am liebsten auf. Die karge Zone des Hochgebirges mit seiner tundraartigen Vegetation war dagegen keine Wohlfühlzone, sondern die Herausforderung, der Kampf. Eine abweisende und schroffe Zone, mit der sich Dreißiger nur dann anlegte, wenn ihm der Sinn danach stand. Und heute war dem nicht so, denn er spürte, dass der fehlende Schlaf an seinen Kräften zehrte. *Vielleicht weiche ich von meiner Tour ab und halte mich im Vorfeld des Zirbelkopfes auf,* dachte Dreißiger und änderte spontan seine Route ab, sodass er möglichst viel von dem Waldgebiet mitnehmen konnte. Irgendwann musste er aber Richtung Westen abbiegen, um den Rückweg hinzubekommen. Mit der Bierflasche in der Hand ging er wieder weiter, etwa ein bis zwei Kilometer, und dann fand er einen Waldweg, der Richtung Westen abging. Er schlug die Karte auf und war sich sicher, dass dies einer der ausgewiesenen

Wanderwege war – leider half ihm die Lokalisierungsfunktion seines Smartphones nicht weiter, weil seine Position auf dem Bildschirm ständig hin und her sprang. Hier draußen konnte man sich eben nicht blind auf die Technik verlassen. Dreißiger entschloss sich trotzdem, hier nach Westen abzubiegen, denn er konnte ja wieder zurückkehren, sollte der Weg falsch sein. Und er wollte diesen Weg nehmen – *irgendwie wollte er es.*

Zunächst wirkte der Weg wie ein normaler Wanderweg, wenn auch nicht mehr ganz so befestigt wie die bisherigen Wanderwege. Das ließ ihn langsam zweifeln, dass das der richtige war. Dreißiger merkte, dass der Weg näher an die Berge führte, weil zu seiner Linken zunehmend bewachsene Felswände auftauchten. Nun war es vorbei mit dem verträumten Dahinwandern – der Weg wurde immer schwieriger und einige Male war Dreißiger schon umgeknickt und bekam leichte Schmerzen in den Gelenken. Aber er ging weiter, denn das Urwaldartige an diesem Ort hatte etwas Spannendes und dann kam noch ein Bach, den er überqueren musste. Mittlerweile war kein Weg mehr erkennbar – Dreißiger ging querfeldein durch den Wald. Er musste sich voll konzentrieren, um die Orientierung nicht komplett zu verlieren.

Irgendwann kam er wieder auf einen befestigten Weg, der an den Felswänden entlang führte. Allerdings konnte auch dieser Dreißigers Vertrauen nicht gewinnen, denn immer wieder rollten kleinere Steine von den Felswänden herunter. Er fühlte sich auf diesem Weg offen gesagt überhaupt nicht wohl, weswegen Dreißiger sich auf einen Felsbrocken am Wegrand setzte, die Karte nahm und seine Position zu ermitteln versuchte. Vielleicht gab es in der Nähe einen Weg, der von den Felsen wegführte und sicherer war.

Das Kartenstudium beschäftigte ihn so sehr, dass er nicht merkte, was sich über ihm zusammenbraute. Aus seiner Vertiefung holte ihn ein plötzliches, reißendes Geräusch. Dreißiger blickte nach oben und sah etwas auf sich zukommen...

III

Als Dreißiger erwachte, tat sein Kopf unheimlich weh. Er merkte, wie drei Personen an seinem Bett standen, wobei eine von diesen ihm in die Augen leuchtete. Scheinbar ein Arzt. Außerdem standen ein jüngerer Mann und eine jüngere Frau in dem Zimmer, das ganz mit Holz verkleidet war, wie ein alpenländisches Bauern- oder Landhaus.

„Können Sie mich verstehen?", fragte der ältere Mann.

„Ja", antwortete Dreißiger.

„Wissen Sie, wer Sie sind? Und wo Sie sind?"

„Ich bin Willy Dr…Dreifuß. E...Elmau. Da komme ich her. Was ist passiert?", fragte Dreißiger, der seinen wahren Nachnamen nicht verraten wollte. Hier und jetzt konnte er keine Medien gebrauchen. Es war ihm auch irgendwie peinlich.

„Der Georg hat Sie gefunden. Sie lagen auf einem Weg – eine Gerölllawine muss Sie erwischt haben. Dann hat er sie hierher gebracht, zu seiner Schwester Angelika. Das hier ist ihr Haus", antwortete der Mann.

„Sie haben wirklich Glück gehabt. Eigentlich ist der Weg an den Zu- und Abgängen wegen Steinschlaggefahr gesperrt. Haben Sie die Warnschilder nicht gesehen?", fragte dieser Georg.

„Nein…ich bin auf diesen Weg...durch Zufall geraten. Ich bin von meinem eigentlichen Weg abgekommen und dann querfeldein gelaufen. Irgendwann war ich dieser Stelle."

„Gut", sagte der der ältere Mann, der sich nun als Arzt zu erkennen gab, „soweit kann ich keine schwere Verletzung feststellen. Aber Sie sollten zur Sicherheit in ein Krankenhaus fahren - zum Röntgen. Ich lasse Ihnen etwas gegen die Kopfschmerzen da."

Dreißiger bedankte sich und fragte die Frau: „Frau…Angelika. Wollen Sie, dass ich gehe?"

„Nein", antwortete Angelika, „Sie können schon da bleiben. Ich habe hier Gästezimmer."

„Das trifft sich gut, weil ich bin…ziemlich kaputt und hundemüde. Ich zahl natürlich auch für das Zimmer...", nuschelte Dreißiger und schlief gleich wieder ein.

Angelika und Georg sahen sich besorgt an und auch der Arzt war etwas erstaunt und prüfte Dreißiger erneut, ob alles in Ordnung war.

„Lebt er noch?", fragte Angelika etwas besorgt.

Der Arzt meinte: „Ja, ja. Der schläft. Muss wirklich sehr müde sein. Lassen wir ihn alleine. Wenn etwas ist, dann ruf mich an."

IV

Dreißiger wachte nach einigen Stunden wieder auf – es war aber mittlerweile schon dunkel. Er musste den restlichen Tag verschlafen haben. Er fühlte sich aber fit genug, um alleine aufzustehen. Dreißiger rollte sich etwas mühsam aus seiner Schlafmulde, schaltete die Nachttischlampe ein und erhob sich langsam von der Bettkante. Im Zimmer suchte er nach seiner Jacke und fand sie auf einem Stuhl. Mit Erleichterung stellte er fest, dass Smartphone und Geldbeutel noch da waren.

Dreißiger verließ nun sein Zimmer und stand dann auf einem Gang, von dem aus er eine Treppe sehen konnte. Es war tatsächlich eine urige Berghütte oder ein Bergbauernhof, in dem er hier gerade war. Er ging die Treppe hinunter, einen weiteren Gang entlang und kam dann in einer Wohnstube an. Dort saßen zwei Kinder beim Abendbrot, die sich etwas im Fernsehen ansahen.

„Guten Abend, ihr zwei. Wo ist denn die…Angelika?"

Beide erwiderten das *Guten Abend* und das Mädchen sagte: „Die Mama ist im Stall. Bist du derjenige, der einen Unfall hatte?"

„Ja, der bin ich wohl. Ich gehe dann mal zu ihr", sagte Dreißiger zu den Kindern und ging dann aus der Haustüre, die er schon auf dem Weg zur Wohnküche entdeckte. Rasch erspähte er das Nebengebäude, welches L-förmig an das Wohngebäude angebaut war. Er betrat dieses und erwartete einen Stall mit Tieren und dass Angelika sich um diese kümmerte, aber das erste, was er vernahm, war das vertraute Geräusch von 3D-Druckmaschinen. „Wenn das mal kein Wink des Schicksals ist", flüsterte Dreißiger. Insgesamt vier Stück verschiedener Bauart summten hier vor sich hin – die Bergromantik war dahin.

„Hallo?", rief Dreißiger.

„Ja, hier!", kam es vom anderen Ende des Stalls zurück. Angelika stand dort an einem Tisch, wo sie gedruckte Teile reinigte und verpackte. „Geht es Ihnen besser?", fragte sie ihren Zufallsgast.

„Ja. Ich habe sehr gut geschlafen. Aber irgendwie bin ich aus dem Rhythmus."

„Haben Sie Hunger?", fragte Angelika, die eine nicht unattraktive Frau war. Sie durfte ungefähr

Mitte bis Ende Dreißig sein und hatte eine gute Figur, die Dreißiger nicht entgangen war.

„Also, wenn Sie mich so fragen…“, antwortete Dreißiger.

„Du…ich bin die Angelika.“

„Gerne. Ich bin der...Willy. Du bist im Druckerbusiness?“, fragte er mit einem gewissen ironischen Unterton.

„Ja. So kann ich nebenbei noch das Gästehaus machen. Wobei momentan nicht viel los ist. Da bin ich froh, dass ich mit dem Drucken noch Geld verdienen kann. Wegziehen will und kann ich hier nicht.“

„Das verstehe ich. Das hat hier was, auch wenn ich noch nicht viel sehen konnte.“ Dreißiger fasste sich demonstrativ an seine Kopfwunde.

Angelika lächelte: „Geh schon mal rein und setz dich zu den Kindern, Willy. Ich komm gleich und mach dir etwas.“

Dreißiger nickte brav und ging wieder zurück zu den Kindern. Es gefiel ihm, dass sie wohl keine Ahnung hatte, wer er war. Es fehlte das Hündische und Unterwürfige in Angelikas Verhalten, dass sich normalerweise einstellte, wenn die Leute wussten, dass *der Dreißiger* vor ihnen stand.

V

Als Angelika aus dem Stall in die Wohnstube kam, sagte sie: „Stefan, gehst du bitte raus und passt auf die Druckmaschinen auf?"

Sie meinte den Jungen, der etwa zwölf sein durfte. Der murrte etwas, nahm sein Smartphone mit den Kopfhörern und ging trotzdem brav in den Stall.

„Klara: deckst du bitte den Tisch für unseren Gast?"

Die Tochter machte ein *Mmh* und ging zum Schrank, wo sie einen Teller und Besteck herausholte und alles vor Dreißiger ausbreitete, der sich bei ihr bedankte.

„Ich gehe auf mein Zimmer, Mama", nachdem der Tisch gedeckt war.

„Ja, ist gut. Aber chatte nicht wieder zu lange mit deiner Freundin."

„Ja, ja.", sagte Klara und ging hinaus, nachdem sie noch „Gute Nacht" zu Dreißiger sagte. Der lächelte sie an und wünschte ihr das gleiche.

„Wie alt ist sie denn?", fragte Dreißiger Angelika.

„Dreizehn. Sie hat einige…*Brieffreundinnen* hätte ich fast gesagt. Also sie macht Videokonferenzen mit einigen anderen Mädchen. Die meisten wohnen in München. Das sind alles Töchter von Gästen, mit denen sie sich angefreundet hat."

„Dass es die Möglichkeiten gibt. Ist eigentlich schön, dass man hier beides haben kann: Die Idylle der Natur und den Kontakt in die große weite Welt...na ja, gut, München. Trotzdem."

„Kommst du auch aus München?", fragte Angelika, die mit dem Rücken zu Dreißiger stand, während sie am Herd das Essen machte.

„Ja. Ich wohne dort."

„Was machst du so, außer *wandern*?" Angelika baute eine kleine Spitze ein. Wahrscheinlich hielt sie Dreißiger für einen Trottel aus der Stadt, der sich mit dem Wandern übernommen hatte.

„Ich bin...Unternehmer. Wobei ich mich langsam zurückziehe. Ich bin über sechzig und so langsam winkt der Ruhestand. Mein Sohn macht weiter."

„Du wirkst jünger. Was macht dein Unternehmen?"

„Oh, vielen Dank. Das geht runter wie Öl. Wir, äh, beraten Unternehmen, vermitteln Aufträge und so weiter. Im technischen Bereich."

„So wie CIPE?", fragte Angelika.

„Ja, so in etwa. Arbeitest du über CIPE?"

„Auf jeden Fall. Gibt ja eigentlich keine andere Plattform. An denen kommt man nicht vorbei."

„Wann hast du damit angefangen?"

„Vor drei Jahren etwa. Aber das war noch mein Mann, bevor er gestorben ist."

„Das tut mir leid. Was ist ihm denn passiert?" Dreißigers Interesse an dieser Geschichte war aufrichtig.

„Der ist bei der Bergwacht gewesen und verunglückt."

„Meine Güte. Er hat sicherlich oft sein Leben für andere riskiert", antwortete Dreißiger.

„Ja. Kann man sich nicht vorstellen, wie leichtsinnig manche sind…oh, Entschuldigung", bemerkte Angelika ihren Fauxpas. Das Essen war fertig und sie gab es Dreißiger auf seinen Teller.

„Angelika. Du musst einen sechsten Sinn haben. Ich liebe Leberkäse mit Bratkartoffeln und Ei. Vielen, vielen Dank."

„Freut mich. Lass es dir schmecken."

„Übrigens. Die Bemerkung mit dem Leichtsinn nehme ich dir nicht übel. Das war ich scheinbar wirklich."

Angelika lächelte Dreißiger wieder an, stand auf und meinte, dass sie nun wieder zu den Druckmaschinen müsse.

„Bleib doch noch ein wenig. Wir unterhalten uns so schön", flehte der Inkognito-Milliardär fast schon.

„Ja, eigentlich gerne. Aber ich will Stefan so spät nicht mehr an den Maschinen stehen lassen."

„Das verstehe ich. Weißt du was? Ich gehe mit dir in den Stall und wir passen gemeinsam auf die Maschinen auf. Der Stefan kann dann wieder machen, was er will."

„Das…das musst du nicht."

„Natürlich muss ich das nicht. Aber ich will es, wegen *deiner* Gesellschaft. Außer ich bin dir unangenehm. Dann lassen wir es natürlich." Dreißiger sagte das sehr charmant.

„Nein…du bist mir nicht unangenehm. Komm', dann gehen wir zu den Maschinen. Magst du noch was trinken? Ein Bier vielleicht?"

Dreißiger stimmte dem Angebot gerne zu und Angelika nahm eine Flasche für ihn mit in den Stall. Nachdem sie Stefan ablösten, aß und trank Dreißiger und unterhielt sich sehr angeregt über dieses und jenes mit seiner Gastgeberin.

Aber irgendwann kam das Gespräch auf das Drucken und Angelika erzählte: „Es ist schon hart. Wenn was hängen bleiben soll, muss man nahezu rund um die Uhr drucken. Was mir am meisten weh tut ist, wenn Stefan oder Klara auf die Maschinen aufpassen oder verpacken helfen müssen. Ich meine…wenn die Saison anfängt und die Gäste kommen, dann habe ich mit denen alle Hände voll zu tun. Dann müssen die beiden ran. Ich zahle ja monatlich die Maschinen ab, also müssen die auch laufen. Mit Klara habe ich zunehmend Probleme, weil sie von hier weg will. In die Stadt, zu ihren Freundinnen. Und ich kann's ihr nicht verübeln."

Dreißiger war dieses Thema sehr unangenehm. Bei jeder anderen Person hätte er das Klagen als schwächliches Gejammere abgetan, aber bei Angelika funktionierte es nicht. Angelika gefiel ihm nicht nur optisch – es war auch ihre zupackende und bodenständige Art. Wie sie von der Druckerarbeit erzählte, klang nicht nach Jammern, sondern nach einem nüchternen Erlebnisbericht.

„Wie du das alles packst, Angelika. Die Kinder, die Gastwirtschaft, das Drucken...ich kann es kaum fassen", lobte Dreißiger.

„Ja, aber das hat auch eine andere Seite. Diese Dauerbelastung…ich hatte schon einen Hörsturz. Da musste Georg ran."

„Georg ist…"

„…mein Bruder. Der hat dich heute gefunden."

„Ja, ich erinnere mich jetzt wieder. Ich finde das nicht gut, dass dich das hier so kaputt macht. Ich habe ja schon gelesen, über die vielen Arbeitsstunden, die CIPE verursacht, aber das es so krass ist…"

Dreißiger spürte einen akuten Impuls, Angelika einen Koffer voll Geld hinzustellen, sodass sie nie mehr arbeiten gehen musste, aber erstens wirkte das komisch, denn sie kannten sich ja erst einige Stunden, und zweitens gab es da draußen tausende Angelikas, Stefans und Klaras. Das war nicht gut und Dreißiger vernahm ein ungewohntes Gefühl: Zweifel. Zweifel an seinem Konzept von CIPE.

„Komm, Angelika. Mach dir auch ein Bier auf und wir schmieden einen Plan für dich, wie du wieder mehr Zeit für dich kriegst. Vielleicht habe ich da auch eine Idee. Ich bin Unternehmensberater."

Angelika stimmte überraschenderweise zu und trank im Stall auch ein Bier mit Dreißiger, der auch noch ein zweites und ein drittes nahm und lustig wurde. Sie hatten Spaß miteinander und lachten, was beiden sichtlich gut tat.

Gegen Mitternacht gingen beide ins Bett. Dreißiger verabschiedete sich vor seiner Zimmertür stehend von Angelika, die einen Stock höher schlief und auch schon müde war: „Angelika. Du bist toll. Ich mag dich."

„Ich mag dich auch, Willy", antwortete sie ohne zögern. „Gute Nacht."

Dreißiger lag im Bett noch eine Zeit wach. Auf der einen Seite war er gut drauf, weil er mit Angelika so viel Spaß hatte; auf der anderen Seite plagte ihn sein schlechtes Gewissen. Und weil er am Ende vier Halbe intus hatte, konnte er seine Gedanken und Gefühle nicht mehr so gut kontrollieren, wie er es sonst tat, nämlich die guten Gedanken behalten und die schlechten rasch wegschieben. In seinem Kopf fand ein Streitgespräch statt: *CIPE ist nicht fair!* vs. *Wann war es schon jemals fair?* vs. *Was ist eigentlich fair?* Irgendwann schlief Dreißiger über seinen Gedanken ein, ohne eine abschließende Antwort gefunden zu haben. Es war der Einstieg in eine unruhige Nacht.

VI

Am nächsten Morgen wachte Dreißiger unausgeschlafen auf. *Er träumte*. Gut, man träumte immer, aber seit zwanzig Jahren konnte er sich an keinen einzigen Traum erinnern und nun schon der zweite: In der vorherigen Nacht hatte ihn diese dumme Traumwespe gestört und in dieser Nacht war es… seine Mutter. *Oh je, meine Mutter*, dachte sich Dreißiger. Aber er wusste oder ahnte, warum seine Mutter im Traum auftauchte, denn Angelika war ihr sehr ähnlich, vor allem, weil auch seine Mutter dauernd arbeitete und alleinerziehend war. Gestern fielen ihm die Ähnlichkeiten gar nicht so auf, aber das holte der Traum nach. Er konnte sich noch erinnern, dass es in dem Traum keine Kommunikation mit der Mutter gab, weil sie immer am Arbeiten war. Das ging nicht anders, weil ihre Jobs einfach schlecht bezahlt waren – das konnte man nur durch viele Stunden ausgleichen. Er wechselte in dem Traum kein einziges Wort mit seiner Mutter. Jede Erinnerung an diese Traumszene wirkte wie ein Stich in seinen Magen. Ihm wurde jetzt klar, dass er mit CIPE genau die Niedriglohnmaschinerie befeuerte, unter der seine Mutter litt – und damit auch er selbst als Kind und Jugendlicher. Das war der Treppenwitz seines Lebens.

Über diesen konnte Dreißiger jedoch nicht lachen und ging deprimiert nach unten in die Wohnküche, wo er eine Familie beim Frühstück erwartete, aber niemand war da. Auch im Stall war niemand. Als er zurückkam, sah er einen Zettel auf dem Tisch der Wohnküche, den er erst übersehen hatte: *Guten Morgen Willy. Bin beim Einkaufen in der Stadt. Komme gegen 11:00 Uhr wieder und mache dann das Mittagessen. Gruß Angelika. PS: Kinder sind in der Schule. In der Thermoskanne ist Kaffee. Semmeln sind im Brotkasten und Wurst und Käse im Kühlschrank. Nimm' dir was du brauchst.*

Und da war er wieder, der Stich im Magen. So kommunizierte auch seine Mutter mit ihm: über Zettel. Dreißiger hatte keinen Appetit, aber den Kaffee konnte er gebrauchen. Beim Kaffee kontrollierte er sein Smartphone: mehrere entgangene Anrufe. Einige waren vom Hotel in Elmau, die anderen von seinem Sohn. Den rief er als erstes an und erklärte ihm, dass alles in Ordnung war und gab die Geschichte von gestern verkürzt wieder: *hatte Wanderunfall, bin auf einem Berghof gut untergekommen, alles in Ordnung*. Sein Sohn war spürbar erleichtert. Das Hotel hatte ihn alarmiert, als sein Vater abends nicht nach Hause kam. Das gab es noch nie. Deswegen rief Dreißiger auch im Hotel an und gab dort Entwarnung. Das Hotelpersonal war ebenfalls heilfroh, dass ihr berühmter Stammgast wohlauf war.

Außerdem hatte Dreißiger noch eine Bitte an das Personal: „Ich habe jemanden kennengelernt und möchte hier einige Zeit verbringen. Bringen Sie mir doch bitte mein Gepäck hierher." Das hatte er zwar noch nicht mit Angelika abgesprochen, aber sollte sie ein Problem damit haben, dann würde er sich eben ein Taxi nehmen und wieder wegfahren. War ja kein Problem.

Angelika kehrte pünktlich auf die Sekunde genau um elf zurück. Diese Frau war durchgetaktet wie der öffentliche Nahverkehr. Zeit war Geld. Dreißiger fing an, sich in diese Frau zu verlieben.

„Hallo Willy, gut geschlafen?", fragte sie.

„Ja, super", lügte Dreißiger. „Kann ich dir helfen?"

„Passt schon. Mache ich ja sonst auch alleine."

Als Angelika die Einkäufe ins Haus gebracht hatte, fragte Dreißiger: „Du Angelika…ich wollte fragen, ob ich ein bisschen länger bei dir bleiben kann."

Angelika wirkte verwundert: „Aber du hast doch das Hotel im Elmau? Das ist doch viel schöner!"

Dreißigers ehrliche Antwort wäre gewesen: *Ja, aber die haben nicht dich,* aber das wollte er nicht sagen, um nicht aufdringlich zu wirken. Das hätte sie verschrecken können, weswegen er antwortete: „Elmau ist Gewohnheit. Ich kannte dein schönes Landhaus doch gar nicht. Sonst wäre ich sicherlich schon öfter hier gewesen. Ich zahle deinen Preis – kein Thema. Und ich würde mich freuen, wenn ich dir zur Hand gehen dürfte."

Angelika reagierte wie seine Mutter: jede Form von Zuvorkommen und Nettigkeit schien in ihr eine Art Misstrauen zu erregen, aber sie antwortete ganz geschäftsfraulich: „Natürlich kannst du hier bleiben. Kostet fünfzig Mark pro Nacht. Plus zehn Mark für Mittag- und Abendessen."

„Fünfzig? Ich gebe dir einen Hunderter pro Nacht. Das hast du verdient. Für dein Essen würde ich im Restaurant jeden Preis bezahlen." Dreißiger wollte Angelika etwas Gutes tun. Er fühlte sich besser dadurch.

„Du willst mich doch nicht kaufen, oder? Oder habe ich bei dir so was wie Mitleid erregt? Das möchte ich nicht." Sie hatte Dreißiger gleich durchschaut.

Der antwortete ausweichend: „Nein, nein. Natürlich nicht. Ich, äh, bin aber der Meinung, dass fünfzig Mark zu wenig sind. Ich bin Unternehmensberater und was du den Leuten hier lieferst, ist ja mehr als ein Schlafplatz. Das ist hier ein ganz anderes Lebensgefühl. Lass dir das bezahlen. Und zehn Mark für Mittag- und Abendessen? Lächerlich. Für dein Essen, mit frischen Zutaten, zahle ich in einer soliden Gaststätte mindestens zwanzig

Mark, ohne Getränke. Und das jeweils für Mittag- und Abendessen. Mach meinetwegen als humane Steigerung fünfundsiebzig Mark für das Zimmer mit Frühstück und zwanzig für das Essen." Mit dieser Erklärung kratzte Dreißiger die Kurve.

„So habe ich es noch nicht gesehen. Aber springen mir die Gäste dann nicht ab?"

„Mach es auf deiner Webseite. Neukunden sehen dann nur die neuen, höheren Preise. Deinen Stammgästen sagst du es, wenn sie sich bei dir melden und erklärst es ihnen mit gesteigerten Kosten. Familien kannst du ja Rabatte anbieten. Aber mach es nicht nach Nase, denn die Reden untereinander und dann musst du Familie A erklären, warum die 10 % bekommen und Familie B 15 %. Bleib bei den Rabatten fair und gerecht, weil du hier von der persönlichen Beziehung mit deinen Gästen lebst."

„Ach, Willy. Gut, dass du hier gelandet bist. Die Idee kam mir gar nicht. Die Preise sind seit Jahren so. Ich habe ehrlich gesagt auch Angst vor Stornierungen."

„Da musst du durch. Musste ich auch. Preissteigerungen durchzusetzen gehört zum Fortgeschrittenenniveau für Unternehmer. Das ist nicht einfach, aber überlebensnotwendig. Du hast eine gute Geschichte. Sag einfach: *Ich konnte es über Jahre verhindern, aber jetzt muss ich nachziehen*."

Angelika lachte und sah Dreißiger lange an. Sie fragte sich, wie es sein konnte, dass ausgerechnet ein Mann wie er auf diese eigenartige Weise in ihr Haus kam. Als ob ihr das Schicksal einen kostenlosen Berater geschickt hätte - jemanden der weiß, wie man ein Unternehmen führt, nachdem sie selbst Unternehmerin wider Willen geworden war, als ihr Mann starb.

VII

Dreißiger saß bei Angelika im Stall und überwachte mit ihr die Druckmaschinen. Er las auf seinem Smartphone eine Zeitung, als Angelika endlich die entscheidende Frage stellte.

„Bist du eigentlich verheiratet?"

„Nein. Ich bin auch Witwer."

„Was ist passiert?"

„Bei der Geburt. Es gab Komplikationen."

„Wie alt ist dein Sohn eigentlich?"

„Sechsundzwanzig. Er übernimmt meine Firma - ich ziehe mich mehr und mehr aus dem operativen Geschäft heraus."

„Und seitdem?"

„Frauen, meinst du?", fragte Dreißiger und Angelika nickte. „Also...ganz ehrlich, und lach mich nicht aus: Nein. Keine. Ich habe nur gearbeitet. Wie du."

„Dann haben wir wirklich was gemeinsam. Aber sechsundzwanzig Jahre? Ich meine, wenn dein Sohn das jüngste Kind ist...wow. Das ist...diszipliniert, solange keine Beziehung mehr gehabt zu haben."

„Er ist das einzige Kind. Ich war mit einem Projekt verheiratet. Meiner Firma."

„Wer hat sich dann um deinen Sohn gekümmert?"

„Meine Mutter. Ich habe sie später bei mir angestellt und dann war sie Vollzeit für meinen Sohn und den Haushalt da. Die ersten harten Jahre hätte keine Partnerin mitgemacht, dachte ich immer. Aber meine Mutter ist auch schon gestorben. Mein Sohn und ich haben eine Beziehung erst aufgebaut, als er Teil meiner Firma geworden war. Erst die Lehre, dann das Studium. Jetzt ist er Geschäftsführer."

„Habt ihr eine Internetseite?"

Ups, was sage ich jetzt, dachte sich Dreißiger. „Nein, wir haben ein kleines Büro und arbeiten sehr diskret. Das geht alles über persönliche Kontakte."

„Ah ja, Vitamin B. Bei uns hier draußen geht auch alles nur über die richtigen Beziehungen. Des is' aber schon legal, was ihr macht", fragte Angelika scherzend.

Dreißiger sah Angelika erschrocken an: „Jaaaaa. Natürlich!"

„Komm, wir gehen rein, Willy. Gibt Abendessen."

Beim Abendessen, das erneut ganz nach Dreißigers Geschmack war, kam Georg zu Besuch, Angelikas Bruder. Dreißiger unterhielt sich prächtig mit ihm und auch zu Klara und Stefan konnte er einen Kontakt aufbauen und erfahren, was sie interessierte und was sie gerne mal machen möchten. Stefan und Klara wurden immer gesprächiger und Dreißiger verwickelte sie in lustige Themen, was Angelika sehr gefiel. Sie schienen *Willy* zu mögen. Das war nicht so einfach, weil die beiden irgendwie ein eigenes Leben im Haus führten, denn Angelika hatte wenig Zeit für sie und daher waren sie es gewohnt, sich selbst zu beschäftigen. Das führte aber dazu, dass Angelika und ihre Kinder oft aneinander vorbei lebten. Aber an diesem Abend nahmen sie richtig teil an dem gemeinsamen Abend und Angelika merkte, dass Dreißiger Menschen für sich gewinnen konnte - auf seine ganz eigene Art. Dass so jemand so lange alleine war, verstand sie nicht.

VIII

Beim Abendessen überredete Dreißiger Angelika und die Kinder zu einer gemeinsamen Wanderung. Das hatten sie schon lange nicht mehr gemacht, denn was für die Gäste ein Urlaubsort, war für Angelika und die Kinder ein Arbeitsort. Dass die Gegend in der sie lebten schön war, wussten sie natürlich, aber Zeit für deren Genuss hatten oder nahmen sie sich nicht.

Durch den Ausflug am nächsten Tag merkte Angelika, in welchem Tunnel sie sich befand. Ein grauer Alltagstrott inmitten der Idylle des Alpenlandes. *Willy muss ein Lebenskünstler sein*, dachte sie sich. Wie er es nur schaffte – er arbeitete auch viel, wirkte aber viel unbeschwerter.

Während der Wanderung stellte Dreißiger eine wichtige und für ihn fast revolutionäre Frage: „Angelika. Weißt du, wir beraten auch CIPE. Ich will wissen, was anders laufen müsste, damit man von diesem Drucken auch gut leben könnte."

Angelika dachte nach: „Was müsste anders laufen? Gute Frage. Wenn man sich für die Aufträge bewirbt, dann gibt es halt viele Konkurrenten und es gibt immer einen, der unterbietet. Manchmal nehme ich Aufträge zu einem Preis an, der schon als nicht mehr kostendeckend angezeigt wird, aber ich muss ja auch die Druckmaschinen auslasten. Es müsste halt eine Preisuntergrenze geben. Einen Mindestlohn…Da gab es doch mal diesen Bürgermeister aus Cham. Von dem habe ich in der Zeitung gelesen. Der hat es richtig gesagt. Aber dieser CIPE-Chef…"

„…*Dreißiger* meinst du?", vervollständigte er ihren Satz.

„Ja, Dreißiger. Der will nur Profite machen."

Ja, Angelika. Das will er, dachte sich Dreißiger, sagte aber: „Ich kenne Dreißiger. Ich werde mit ihm reden."

„Aber der wird sich nicht reinreden lassen. Diese Leute sind doch so abgehoben."

Aua, das war hart. „Angelika, ich glaube dass er einfach nicht sieht, wie hart das Druckerleben ist. Manager von großen Unternehmen leben in einer eigenen Welt. Um sie herum sind nur Leute, die ihnen schmeicheln, die nur gute Nachrichten überbringen und einen zusätzlich abschotten. Sie filtern die Informationen und regeln, wer Zutritt hat. Auf diese Weise leben die Unternehmensführer oft in einer Blase, in einer Illusion. Aber manchmal, da werden auch diese Leute aus ihrer Illusion herausgeholt. Ob sie es wollen oder nicht."

„Ich glaube eher", antwortete Angelika, „die wollen die Realität gar nicht mehr sehen."

„Vielleicht auch das."

„Was meinst du, könntest du bei ihm erreichen", wollte Angelika wissen.

„Ich bin überzeugt, dass Dreißiger etwas ändern kann. Aber nicht CIPE alleine. Der Punkt ist das Heimarbeitsgesetz. Das gab es mal vor über zehn Jahren. Darin waren zum Beispiel Mindestlöhne und Urlaub für Heimunternehmer festgelegt. Dieses Gesetz müsste wieder her. Denn eines kann ich dir versprechen: wenn nur CIPE für sich alleine Mindestentgelte festlegt, dann gibt es Konkurrenten, also andere Plattformen, die CIPE unterbieten, weil sie auf Mindestentgelte verzichten. Und dann wandern die Auftraggeber der Drucke zu deren Dumping-Plattformen ab. Das ist der Markt."

Angelika schien dieses Prinzip zu verstehen und fragte: „Meinst du wirklich, dass du etwas tun kannst, damit die Leute besser vom Drucken leben können?"

„Definitiv. Ich kenne Dreißiger sehr, sehr gut. Und der kann die Politik beeinflussen. Es muss ihm nur jemand nahebringen, wie es an der Front aussieht. Das hat gefehlt - oder er wollte es nicht sehen, wie du vorhin sagtest. Wohl eine Mischung aus beidem."

„Ich wusste nicht, dass du solche Kontakte hast", antwortete Angelika.

Dreißiger merkte, dass sich bei Angelika eine Art Ehrfurcht aufbaute. Er musste verhindern, dass sie auf Distanz ging: „Angelika. Ich bin auch nur ein einfacher Typ. Am Ende kochen alle nur mit Wasser. Auch diese Leute haben ihre Probleme. Es sind halt andere Probleme. Aber einfach ist es da auch nicht. Schau: ich fühle mich wohl bei dir, weil wir so viel gemeinsam haben: die viele Arbeit, der private Verzicht. Und nur weil ich Dreißiger gut kenne, bist du für mich trotzdem ein Mensch, den ich gerne mag und ich bin froh, dass mich Georg gefunden hat und ich bei dir sein kann."

Dreißigers Gastwirtin wurde etwas rot im Gesicht, was er merkte und mit einem Lächeln quittierte.

„Ich will dir eine Freude machen“, fuhr Dreißiger fort. „Weil du es verdient hast. Ich selbst kann nicht kochen, aber ich kann euch einladen. Nenn mir ein Lokal, in das du gerne gehen möchtest und ich lade dich und die Kinder heute Abend ein. Dann kannst du eine Pause vom Haushalt machen. Wenigstens an einem Abend.“

Angelika zierte sich etwas, aber Dreißiger redete auf sie ein und duldete keinen Widerspruch. Sie wählte dann einen Italiener in Garmisch aus, weil sie gerne Italienisch aß (Dreißiger übrigens auch) und Stefan ein großer Fan von Pizzas war. Als dieser hörte, dass es die gab, war er wie aus dem Häuschen. *Wie der kleine Willy Dreißiger auch - vor fünfzig Jahren.*

IX

Dreißiger saß am nächsten Morgen in der Stube des Bauernhauses und Angelika machte ihm sein Frühstück: „Wo sind denn die Kinder?“, fragte er Angelika.

„Die sind auf den Zimmern. Heute ist ja Online-Unterricht. Du, ich möchte dir nochmal danken, für die Einladung und den Ausflug gestern. Das hat noch kein Gast mit uns gemacht.“

„Habe ich gerne gemacht. Ich bin gerne mit euch zusammen."

„Hast du gut geschlafen?"

Dreißiger war kurz davor, die Frage unpersönlich mit Ja zu antworten, aber das wäre unaufrichtig gewesen. Er wollte mit Angelika über seine Träume sprechen – als erste Person überhaupt. Er wollte sie spüren lassen, dass er ihr vertraute: „Ja, und nein. Mir gefällt es hier wirklich bei dir, aber ich habe die letzte Zeit Träume, die ich vorher nie hatte. Ich kann mich eigentlich nie an meine Träume erinnern. Es heißt, man träumt immer, aber ich weiß davon nichts, wenn ich aufwache. Aber seit einiger Zeit ist das anders. Es fing an, als ich vor einigen Tagen in Elmau angekommen bin. Aber entschuldige…ich will dich damit nicht langweilen."

„Nein, ist schon gut. Erzähl mir von deinen Träumen. Die sind wichtig." Angelika schien wirklich sehr interessiert zu sein und setzte sich zu Dreißiger auf die Eckbank.

„Rosa, meine erste Frau. Sie hat sich gemeldet."

„Wie gemeldet?", wollte Angelika wissen. Sie wirkte auch etwas eifersüchtig.

„Sie ist nach fünfundzwanzig Jahren Funkstille wieder in meiner Erinnerung aufgetaucht. Ich habe so lange nicht mehr an sie gedacht oder von ihr geträumt. Sie war so real, wie lebendig."

„Hast du sie vergessen, weil sie dir egal war?"

„Nein, überhaupt nicht. Es war auch nicht so, dass ich sie vergessen habe, sondern eher verdrängt. Ich wollte nicht, dass mein Sohn sich schuldig wegen ihres Todes fühlt, also tat ich immer so, als wenn es nicht passiert wäre. Er ist ja das einzige, was ich noch habe“, womit Dreißiger emotionale Güter in seinem Leben meinte.

„Und jetzt ist sie in deinem Traum aufgetaucht? War es schön?“

„Nein. Eher traurig. Sie lag in einem Krankenbett und hat mich angesehen. Schweigend. Ich… ich könnte fast losheulen, so sehr hat mich der Anblick getroffen.“ Dreißiger sprach die Wahrheit und brauchte eine Pause, bevor er weiter redete: „Sie hat mich angesehen…das ging mir so in die Magengrube. Ich wollte ihr etwas sagen, aber ich habe keinen Ton herausgebracht.“

„Hat sie später etwas gesagt?“

„Ich…ich kann mich nicht mehr erinnern.“

„War da sonst noch etwas?“, fragte Angelika.

„Ja, eine Szene aus meiner Kindheit. Ich bin bei meiner Mutter alleine aufgewachsen. Ich habe ja schon erzählt, dass sie auch alleinerziehend war und ich ein Schlüsselkind. Mein Vater ist schon früh gestorben. Ich habe mich da am Boden spielend gesehen, wie ich mich über ein kleines Geschenk so riesig gefreut habe, so wie Stefan sich gestern über die Pizza. Ich meine, viele meiner Mitschüler hatten wirklich alles: die neuesten

Spielfiguren, Computer und so weiter. Ich nicht. Ging auch nicht vom Gehalt meiner Mutter, aber ich habe mich deshalb so wahnsinnig über kleine Sachen gefreut. Dein Stefan erinnert mich so sehr an mich."

Angelika sah Dreißiger an – sie verstand langsam, was in ihrem seltsamen Gast vor sich ging. Er machte hier wohl so eine Art Selbsterfahrungstrip durch – und sie und ihre Kindern erinnerten ihn an etwas, das er schon lange vergessen oder verdrängt hatte.

„Ich finde es schön, dass du mit mir darüber redest, Willy. Für dich tun sich hier wohl…bestimmte Erinnerungen auf. Ist das gut oder schlecht für dich?"

„Angelika, ehrlich: Das ist gut. Sehr gut sogar. Es ist überfällig und richtig. Ich muss nur verstehen, was ich aus dieser Erfahrung mitnehmen kann. Aber eines weiß ich sicher: Ich bin froh, dass ich dich und deine Kinder getroffen habe und ich würde mich freuen, wenn wir in Kontakt bleiben könnten, auch wenn ich hier mal wieder weg muss."

„Du musst hier nicht weg. Nicht wegen mir", antwortete Angelika.

„Das ist nett von dir." Dreißiger sah Angelika in die Augen und blieb in diesen hängen. Angelika spürte, dass ihr Gast Willy wohl etwas mehr wollte, als nur ein Gast zu sein. Und sie fand ihn selbst nett, obwohl der Altersunterschied doch groß war.

Er war auch nicht unattraktiv. Der Blickkontakt vertiefte sich langsam…

„Guten Morgen!" Die Annäherung wurde jäh von Angelikas Tochter Klara unterbrochen, die aus ihrem Zimmer schlich und sich in der Küche etwas aus dem Kühlschrank zu trinken holte.

„Lasst euch nicht stören", sagte sie beim Hinausgehen und zwar so, dass sie die beiden wissen ließ, dass ihr die Annäherung nicht entgangen war. Beide waren etwas peinlich berührt.

Angelika stand auf und meinte: „Ich muss raus zum Drucken. Ich muss auch ein wenig nachdenken. Was du mir gesagt hast…das betrifft ja auch mich."

„Angelika…" Dreißiger wollte sie aufhalten, aber da war sie schon zur Tür hinaus. Dreißiger war ein Menschenkenner und bei Angelika spürte er, dass sie ihn zwar mochte und sich auch Gedanken über ihn machte; sie schien aber auch zu ahnen, dass Dreißiger nicht ganz ehrlich war. Angelika war eben auch eine misstrauische Frau, die sich vielleicht nicht wieder binden wollte und nach Gründen schon fast suchte, einen möglichen Partner abzulehnen. Daran mochte der Unfalltod ihres Mannes Schuld sein. Dreißiger begriff, dass er Angelika die Wahrheit sagen musste. Sie musste erfahren, wer er war und dass er ehrlich zu ihr sein wollte. Er fing nämlich schon an, sich mit Angelika eine gemeinsame Zukunft auszumalen, aber das durfte sich jetzt nicht verselbständigen. Er musste ihr alles sagen.

X

Den restlichen Tag verbrachte Dreißiger alleine. Er ging ein wenig durch die Gegend und dachte nach. Abends saß er mit Angelika und den Kindern zusammen, aber ein wirklich lockeres Gespräch kam nicht zustande. Die Kinder bemerkten die angespannte Stimmung und verdrückten sich nach dem Abendessen gleich wieder auf ihre Zimmer. Als Angelika nach dem Abwasch wieder in den Stall zu den Druckmaschinen ging, folgte Willy ihr kurz darauf und brachte Schnaps und Bier mit.

„Willy, ich muss noch arbeiten“, sagte sie zu Dreißiger, als sie sah, was er mit sich führte.

„Ich muss dir etwas sagen. Du wirst den Alkohol brauchen.“

Angelika sah ihn einige Zeit schweigend an und fragte dann: „Wer bist du, Willy?“

Dreißiger öffnete das Bier und schenkte Angelika einen Schnaps ein. „Prost“, setzte er an und sie folgte seinem Beispiel. Nachdem die erste Runde im Magen angekommen war, fing Dreißiger an: „Ich war nicht ganz ehrlich zu dir, was mich betrifft, aber der Grund ist, dass mich alle eigenartig behandeln, wenn sie wissen, wer ich wirklich bin.“

Angelika bekam große Augen.

Dreißiger fuhr fort: „Ich bin Willy Dreißiger. Der Chef von CIPE. Ich bin der reichste Mann Deutschlands, wenn nicht sogar der ganzen Welt. Zumindest was das Geld betrifft."

Angelika sah Dreißiger ungläubig an. Zum Beweis nahm Dreißiger sein Handy, zeigte ihr das Video von der Talkshow, in der er mit Robert Baumert debattierte und dann begriff Angelika so langsam, wer da ihr Gast war. Bisher wusste sie es nicht, weil sie kaum fernsah oder Zeitung las. Deswegen war sie ziemlich abgehängt und unwissend, was Personen des öffentlichen Lebens betraf.

„Und dann ist da noch etwas, das ich nicht hinter dem Berg halten möchte…", sprach Dreißiger weiter. „Angelika. Ich fühle mich bei dir so wohl, wie schon lange nicht mehr und…" Dreißiger zögerte etwas.

Angelika aber wusste, was er sagen wollte und unterbrach ihn: „Willy, was willst du von mir? Ich bin doch für dich eine Hinterwäldlerin."

„Das ist nicht wahr! Ich war doch auch nicht immer so. Ich war wie ihr. Ich war Stefan. Und du hast mir die Augen geöffnet. Das konntest nur du. Eine aus der Stadt, die mich aus der Zeitung, dem Internet oder dem Fernsehen kennt...die hätte mich gesehen und mir nach dem Mund geredet. Aber du, du hast mich nur so gesehen, wie ich vor dir stand. Schau mich an", sagte Dreißiger und baute sich vor Angelika auf. „Ich bin nur ein Mensch aus

Fleisch und Blut. Wenn in meinem Leben auch nur ein paar Kleinigkeiten anders gelaufen wären, dann würde ich auch zuhause sitzen und für einen Hungerlohn schuften."

„Auch?", fauchte die stolze Angelika zurück.

„Du weißt, wie ich das meine. Ich habe hier begriffen, dass ich etwas ändern muss. Dass ich vor einigen Tagen diesen Weg gewählt habe, der Steinschlag, meine Verletzung, die Träume…das ist doch kein Zufall! Das hat mich aus meiner Blase herausgeholt."

„Aber was willst du von *mir*, Willy?", fragte Angelika.

Er ging auf sie zu und gab ihr einen Kuss. Sie ließ es zu. Dann sprach er leise, fast flüsternd: „Angelika, ich…ich habe mich in dich verguckt. Ich will nicht mehr weg von dir. Du hast mir in meinem Leben gefehlt."

Angelika sah Dreißiger tief in die Augen. Dann antwortete sie trotzig: „Glaube nicht, dass ich mich herumkommandieren lasse, nur weil du ein Milliardär bist und ich die arme Bauernfrau." Aha. Angelika definierte die Bedingungen für ihre Beziehung. Das signalisierte...Interesse.

„Niemals. Bleib, wie du bist. Ändere nichts. So habe ich dich kennengelernt. So mag ich dich. So liebe ich dich."

Zum ersten Mal an diesem Tag lächelte Angelika wieder.

XI

Dreißiger wachte am nächsten Morgen in Angelikas Bett auf – Angelika war schon auf, wie die Kinder auch, die in ihren Zimmern dem Online-Unterricht folgten. Dann ging er runter in die Küche. Dort war niemand – es stand nur noch das Frühstück für ihn bereit. Er ging rüber in den Stall, wo er richtigerweise Angelika bei den Druckmaschinen vermutete.

„Angelika!", rief er überschwänglich.

„Hallo Willy." Sie stand auf und umarmte ihn

„Angelika…"

„Nein, sag nichts", brachte Angelika Dreißiger zum Schweigen. „Ich habe über uns nachgedacht. Ich habe auch das Gefühl, dass du nicht umsonst bei uns gelandet bist, aber…weißt du, wie oft ich CIPE verflucht habe?"

„Ja, kann ich mir vorstellen. Aber du hast mir die Augen geöffnet."

„Ich weiß nicht, Willy, ob das gut geht. Du bist was? Ein Milliardär? Und wir? Schau uns an."

„Ich…", wollte Dreißiger ansetzen, aber Angelika ließ ihn nicht.

„Pscht. Fahr jetzt mal nach Hause. Und denk darüber nach. Schau auf deine Tage bei uns von außen. Aus deiner Welt. Und dann ruf mich an – wenn du dann immer noch willst."

Dreißiger war überwältigt von dieser stolzen, bodenständigen Frau. Andere Frauen hätten sich seines Geldes wegen an ihn wie eine Klette geheftet. Aber nicht Angelika. Dreißiger folgte Angelikas Vorschlag und rief seinen Sohn an. Danach ging er seine Sachen packen und setzte sich vor dem Haus auf eine Bank und wartete auf ihn.

XII

Dreißiger Junior kam im Laufe des Tages zu dem Einödhof – ein ziemlicher Kontrast zu Elmau, aber er konnte verstehen, dass sich sein Vater für die Romantik hier begeisterte. Als er mit seiner Limousine vor dem Wohnhaus ankam, sah er seinen Vater auf einer Bank vor dem Haus sitzen. Er hielt und stieg aus.

„Hallo Junior. Danke, dass du mich hier abholst", begrüßte ihn sein Vater.

„Ja, gerne. Ist schön hier. Mal was anderes."

„Das ist es. Komm, wir laden ein."

Gemeinsam luden sie Dreißigers Gepäck in den Mercedes ein, aber bevor sie fuhren, ging der Senior in den Stall und verabschiedete sich von Angelika.

„Ich liebe dich. Mehr kann ich dir nicht sagen. Aber auch nicht weniger", sagte er zu ihr.

Angelika ließ sich einen Kuss geben und antwortete: „Ruf mich an Willy, wenn du soweit bist."

Als sich Dreißiger im Haus von den Kindern verabschiedete, fragten sie, ob er denn wiederkommen würde, worauf Dreißiger meinte: „Wenn es nach mir geht, sehr gerne. Aber vielleicht wollt ihr mich mal in München besuchen. Ich habe da ein großes Haus, das euch bestimmt gefallen wird."

Die Kinder wussten noch nicht, wer *Willy* wirklich war.

Währenddessen sah Dreißiger Junior kurz Angelika, die aus dem Stall Richtung Wohnhaus ging. Er begrüßte sie: „Sie sind bestimmt die Wirtin von diesem Gasthaus, von dem mein Vater so schwärmt?"

„Ja, die bin ich", antwortete sie.

Dreißiger Senior kam aus dem Wohnhaus mit den Kindern, sah Angelika, umarmte sie und stieg dann zu seinem Sohn ins Auto. Angelika winkte den wegfahrenden Dreißigers gemeinsam mit den Kindern zu – sie machte sich in diesem Moment keine Hoffnungen und äußerte in Gedanken keine Wünsche. Sollte sich Dreißiger wieder melden, wäre das schön. Sollte er sich nicht mehr melden, dann wäre es auch in Ordnung.

Im Auto schwieg der Senior, was seinem Sohn zu denken gab. „Was ist da mit dir passiert?", wollte er von seinem Vater wissen. „Irgendwas ist mit dir."

Nach einer Pause bekam er eine Antwort: „Das weiß ich selbst noch nicht genau. Aber ja: es ist etwas passiert."

XIII

Zuhause in der Villa angekommen sah Dreißiger noch etwas fern und ging früh schlafen. Er brauchte Ruhe. Aber die bekam er nicht, denn was folgte war ein weiterer, eigenartiger Traum, der ihn sehr beschäftigte: Er war in Amerika, irgendwo an einem einsamen Ort in einer Wüste. Konnte Texas, Nevada oder Arizona gewesen sein. Er befand sich in einem Laden und stand in einer Schlange, die sich zur Kasse gebildet hatte. Der Laden sah etwas heruntergekommen aus. Die hölzernen Dielen des Fußbodens waren alt und leicht mit Staub oder Wüstensand bedeckt. Man konnte fast meinen, in einem Saloon des Wilden Westens zu sein, aber die Menschen waren relativ modern gekleidet. Was er dort kaufen wollte, war ihm nicht ganz klar, aber es war eine Kleinigkeit. Er sah aus wie ein Jugendlicher, trug Jeans und Jeansjacke, und er hatte etwas längere Haare, wie früher in seiner Jugend. Außerdem war er auch viel schlanker, denn mit Achtzehn war Dreißiger eine Bohnenstange, ganz im Gegensatz zu jetzt, da er kräftig war und einen immensen Brustkorb hatte. Er bemerkte in dem Laden eine alte, etwas dickliche, aber freundlich dreinblickende Frau und einen älteren Sheriff. Beide Gesichter waren ihm unbekannt. Die ältere Frau saß in einem Ledersessel in einem Eck des Ladens und der Sheriff stand an ihrer Seite. Beide beobachteten den jungen Dreißiger dauernd, als ob sie etwas mit ihm vorhatten. Auf einmal ging der Sheriff auf ihn zu, stellte sich neben ihn und zog aus Dreißigers Jeansjacke ein Springmesser. Dann sagte der Sheriff zu Dreißiger leise flüsternd: „Die sind hier verboten."

Dreißiger war sich sicher, dass das Messer nicht ihm gehörte und meinte: „Das haben Sie mir untergeschoben!"

Aber das interessierte den Sheriff nicht. Er packte den jungen Dreißiger sanft am Arm und führte ihn zu der alten Frau, die zu ihm sagte: „Wenn wir dich anzeigen, dann musst du ins Gefängnis. Da bleibst du den Rest deines Lebens, damit du keinen Schaden mehr anrichten kannst. Aber wir würden davon absehen, wenn du dich um bestimmte Leute kümmerst und ihnen hilfst."

Dann zeigte die Frau auf die gegenüberliegende Wand und es öffnete sich ein Vorhang, wie in einem Theater. Wo eben noch ein Durchgang war, konnte Dreißiger wie auf einer Leinwand jetzt Kinder sehen, die etwas ärmlich gekleidet waren.

„Die brauchen deine Hilfe", sagte die alte Frau.

XIV

Dreißiger erwachte aus seinem Traum, aber er konnte sich noch haargenau an die alte Frau und den Sheriff erinnern. Er hatte ihre Gesichter vor sich, als ob sie ihm leibhaftig gegenüberstanden. Was sollte er mit diesem Traum anfangen? Er wusste, dass sie es gut mit ihm meinten, dass sie nicht gemein waren. Aber die alte Frau und der Sheriff wollten ihm etwas zeigen, vielleicht sogar eine Lektion erteilen.

Nun aber fing Dreißiger an, sich über den Traum zu ärgern. Es machte ihn wütend, auf diese Weise belehrt zu werden. Es war eine miese Falle, ihm ein Messer zuzustecken und ihn damit außer Gefecht zu setzen und zu erpressen. Dreißiger dachte nach: Er hätte bei dem Unfall in den Bergen sterben können, wäre nur ein größerer Stein auf ihn gefallen. War das eine Warnung? Und jetzt dieser Traum. Scheinbar ging es darum, ihn aus dem Verkehr zu ziehen. Vielleicht, weil CIPE zu gefährlich wurde? Zu ungerecht? Würde er sterben, wenn er nichts änderte?

Der Milliardär saß mit aufgerichtetem Oberkörper in seinem Bett. Nun sah er vor seinem geistigen Auge, wie die alte Frau nun in seinem Schlafzimmer in der Ecke saß und ihn wieder freundlich ansah. Er sprach mit ihr in seinen Gedanken: *Was willst du von mir?*

Ihre Antwort kam wie aus der Pistole geschossen: *Das weißt du ganz genau. Du bist schon auf dem richtigen Weg mit deinen Gedanken.*

Dann verschwand die Frau wieder. Es ging also um CIPE. Nach einiger Zeit legte sich Dreißigers innere Unruhe über den Traum, der ihn irgendwie auch verängstigt hatte. Er versuchte die alte Frau aus seinen Gedanken zu vertreiben, konnte aber ihr Gesicht nicht vergessen. Langsam änderte sich seine Stimmung von Angst in Wut. Er stand auf und lief in seinem Schlafzimmer auf und ab.

Dabei sagte er einmal laut: „Was erlaubt sich diese Frau eigentlich? Mich mit so einem dummen Trick einzuschüchtern. *Ein Messer unterschieben*. Na warte!" Jetzt wurde er trotzig: „Nichts werde ich ändern. *Garnichts*. So kriegt ihr mich nicht klein." Diese Worte rief er zur Zimmerdecke blickend, also ob er damit den Himmel erreichen konnte.

Weil er so wütend über die Belehrung war, bereitete er seine Antwort nun in Gedanken vor. Er malte sich in seiner Fantasie aus, wie er die alte Frau umbrachte. *Mehrmals*. Er stellte sich unterschiedliche Szenen vor, in denen er ihr den Hals zudrückte, sie erschoss oder ertränkte. Aber jedes mal sah sie ihn bei diesen Taten milde und vergebend an. Als er ihren Kopf in Gedanken unter Wasser drückte, lächelte sie sogar. Das reizte ihn noch mehr.

Einmal malte sich Dreißiger aus, wie er mit Färber im Auto saß und ihm auftrug, die alte Frau zu erschießen. Die saß gerade in einem anderen Fahrzeug auf der anderen Straßenseite. Dreißiger und Färber parkten versetzt hinter dem Wagen der alten Frau und beobachteten sie eine Weile. Genau in dem Moment, in dem Dreißiger Färber den Mordauftrag erteilte, drehte sie sich um, sah Dreißiger direkt in die Augen, wusste genau was er dachte und schüttelte nur den Kopf.

Dreißiger verlor diesen Gedankenkrieg. Diese alte Frau war unbesiegbar und da sie ihm ständig zu verzeihen schien, war seine Wut irgendwann aufgebraucht. Dieses immer wieder Vergeben war eine Eigenschaft, die er bei seinen Gegnern definitiv nicht an den Tag legte. Dreißiger war nämlich ein Rache- und Vergeltungsmensch – nicht dass er selbst den Konflikt suchte, aber wer ihn herausforderte, der musste mit der totalen Vernichtung rechnen. Hornig, Wittig und das kleine Bürgermeisterlein, dessen Namen er schon fast wieder vergessen hatte, bekamen das zu spüren und davor unzählige andere Menschen.

Es brauchte einige Zeit, bis Dreißiger diesen Traum verdaute und nicht mehr sauer war auf die alte Frau. Und dann begann er, die Lektion dahinter zu akzeptieren, wenn auch nur langsam und mit immer wieder aufkeimendem Widerwillen.

Kapitel 7 - Eine neue Ära beginnt

I

Am übernächsten Morgen schrieb Dreißiger seinem Sohn eine SMS: *Kannst du heute zu mir kommen? Gruß Papa.*

Ja. Wann?

Heute Abend. Muss mit dir reden. Kommst du?

Natürlich.

Als sein Sohn abends ankam, bestellte dieser erst einmal bei einem Lieferservice, denn er hatte noch kein Abendessen. Während er seine Pizza Salami aß, fragte Dreißiger Junior: „Also, Papa, was ist los?"

„Ich will bei CIPE etwas ändern. Du lagst richtig damit, dass der Umgang mit der IG3D nicht angemessen war."

„Ist alles in Ordnung mit dir? Haben sie dir Drogen gegeben?", fragte sein Sohn ungläubig.

„Mir ist ein Stein auf den Kopf gefallen! Aber ich fühle mich total in Ordnung und absolut gesund. Ich habe bei Angelika viel nachgedacht. Und mir ist klar geworden, dass wir mit CIPE den Hebel in der Hand haben, wie gut es den Leuten geht. Ich möchte, dass das Heimarbeitsgesetz wieder eingeführt wird – damit sind wenigstens Mindeststandards gesetzt. Ich will aber keinen Alleingang von CIPE. Sonst wandern unsere Kunden nur zu den billigen ab. Das muss gesetzlich geregelt sein und für alle gelten."

„Einverstanden. Aber warum jetzt? Wir hätten diesen Prozess bereits vor einem Jahr beginnen können, ohne die IG3D fertig zu machen und die schlechte Presse, oder?", fragte sein Sohn.

Dreißiger sah etwas verlegen drein: „Ja, natürlich. Das hätten wir. *Hätten wir!*" Dann erzählte Dreißiger haargenau, was seit seiner Ankunft in Elmau passiert war und er ließ nichts aus, auch nicht die Träume.

Sein Sohn hörte gespannt zu und antwortete dann mit sehr viel Anerkennung: „Papa, da ist das *erste* Mal, dass du mir etwas Intimes über dich verrätst."

„Ja, ich…ich hab mich schwer getan, überhaupt mit jemandem jemals über irgendwas zu reden, was in mir vorgeht. Und ich bin ehrlich: was CIPE angeht, da habe ich mir selbst etwas vorgemacht. Ich meine, wir haben den Leuten Arbeit gebracht, als das Land am Boden lag. Und Nörgeln tun sie immer. Nur dieser Aufenthalt bei Angelika, der hat mir soviel über CIPE aber auch mich selbst verraten. Jetzt ist zweifellos der Moment gekommen, an dem wir das Thema Heimarbeit wieder auf solide Füße stellen. Wir wollen die Heimarbeit erhalten, aber keine Sklavenarbeit. Die 3D-Heimdruckerei ist so stark etabliert, dass sie auch Mindestentgelte verträgt. Wir sagen natürlich den Politikern und Mitarbeitern nicht, dass ich darauf wegen eines Selbsterfahrungstrips gekommen bin. Wir sagen, dass wir Veränderungen lostreten müssen, bevor es andere tun, die vielleicht rein destruktive Absichten haben. Noch konnten wir diese Chamer Rebellion kontrollieren, aber irgendwann wird es breiteren Widerstand geben. Also lieber Evolution als Revolution. Das soll die Erklärung sein."

Dreißiger Junior stimmte zu. Das gefiel ihm als Erklärung und das wahrte auch das Gesicht seines Vaters. Bei aller Kritik durfte man nämlich nicht vergessen, was sein Vater geleistet hatte.

„Und, Junior, da gibt es noch etwas. Wir müssen zu Robert Baumert. Ich will, dass du ihn einbindest. Auf unserer Seite."

„Wie stellst du dir das vor?", fragte Junior nach.

„Also...", fing Dreißiger an und erzählte von seinem Plan.

II

Robert Baumert erhielt einen Anruf von seiner Frau, dass er rasch nach Hause kommen solle. Jemand wäre da, um ihn zu sehen und es sei wichtig. Wie immer machte Maria ein Geheimnis aus allem, da sie Überraschungen liebte. Robert meldete sich bei der Arbeit ab und fuhr zu seinem Haus, vor dem eine luxuriöse Limousine parkte. Färber? Roberts Wut stieg – sollte er seine Frau bedroht haben, dann würde er ihn auf der Stelle kalt machen. Der Welt wäre damit ein Dienst erwiesen, dachte sich Robert. Er ballte die Faust und betrat sein Haus.

Als Robert aber in die Wohnküche kam, sah er Dreißiger Senior am Tisch mit Maria sitzen und einen Kaffee trinken. Außerdem war da noch ein jüngerer Mann, der sich als Dreißigers Sohn vorstellte.

Dann begann Dreißiger Senior zu sprechen: „Also, Herr Baumert, ich weiß, dass Ihnen übel mitgespielt wurde. Aber wir sind heute hier, um Ihnen alles zu erklären und ein Angebot zu machen. Wissen Sie, wir waren der Meinung, dass die Art und Weise von Wittigs Kampagne nicht richtig war…"

„…nicht weniger sauber oder dreckiger als Ihre", unterbrach ihn Robert, aber Maria fasste ihn am Unterarm und drückte zu, um zu signalisieren, dass er Dreißiger ausreden lassen sollte.

„Gut. Wie auch immer. Folgender Vorschlag: Das Ziel, das Heimarbeitsgesetz und damit Mindestentgelte wieder einzuführen, ist grundsätzlich richtig. Was die ganzen Volkswirte aus den Instituten sagen, ist alles quatsch. Die sind alle gekauft. Daher habe ich mich entschlossen, einen neuen Weg zu gehen: ich werde eine Abteilung gründen, die sich um Tarifpolitik kümmert. Darin befinden sich auch Themen wie Soziales und Arbeitsbedingungen. Ich will, dass Sie, Herr Baumert, die Abteilung leiten und mit meinem Sohn gemeinsam dafür sorgen, dass das Heimarbeitsgesetz wieder kommt und die Drucker anständig von ihrer Arbeit leben können. Aber das muss auf einer gesetzlichen Basis stehen, denn wenn nur CIPE damit anfängt, wird es Plattformen geben, die die Billigkonkurrenz machen und dann war es das. Ich öffne Ihnen die Türen zu den politischen Entscheidern und ziehe mich dann komplett aus dem Betrieb zurück. Mein Sohn soll mit Mitarbeitern wie Ihnen eine neue Ära begründen."

Robert blickte zu Maria, die wirkte, als wenn sie dafür wäre, dieses Angebot anzunehmen, aber Robert blieb kritisch: „Erstens: Ist das eine Falle, mit versteckter Kamera, um zu sehen ob ich käuflich bin? Zweitens: Warum kommen Sie auf den Mann zu, den sie vor laufender Kamera blamiert haben? Drittens: Warum jetzt? Das hätten wir vor Monaten gütlich regeln können."

Dreißiger antwortete, nach dem er einen Schluck Kaffee genommen hatte: „Erstens: Es ist keine Falle. Darauf mein Wort. Das Gespräch bleibt vertraulich, sollten Sie sich gegen den Vorschlag entscheiden. Zweitens: Sie sind der einzige, der immer integer geblieben ist, anders als andere, die kriminell wurden, sich haben kaufen lassen oder kalte Füße bekamen und feige kuschten. Dafür haben Sie meinen Respekt. Drittens: Späte Einsicht ist auch eine Einsicht. Mein Sohn hat mir ins Gewissen geredet. Deswegen ist er auch der Richtige, den Wandel einzuleiten. Und natürlich gilt: wenn es eine Veränderung gibt, dann bestimmt das nicht ein Wittig oder die Chamer Drucker, sondern ich."

Das klang für Robert einleuchtend. Nun fing Dreißiger Junior an zu reden, wie er sich die Zusammenarbeit vorstellte und zu welchen Konditionen Robert anfangen könnte. Als die Zahlen genannt wurden, merkte Robert, wie Marias Augen zu leuchten anfingen.

Aber der ehemalige Bürgermeister und gescheiterte Revoluzzer ließ sich zu nichts hinreißen. Robert hörte sich alles in Ruhe an und antwortete: „Vielen Dank für Ihr Angebot. Ich habe es verstanden, muss aber darüber eine Nacht schlafen."

Die Dreißigers waren einverstanden und verabschiedeten sich. Dreißiger Junior ließ seine Visitenkarte zurück und sagte: „Rufen Sie mich an oder schreiben Sie mir eine E-Mail, wenn sie sich entschieden haben."

Als Robert und Maria wieder alleine waren, redeten sie über das Angebot. Maria war dafür, es anzunehmen, Robert blieb aber skeptisch, denn er traute Dreißiger diesen Sinneswandel nicht zu und fürchtete eine Falle Färbers.

„Pass auf. Dieser Färber ist ein Teufel. Natürlich kann es sein, dass Dreißiger diesen Sinneswandel durchgemacht hat, aber genauso gut kann es sein, dass sie mich als Feigenblatt benutzen wollen: *Da seht her, wir haben jetzt den Baumert, deswegen sind wir absolut sozial*. Aber eigentlich geht es weiter wie bisher. Oder noch mieser: sie stellen mich ein, dann öffentlich vor und lassen mich in der Probezeit wieder fallen. Dann stehe ich vor allen nicht mehr als Märtyrer da, sondern als ein Judas, der sich hat kaufen lassen und selbst für den Verrat zu blöd war. Derzeit gebe ich allen drei Möglichkeiten ungefähr die gleiche Wahrscheinlichkeit."

Maria war anderer Auffassung: „Du siehst Gespenster. Ich glaube, dass Dreißiger es ehrlich meint."

III

Robert wälzte sich die Nacht über schlaflos im Bett. Er grübelte über seine Entscheidung: wenn er eines gelernt hatte, dann dass es derzeit gegen Dreißiger nicht ging. Daher war es nur logisch, es mit ihm zu versuchen. Sein Ruf war ohnehin schon dahin und so toll fühlte sich die Rolle des Märtyrers mit einem Almosenjob auch nicht an. Dennoch fürchtete er eine Falle, vor allem eine weitere öffentliche Demütigung. Aber welche Schutzmaßnahme ließ sich dagegen bilden? Robert überlegte genau und nach einiger Zeit hatte er die Antwort: er würde sich eine Antrittsrede überlegen und darin auch die Gründe für seine Arbeit bei CIPE darlegen. Und natürlich würde er erklären, welche Ziele er in der Aufgabe verfolgte. Diese Antrittsrede musste er sich dann nur noch mit dem Arbeitsvertrag absegnen lassen. Damit war dokumentiert, dass er nicht als Verräter bei Dreißiger einstieg, sondern seinem Ziel treu geblieben war, für die Drucker faire Arbeitsbedingungen herzustellen. Und das, obwohl die Drucker es eigentlich nicht verdienten, dass man sich für sie einsetzte, so undankbar wie sie sich gegenüber den Sprechern ihrer Interessen verhielten. Aber wie sagte schon sein Vater immer: *Undank ist der Welten Lohn*. Es war fünf Uhr morgens, als er die Antrittsrede in seinem Kopf formulierte. Er stand auf – Maria schlief friedlich neben ihm –, ging in die Küche, machte sich einen Kaffee, setzte sich an den Laptop, formulierte die Rede und schrieb Dreißiger Junior eine entsprechende E-Mail: *Hallo Herr Dreißiger, ich habe über Ihr Angebot nachgedacht und Sie können mir glauben, dass mir dieses den Schlaf geraubt hat. Es ist für Sie bestimmt nachvollziehbar, dass ich skeptisch bin, denn der Sinneswandel Ihres Vaters hat mich überrascht. Die eine Hälfte in mir fürchtet sich noch vor einer Falle, die andere weiß, dass die Interessen der Drucker sich derzeit nicht gegen Sie durchsetzen lassen, aber vielleicht mit Ihnen. Um die negative Hälfte zu überzeugen, habe ich eine Antrittsrede geschrieben. Darin steht, warum ich bei Ihnen einsteige und was die Ziele sind, die ich gemeinsam mit Ihnen erreichen will. Sollte Ihnen diese Rede zusagen, und wir können Sie zur Basis eines Arbeitsvertrags machen, dann wäre ich bereit. Lesen Sie sich doch bitte die Rede durch und rufen Sie mich dann an. Gruß, Baumert.*

Nachdem er die Nachricht abgeschickt hatte, machte er für alle Frühstück und ging dann zur Arbeit. Er war innerlich gespannt, wie die Sache ausgehen würde.

Gegen Feierabend kam ein Anruf – und es war Dreißiger Junior: „Hallo Herr Baumert. Ich bin einverstanden mit Ihrer Rede. Ich verstehe auch, was Ihre Intention ist: Sie wollen sich absichern. Ich habe damit kein Problem."

„Das freut mich."

„Er meint es so, wie er es Ihnen gegenüber gesagt hat. Glauben Sie mir. Sie werden aber sicherlich auch verstehen, dass Sie bei Ihren öffentlichen Äußerungen abgestimmt vorgehen müssen. Sie können sich nicht öffentlich im Namen von CIPE hinstellen und Ihre persönlichen Ziele äußern. Das würde unsere Auftraggeber verschrecken. Was mein Vater vor hat und sie unterstützen möchten, müssen wir heimlich und über unsere Netzwerke im Hintergrund vorbereiten und die Welt dann vor vollendete Tatsachen stellen, sodass sich keine Opposition bilden kann. Von daher würde ich sagen, dass unser Personalchef die wichtigsten Punkte Ihrer Rede in eine Stellenbeschreibung und Zielvereinbarung übernimmt. Auf die können Sie sich dann immer berufen. Vorstellen würden wir Sie zunächst allgemein als den Vorstandsbeauftragten für Nachhaltigkeit und soziale Verantwortung."

„Ich verstehe. Damit wäre ich einverstanden. Und Sie liegen richtig: ich will mich irgendwie absichern. Aber ich gewinne mit jedem Gespräch mit Ihnen mehr Vertrauen."

„So soll es sein. Kommen Sie bitte morgen nach München. Nehmen Sie sich frei. Ich setze unsere Leute gleich daran, den Vertrag zu machen."

IV

Dreißiger Senior traf sich noch im Juli 2042 mit dem Bundeswirtschaftsminister Dittrich in Berlin. Beide hatten eine lange gemeinsame Historie. Vor über zehn Jahren war Dittrich ein Staatssekretär und arbeitete mit Dreißiger 2029/30 das Arbeitsbeschaffungsprogramm aus, das die 3D-Druck-Heimarbeit zur Massenbeschäftigung im Land machte - seitdem förderte Dreißiger die Karriere Dittrichs, wo er nur konnte. Dreißigers Aufstieg war Dittrichs, der von Dittrich war Dreißigers.

Der Wein in dem edlen Lokal an der Spree war serviert und Dittrich gratulierte Dreißiger, dass er den *Chamer Zwergenaufstand* so bravourös meisterte.

„Ich habe mir schon Sorgen gemacht, dass diese Leute dir ernsthaft schaden könnten, Willy", sagte Dittrich.

„Nein, die Gefahr bestand eigentlich nie. Aber dennoch hat mich der Vorfall wachgerüttelt. Weißt du: ich gehe jetzt langsam in die Rente und ich denke dabei auch an mein Vermächtnis. Mein Sohn soll eine neue Ära beginnen und die soll nicht belastet sein mit sozialen Pulverfässern, an denen noch die Lunte brennt. Außerdem wollen wir doch beide, dass es im Land friedlich bleibt. CIPE hat vor über zehn Jahren dafür gesorgt, dass keine Revolte ausbricht, in dem sie den Menschen wieder eine Perspektive gab. Ich will nicht, dass CIPE jetzt selbst Grund für eine Revolte wird, denn das wäre mir zu viel Ironie der Geschichte."

„Ich verstehe. Was schwebt dir vor?", fragte Dittrich.

„Die Wiedereinführung des Heimarbeitsgesetzes, dessen Überarbeitung und Erweiterung. Ich will, dass es Mindestentgelte für die Heimarbeit gibt. Damit wird verhindert, dass wir von CIPE einen sozialeren Kurs nehmen, wir aber dann von Billigplattformen unterboten werden. Die Untergrenze muss für alle gelten."

„Aber wird dann nicht die wirtschaftliche Gesundung stocken? Das sagen doch die Wirtschaftsweisen", fragte Dittrich nach.

„Ach, komm. Deren Prognosen sind doch Schwachsinn. Die haben noch nichts richtig vorhersagt; oder man hat sie nicht gelassen. Für den Binnenmarkt werden die Mindestentgelte für Millionen Heimarbeiter definitiv mehr Nachfrage ergeben. Es wird den Wirtschaftskreislauf anregen. Wir werden vielleicht nicht mehr zwanzig Prozent Gewinnmarge einfahren, aber auch da hat die

IG3D korrekt argumentiert, dass die hohen Gewinne, die an die Fonds gehen, dort mehr Schaden als Nutzen bringen. Ich muss das jetzt mal ehrlich zugeben. Unter uns."

„Ich gebe zu, dass die volkswirtschaftlichen Gutachten und Prognosen auf eine gewisse Weise manipuliert sind. Aber das liegt halt auch daran, dass Wirtschaft auch Psychologie ist und ohne Glauben und Zuversicht gibt es keine Investitionen, keinen Konsum, keine Kredite. Ich muss also auch mal eine Lanze für unsere Volkswirte brechen. Ansonsten sind deine Gedanken nachvollziehbar. Aber ich will nicht mit diesem Vorschlag an die Öffentlichkeit gehen und dann von den Zeitungen als Beschäftigungskiller fertig gemacht werden. Ich erwarte gerade von den Endmonteuren gewaltigen Gegenwind, da diese mithilfe der Billigdruckerei wieder Exporterfolge wittern. Ich denke dabei auch an die nächsten Wahlen."

Dreißiger beschwichtigte seinen Freund: „Wenn du mitmachst, werde ich die Wahlkämpfe deiner Partei über verschiedene Kanäle gründlich fördern. Außerdem werde ich meinen besten Mann damit beauftragen, dass alle sich so verhalten, wie wir es wollen. Die Endmonteure dürfen etwas herumkritisieren, mehr nicht. Was die Zeitungen und Institute betrifft: da haben wir auch unsere Leute, das weißt du. Der Medienkonsens wird sein, dass du mit deinem Vorstoß in Bezug auf das neue Heim- und Fernarbeitsgesetz – so wird es heißen – richtig liegst und CIPE wird eine Pressemitteilung veröffentlichen, dass wir die Klarstellung und Regelung gesunder Wettbewerbsbedingungen in Bezug auf plattformvermittelte Heim- und Fernarbeit ausdrücklich begrüßen. Außerdem: wir haben damals das Heimarbeitsgesetz ausgesetzt - sei du derjenige, der es wieder einsetzt, bevor es ein anderer macht. Denke auch an dein politisches Vermächtnis."

„Einverstanden. Auf dein Wort konnte ich mich immer verlassen. Mein Staatssekretär wird veranlassen, dass die zuständigen Beamten wegen des Gesetzentwurfs mit deinen Anwälten Kontakt aufnehmen."

„So machen wir es. Wir geben dann die flankierenden Wirtschaftsgutachten in Auftrag, dass das der ökonomisch richtige Weg ist und lassen das in die Öffentlichkeit sickern."

V

Jede Nacht kam die Traumwespe. Sie setzte sich immer auf seinen Nacken, wenn Dreißiger gerade am Einschlafen war. Das war die Botschaft noch mehr zu machen und dass er noch nicht fertig war. Nun musste Dreißiger mit Färber sprechen. Er lud seinen treuen Gehilfen zum Frühstück in seine Grünwalder Villa ein, um ihn den Kurswechsel klar zu machen.

„Färber, unsere Art, die Dinge zu regeln, war gut und richtig, als es darum ging, das Ruder in diesem Land herumzureißen. Aber der Ausnahmezustand ist vorbei. Wir müssen den Leuten wieder eine Verschnaufpause geben. Man muss wissen, wann es genug ist. Und hier ist mein letzter Auftrag an dich: Dittrich wird ein Heim- und Fernarbeitsgesetz zur Abstimmung vorlegen, das unbedingt kommen muss. Dagegen wird es Widerstand geben, aber wir kennen die schmutzige Wäsche von jedem in diesem Land, der auch nur halbwegs etwas zu sagen hat. Wenn einer von denen versucht, das neue Gesetz zu verhindern, dann darfst du diese Person nach einer freundlichen Warnung in gewohnter Weise ausschalten."

Färber nahm den Auftrag stoisch hin: „Willy. Ich habe nie hinterfragt, was du wolltest. Meine Aufgabe war es immer, es Wirklichkeit werden zu lassen. Dennoch fühlt es sich für mich so an, als sei mein Typ nicht mehr gefragt."

„Meinst du, mich hat diese Einsicht nicht getroffen? Auch ich musste die letzten Wochen einige schmerzliche Lektionen akzeptieren. Wir waren eine Ära, Färber, aber jetzt beginnt eine neue. Du hast immer gute Arbeit geleistet. Ohne dich hätte ich es nicht geschafft. Für dich ist gesorgt. Zieh diesen letzten Auftrag mit aller Kraft durch. Dittrichs Gesetz muss kommen. Danach gehst auch du in Rente. Du weißt, dass eine fürstliche Pension auf dich wartet. Fang auch du an, dein Leben zu genießen. Für uns beide ist es jetzt an der Zeit, genau das zu tun."

„Willst du mir noch verraten, woher dieser Sinneswandel kommt?", wollte Färber wissen.

„Man muss wissen, wann eine Ära zu Ende ist und wann man seine Strategie verändern muss, bevor man zu ihrer Geisel wird. Dieser Chamer Zwergenaufstand war ein Anfang, aber wenn wir nicht umsteuern, kann das noch anders kommen. Vielleicht so extrem anders, dass wir das dann nicht mehr unter Kontrolle haben. Außerdem will ich nicht, dass CIPE in die Geschichte als Synonym für moderne Sklaverei eingeht. Hier geht es auch um mein Erbe und mein Andenken."

Färber hatte verstanden und war bereit, auch diesen Befehl auszuführen. Er wusste noch nicht genau, was er danach mit sich anfangen sollte, denn was für einen Zweck erfüllte er noch, wenn er nicht für oder gegen etwas kämpfen konnte. Das war sein Lebensinhalt: *Kampf*. „Du stürzt mich gerade in eine Sinnkrise. Das ist dir schon klar?"

„Färber: Was wir gemacht haben, das hatte einen Sinn und einen Zweck. Wir sorgen jetzt gemeinsam dafür, dass das anerkannt bleibt. Das ist unser Vermächtnis. Danach müssen andere übernehmen und dieses Vermächtnis bewahren und weiterentwickeln. Irgendwann müssen wir den Stab an die nächste Generation übergeben – jetzt ist der richtige Zeitpunkt."

Färber, der im Gedankenlesen auch nicht ungeübt war, nahm einen Schluck vom Orangensaft und fragte Dreißiger: „Ist da noch was anderes, das dich…inspiriert?“ Dreißiger schwieg einen Moment und wollte dann zur Antwort ansetzen, aber Färber machte eine Handbewegung und sagte: „Lass gut sein. Ich ahne etwas und genauer will ich das gar nicht wissen. Ich will dich nämlich auch in einer bestimmten Erinnerung behalten.“

VI

Wenn Dreißiger etwas wollte, fackelte er nicht lange, denn der kürzeste Weg zwischen zwei Punkten war immer noch eine Gerade. Notfalls ging dieser Weg auch durch eine Wand. Und auch bei Angelika war er kurzentschlossen: Nachdem Färber gegangen war, packte Dreißiger seine Sporttasche, legte sie in den Kofferraum seines Autos und fuhr los. Er hatte seit seiner Rückkehr von Angelikas Einödhof vor etwa drei Wochen nicht mehr mit ihr gesprochen. Was auch immer er ihr zu sagen hatte, wollte er persönlich überbringen. Von Grünwald aus dauerte die Fahrt zu Angelika etwas mehr als eineinhalb Stunden – auf dieser Fahrt schlug ihm vor Aufregung das Herz bis zum Hals. Das letzte Mal, dass er einer Frau einen Antrag machte, war fast dreißig Jahre her. Er wusste gar nicht mehr, wie es war. Als Dreißiger den Schotterweg entlang fuhr, der die letzte Meile zu Angelikas Haus markierte, wurde er fast ohnmächtig, so vollgepumpt war er mit Adrenalin.

Er parkte, nahm das kleine Kästchen, das auf dem Beifahrersitz lag und sagte sich halblaut: „Mut, Dreißiger, Mut. Und wenn sie dich wegschickt, dann hast du's verdient."

Dreißiger stieg aus seinem Wagen aus, aber niemand war zu sehen. Er ging langsam auf das Wohnhaus zu und am Stall vorbei. Irgendwie ahnte er, dass Angelika bei den Druckmaschinen saß, also ging er direkt dorthin. Als er den Stall betrat, übertönte sein klopfendes Herz die summenden Druckmaschinen. Er ging bis zum Ende des Raums und sah Angelikas Rücken, wie sie gerade am Packtisch Druckerzeugnisse einpackte. Er lehnte sich an einen Pfosten und sah sie einige Zeit schweigend an.

Angelika, ohne sich umzudrehen, stoppte das Verpacken und stützte sich mit beiden Händen auf dem Packtisch ab: „Du bist zurückgekommen!" Sie schien zu ahnen, wer hinter ihr stand.

„Oh ja! Ich liebe dich. Ich habe die Dinge geregelt, die zu regeln waren, und jetzt bin ich hier, weil ich dir etwas sagen will."

Angelika drehte sich um und hatte schon etwas feuchte Augen - Dreißiger erging es nicht anders. Dann griff er in seine Jackentasche und holte das Kästchen heraus und öffnete es. Darin war ein schöner Ring – er ging damit auf Angelika zu und fragte sie: „Willst du meine Frau werden?"

Angelika schlug die Hände vor dem Gesicht zusammen: *„Oh mein Gott!“*. Sie sah sich den Ring an, der so schön war. Er hatte sogar eine Gravur: *Für meine Traumfrau Angelika. Dein Willy.* Sie fühlte sich wie im Märchen: „Ja, Willy. Ich will dich heiraten. Aber meine Kinder gehören dazu!“

„Unbedingt, Angelika. Ich liebe deine Kinder auch. Ich werde alles tun, damit sie es gut bei uns haben. Und einen großen Bruder bekommen sie ja auch noch.“

„Ich kann es noch nicht glauben, Willy. Ich habe Angst, dass ich jederzeit aufwache und es war nur ein Traum.“

Dreißiger nahm Angelika in den Arm und drückte sie fest an sich: „Mir geht es auch so. Ich kann auch nicht glauben, was die letzten Wochen alles passiert ist. Weißt du, was wir jetzt machen? Wir arbeiten deine letzten Druckaufträge gemeinsam ab. Und wenn wir fertig sind, schalten wir diese Geräte ab und du brauchst sie dann nie mehr wieder einschalten. Danach packt ihr euer Zeug und wir fahren zu mir nach Grünwald. Dann habt *ihr* endlich mal Urlaub. Und wir zwei planen dort in aller Ruhe unsere Hochzeit und die Flitterwochen. *Alles wird gut.*“

Schluss

Dreißiger Senior empfing die Journalisten Pellham und Jürgens im Wintergarten seiner Villa in Grünwald. Es war der Dezember 2042, also fast genau zwei Jahre nach dem letzten Interview. Frau Pellham und Herr Jürgens bedienten sich zunächst bei Kaffee und Keksen, die Dreißiger selbst bereitstellte und fingen dann nach dem Smalltalk mit dem Interview an.

„Herr Dreißiger: vielen Dank, dass Sie uns erneut kurz vor Weihnachten nun bei sich zu Hause empfangen. Das letzte Interview fand in der CIPE-Zentrale statt und sie hatten gerade vom Vorstandsvorsitz in den Aufsichtsrat gewechselt. Nun, nahezu exakt zwei Jahre später, würden wir gerne wissen, wie es Ihnen geht?“, fing Jürgens an.

„Prächtig, wobei dafür zwei Dinge hauptverantwortlich sind: mein Sohn macht einen wunderbaren Job und ich bin sehr stolz auf ihn. Zweitens, und das ist eher die Überraschung, mein privates Glück. Ich habe meine Traumfrau gefunden und wieder geheiratet.“

„War die Heirat das *Projekt*, von dem sie das letzte Mal sprachen?“, fragte Pellham.

Dreißiger lachte: „Nein, das meinte ich nicht. Meine Frau ist kein Projekt, sondern ein Glücksfall, das kein absehbares Ende hat.“

„Verraten Sie uns mehr darüber?", wollte Jürgens wissen.

„Ich kann nur soviel sagen, dass ich Angelika bei meiner Lieblingsfreizeitbeschäftigung traf – dem Wandern – und wir uns schnell näher kamen. Geheiratet haben wir im Spätsommer und dann sind wir in die Flitterwochen. Wir kamen erst vor wenigen Wochen zurück."

„Sie machen uns neugierig: Wo haben Sie diese verbracht?"

„Auf Hawaii. Es war wunderschön."

„Herr Dreißiger. Es scheint, als wenn das Jahr 2042 ein Jahr der Veränderungen für Sie war. Die private Veränderung haben wir erfahren und das freut uns sehr. Wie würden Sie die Veränderung in der 3D-Druck-Heimarbeit bewerten, speziell was das Heimarbeitsgesetz betrifft, das Minister Dittrich mit Zustimmung des Bundestags wieder eingeführt hat."

„CIPE hat die Wiedereinführung des Heimarbeitsgesetzes begrüßt, aber das ist vor allem eine politische Entscheidung. Wir setzen sie nur um."

„Empfinden Sie dies nicht als persönliche Niederlage, da Sie sich bisher immer gegen die Wiedereinführung dieses Gesetzes aussprachen?"

„Nein. Das ist keine Niederlage, denn das wäre es nur, wenn ich eine politische Wahl verloren hätte, also in Konkurrenz zu Minister Dittrich stehen würde. Ich bin auch nicht gegen die Entscheidung.

Die Drucker forderten bessere Wettbewerbsregeln. Sie argumentierten, dass sie zu schwach gegenüber CIPE und den Endmonteuren seien und der Markt zu hart wäre. Den Markt stellt CIPE zur Verfügung. Für die Regulierung sind wir aber nicht zuständig. Das muss die Politik machen und das hat sie getan, wobei die Wahrung des sozialen Friedens ein gutes Ziel ist. Wichtig war für uns, dass wenn es Mindestentgelte geben soll, diese dann für alle Plattformen gelten müssen. Sonst würden sich Dumping-Plattformen etabliert haben, die CIPE unterboten hätten. Die Drucker hätten nichts gewonnen."

„Es wundert uns, dass Sie das so ruhig hinnehmen. Sie haben ja immer davor gewarnt, dass Mindestentgelte die 3D-Druck-Heimarbeit gefährden würden."

„Na ja, Mindestentgelte können auch die Beschäftigung senken, wenn sie zu hoch sind. Mir ging es mehr darum, die Menschen vor einer falschen Erwartung zu bewahren, dass Mindestentgelte das Allheilmittel seien. Nein: Mindestentgelte müssen dem entsprechen, was die Wirtschaft hergibt. Deswegen ist es jetzt wichtig, dass ihre angemessene Höhe von Fachleuten ermittelt wird, die zwischen Kaufkraftsteigerung der Arbeitnehmer und Sicherung und/oder Beschaffung von Arbeit gut abwägen. Es bringt ja den meisten Menschen nichts, wenn die Mindestentgelte sehr hoch sind, aber niemand eine Arbeit hat, wo sie das dann auch verdienen können."

„Sie haben aber die IG3D und ihre Forderung nach Mindestentgelten bisher stets hart bekämpft. Gibt es da einen neuen Kurs?"

„Die IG3D haben wir bekämpft, wenn die Wahl ihrer Mittel illegal war. Aber das Kapitel ist hoffentlich geschlossen. Offen gesagt: wir brauchen die IG3D beziehungsweise eine Interessenvertretung der Drucker, mit denen wir Tarife für die Heimarbeit aushandeln können und die dann auch gelten. Und einen Staat, der die Einhaltung dieser überwacht und keine Hintertürchen offen lässt."

„Hat Ihr Sohn aus diesem Grund begonnen, die IG3D-Mitgliedschaft unter den auf CIPE registrierten Druckern zu fördern?"

„Natürlich. Er stellt CIPE auf eine neue Grundlage. Und damit liegt er richtig. Wir sind bereit, die Einhaltung der Mindestentgelte und anderer sozialer Leistungen unter den Druckern durchzusetzen. Aber - wie gesagt - dann verpflichtend für alle. Es soll weder auf unserer noch auf anderen Plattformen Schlupflöcher oder andere Dumping-Konstrukte geben. Dafür braucht es auch einen starken Partner, der das mit durchsetzt und überwacht und zwar auf der Seite der Auftragnehmer."

„Wir waren überrascht, als Sie im September des Jahres Herrn Baumert eingestellt hatten, dem Sie davor in einer Talkshow als Gegner gegenüberstanden. Was führte dazu?"

„Mein Sohn war der Meinung, dass Herrn Baumerts Mitarbeit bei uns förderlich für die Beziehung zu den Druckern sei. Was wäre CIPE ohne die Millionen Familien zuhause, die CIPE zu dem machen, was es ist? Herr Baumert setzt Akzente, deren Arbeitsbedingungen zu verbessern und demnächst wird er federführend die Tarifpolitik leiten, denn wenn das Heimarbeitsgesetz in Kraft tritt, dann braucht es Verhandler für die Tarife und Sozialstandards."

„Hatte die Begegnung mit Ihrer neuen Gattin Einfluss auf Ihren *neuen Kurs*, wenn wir es mal so nennen dürfen?"

„Ich würde es nicht *neuen Kurs* nennen, denn das würde bedeuten, dass sich unser Ziel geändert hat. Das hat es nicht: CIPE steht weiterhin dafür, eine effiziente, heimarbeitsgestützte Produktion zu organisieren und dabei Millionen Menschen Arbeit und Perspektive zu geben. Wenn sich aber die Wetterverhältnisse ändern, muss man sich dem anpassen. Und ja: meine neue Gattin hat ganz viel Einfluss auf mich und das ist sehr gut."

„Herr Dreißiger: wir danken Ihnen für dieses Gespräch."

Epilog

Das neue Heim- und Fernarbeitsgesetz trat am 01.07.2043 in Kraft. Färber leistete ganze Arbeit, wie man es von ihm gewohnt war. Dreißiger Junior und Wirtschaftsminister Dittrich wurden in den Medien gefeiert als die Retter der sozialen Marktwirtschaft: *möge uns das kongeniale Duo Dreißiger/Dittrich noch lange erhalten bleiben,* hieß es in vielen Zeitungen.

Dreißiger Senior genoss das Lob für seinen Sohn. Für ihn stimmte nun alles. Nach der Hochzeit mit Angelika waren sie sich uneinig, wer bei wem einziehen sollte, denn Dreißiger plante seine Villa in Grünwald aufzugeben und Angelikas Einödhof zu erweitern, aber Angelika und die Kinder wollten lieber in Grünwald bleiben, weil sie von der Abgeschiedenheit gründlich die Nase voll hatten und das Stadtleben kennenlernen wollten. Der Kompromiss war, dass der Einödhof zum Ferienhaus wurde und die Grünwalder Villa zum Hauptwohnsitz.

Auch Robert Baumert bekam sein Lob ab: zunächst war sein Eintritt bei CIPE nur eine Randnotiz wert gewesen und viele witterten tatsächlich Käuflichkeit entgegen aller Beteuerungen, aber die Taten redeten eine andere Sprache. Es tat sich wirklich etwas zugunsten der Drucker und auch die gesetzlichen Regelungen mussten umgesetzt und Tarifkommissionen organisiert werden. Als er nach einiger Zeit wieder in Kleinaffing zu Besuch war – er zog zwischenzeitlich mit Frau und Kindern nach München –, dankten ihm die Leute auf der Straße: *Langsam wird es besser, als Drucker zu arbeiten,* hieß es in persönlichen Gesprächen. Die Einladungen zum Stammtisch beim Druckerwirt und zu Landrat Kittelhaus lehnte er aus *terminlichen Gründen* ab, aber in Wirklichkeit hatte er einfach keine Lust auf die Kleinaffinger. Kleinaffing war für ihn das Symbol für das Versagen der Druckerbewegung: sie war gescheitert am Egoismus und der Feigheit der Menschen. Auch wenn sich vieles verbesserte, so hatten sich die Drucker dieses nicht erkämpft, sondern es war ein Dreißigerscher Gnadenakt, eine Reform von oben. Eine typisch deutsche Revolution eben.

Und wie sich die Rollen vertauschten! Robert Baumert hatte erreicht, was er wollte, wurde aber zunehmend zynischer; Dreißiger dagegen hatte herbeigeführt, was er eigentlich nicht wollte und war glücklich. Eine Ironie des Schicksals.

Moritz konnte nach drei Jahren das Gefängnis auf Bewährung verlassen. Da er irgendwie herausfand, wem er seine Verurteilung zu verdanken hatte, machte er sich gleich nach der Haftentlassung auf die Suche nach seinem ehemaligen Freund Bäcker.

Wittig und Hornig verschwanden dauerhaft von der Bildfläche. Sie wurden lange Zeit später

Fälle für die TV- und Zeitschriftenrubrik *Was macht eigentlich…?*

Als das Heimarbeitsgesetz wieder eingeführt wurde und damit Mindestentgelte, Altersvorsorge und Urlaub für die 3D-Druck-Heimunternehmer galten, entspannte sich die Lage im Land. CIPE errechnete, dass ein solides Auskommen mit der Heimarbeit mit etwa fünfzig statt einhundert Wochenstunden nun möglich war. Das war für einen Selbständigen ein zumutbares Arbeitspensum. Die Kinderarbeit verschwand allmählich und die Unterrichtsfehlzeiten von Druckerkindern gingen drastisch zurück. Man konnte mit einem kleinen 3D-Druck-Heimbetrieb weiterhin kein Millionär werden, aber davon anständig zu leben, war endlich möglich. Und das genügte den meisten.

Die Wirtschaftsforschungsinstitute, die vor dem Gesetz noch gewarnt hatten, waren nun voller Lob für die Weitsichtigkeit von Politik und Wirtschaftschefs. Tatsächlich stiegen die Kaufkraft und die Binnennachfrage im Land, denn mehr als eine Million Druckerfamilien hatten nun wieder etwas mehr Freizeit und auch Geld in der Tasche, das direkt in den Konsum floss. Dadurch hatte sich realisiert, was Dreißiger einmal als Ziel ausgelobt hatte, nämlich stabile regionale Wirtschaftszonen zu schaffen, die resistenter waren, als das System von vor 2029. Oder wie er es in einem Interview sagte: „Wir sitzen weiterhin alle in einem Boot, aber dieses hat nun wasserdichte Schotten."

Die IG3D organisierte sich neu und die Mitgliedschaft in ihr wurde von CIPE nicht mehr verfolgt, vielmehr suchten Dreißiger Junior und Robert Baumert diese eng an sich zu binden, was ihnen auch gelang. Aus einer Gegnerschaft wurde eine Partnerschaft.

Übrigens: Färber blieb noch eine kurze Zeit zuständig für spezielle *Vorstandsprojekte,* aber in der aus seiner Sicht *rosaroten* Unternehmenspolitik des Juniors fand er sich nicht mehr zurecht. Er bat von sich aus um baldige Pensionierung. Färber besserte sein ohnehin ansehnliches Ruhegehalt dadurch auf, dass eines der weltgrößten Unternehmen für Forderungsmanagement und Inkasso ihm einen Beratervertrag gab. Er fand also eine neue Mission als *Problemlöser*.

Nachwort

Vor allem für diejenigen, die das Drama *Die Weber* von Gerhart Hauptmann nicht kennen, für die ist eine kurze Gegenüberstellung der handelnden Personen hilfreich:

	Die Weber	***Die Drucker***
Wilhelm Dreißiger	Wollhändler, also ein Verleger	Gründer und Chef von CIPE. Manchmal auch „Willy" und „Senior" genannt.
Rosa Dreißiger	Dreißigers Ehefrau	Dreißigers Ehefrau, die aber bereits früh verstorben ist.
Wilhelm Dreißiger Junior	Keine Entsprechung	Sohn des Gründers und neuer Chef. Steht auch sinnbildlich für den neuen, verwandelten Dreißiger.
Pfeifer	Expedient bei Dreißiger	Regionalleiter bei CIPE
Neu-	Kassierer bei	Oberbetriebsprü-

	Die Weber	*Die Drucker*
mann	Dreißiger	fer bei CIPE
Förster	Ein Förster	Qualitätsprüfer bei CIPE für den Landkreis Cham
Kutscher Johann/ Johann Kutscher	Kutscher von Dreißiger	Qualitätsprüfer bei CIPE für den Landkreis Cham
Dittrich	Textilfabrikant und Betreiber von Webmaschinen	Bundeswirtschaftsminister
Bäcker	Ein starker Weber, der sich gegen Dreißiger auflehnt und von ihm rausgeworfen wird.	Bäcker ist einer der Führer der IG3D und wurde wegen seiner Aktivität aus CIPE hinaus gemobbt. Arbeitet seit seinem Rauswurf weiterhin bei der IG3D.
Moritz Jäger	Ausgeschiedener Soldat. Neffe von Robert Baumert. Kehrt nach Kaschbach zu-	Ausgeschiedener Zeitsoldat. Cousin von Robert und Sepp Baumert. Kehrt nach

	Die Weber	*Die Drucker*
	rück und engagiert sich gegen Dreißiger. Besitzt den kompletten Text des Weberlieds (*Das Blutgericht*).	Kleinaffing zurück und engagiert sich gegen Dreißiger. Dichtet das Druckerlied *Druckermania*.
Wittig	Alter Schmied, der Bäcker und Moritz Jäger formt. Ist kein Weber, zieht aber die Strippen, ist ideologischer Lehrer aufgrund seiner Erfahrungen mit den Idealen der französischen Revolution.	Reicher Privatier und Kommunist, der Bäcker und Moritz Jäger formt. Er sucht nach einer Mission und glaubt sie im Druckeraufstand gefunden zu haben. Ist kein IG3D-Mitglied, war auch selbst nie Drucker, zieht aber die Strippen, ist ideologischer Lehrer und unterstützt die Druckerbewegung finanziell.
Hornig	Ein Lumpensammler, der viel herumkommt	Ein Verleger/Inhaber eines Enthüllungsmaga-

	Die Weber	*Die Drucker*
	und dadurch Neuigkeiten verbreitet.	zins, das über die Lage der Drucker berichtet und die Druckerbewegung unterstützt.
Joseph Kittelhaus	Pfarrer, der Dreißiger unterstützt	Landrat, der Dreißiger unterstützt
Welzel	Wirt	Wirt
Wiegand	Reicher Handwerker (Tischler)	Reicher Handwerker (Großbauer/Baubetrieb/Forstwirt)
Weinhold	junger, idealistischer Hauslehrer bei Dreißiger	Dreißigers idealistischer PR-Chef. Die Rolle Weinholds aus *Die Weber* wird teilweise auch durch Dreißigers Sohn verkörpert.
Frau Heinrich	Eine Nachbarin der Baumerts, die eine Fußverletzung hat.	Eine Nachbarin der Baumerts, die einen Nervenzusammenbruch hat.
Hilse, al-	Mahner vor ei-	Mahner vor ei-

	Die Weber	*Die Drucker*
ter	nem Aufstand, wird von einem Querschläger getötet, als die Soldaten gegen den Aufstand vorgehen; Vater von Gottlieb.	nem Aufstand, bekommt Herzinfarkt als Pfeifer und Neumann Druck auf Gottlieb ausüben, seinem Sohn.
Luise Hilse	Frau von Gottlieb, Schwiegertochter vom alten Hilse: kann die Mahnungen des alten Hilse nicht ertragen, will dass etwas gegen Dreißiger getan wird.	Frau von Gottlieb, Schwiegertochter vom alten Hilse: kann die Mahnungen des alten Hilse nicht ertragen, will dass etwas gegen Dreißiger getan wird.
Gottlieb Hilse	Gottlieb lässt sich gegen den Rat seines Vaters von Luise zum Aufstand hinreißen.	Gottlieb lässt sich gegen den Rat seines Vaters von Luise zur Klage gegen CIPE hinreißen.
Reimann	Ein Weber	Ein Kreisrat, der sich für die Sache der Drucker stark macht.

	Die Weber	*Die Drucker*
Heiber	Ein Weber	Ein Drucker
Färber	Handwerker und Dreißigers Helfer gegen die Weber	Dreißigers Helfer in Person einer rechten Hand, einem Mann fürs Grobe.
Angelika	keine Entsprechung	Angelika ist Dreißigers neue Liebe und sein Anlass für ein neues Leben und eine Veränderung zum Guten bei CIPE. Sie repräsentiert auch die schmerzhafte Erinnerung an seine Mutter aus Kindheits- und Jugendjahren.
Robert Baumert	Ein Weber, der sich zum Aufstand hinreißen lässt.	Ein Drucker und Bürgermeister von Kleinaffing, der sich zum Aufstand hinreißen lässt.
(Maria) Mutter	Frau von Robert	Frau von Robert

	Die Weber	***Die Drucker***
Baumert		
Emma/ Bertha Baumert	Die Kinder der Baumerts	Die Kinder der Baumerts
Joseph „Sepp" Baumert	Keine Entsprechung	Der Bruder von Robert, der für Dreißiger arbeitet
Fritz Baumert	Enkel von Robert Baumert	Sohn von Sepp Baumert

Das fiktive Lied *Druckermania,* das Moritz Jäger dichtete und Robert Baumerts Tochter im Internet hört, ist textlich eine Adaption des Weberlieds *Das Blutgericht* (oder: *Das Lied vom Blutgericht*), das auch in Hauptmanns *Die Weber* erwähnt wird. Dokumentiert ist dieses *Lied der Weber in Peterswaldau und Langenbielau* in Herrmann Püttmann, Herausgeber, 1845, Deutsches Bürgerbuch für 1845, Darmstadt, Leske, Seiten 199-202. Das Lied *Dreiß'ger wird danken Dir,* das Dreißigers Mietfans bei der Demonstration vor der CIPE-Zentrale singen, ist textlich eine Adaption der preußischen Volks- und späteren deutschen Kaiserhymne *Heil Dir im Siegerkranz.*

ENDE